AF513272

आर. गुप्ता® कृत

BTSC

बिहार तकनीकी सेवा आयोग

स्टाफ नर्स

पिछले प्रश्न-पत्र एवं 10 प्रैक्टिस सेट्स (उत्तर सहित)

RPH संपादक मंडल
द्वारा संपादित

2027
EDITION

रमेश पब्लिशिंग हाउस, नई दिल्ली

प्रकाशक

ओ.पी. गुप्ता, **रमेश पब्लिशिंग हाउस**

प्रशासनिक कार्यालय

12-H, न्यू दरियागंज रोड, ऑफिसर्स मेस के सामने,
नई दिल्ली-110002 ✆ 23275224, 23245124

E-mail: info@rameshpublishinghouse.com
For Online Shopping: www.rameshpublishinghouse.com

विक्रय केन्द्र

- बालाजी मार्किट, नई सड़क, दिल्ली-110006 ✆ 23282525 📱 9354373464
- 4457, नई सड़क, दिल्ली-110006

Book Code: R-2820

ISBN: 978-93-5477-942-8

मूल्य: ₹ 135

मुद्रक: दीपक ऑफसैट, दिल्ली

अनुक्रमणिका

●●●

बिहार तकनीकी सेवा आयोग (BTSC)

स्टाफ नर्स, भर्ती परीक्षा, 2025

(Exam held on 01-08-2025)

1. टूटे हुए पारा थर्मामीटर का निपटान कैसे किया जाना चाहिए?

1. इसे प्लास्टिक की थैली में बांधकर फेंक दें।
2. निपटान से पहले इसे आटोक्लेव करें।
3. इसे रासायनिक अपशिष्ट कंटेनर में रखें।
4. इसे सामान्य अपशिष्ट में फेंक दें।

2. आंत्र में गैस को कम करने के लिए निम्नलिखित में से किस प्रकार के एनिमा का उपयोग किया जाता है?

1. वातानुलोमक एनिमा (Carminative enema)
2. पोषक एनिमा (Nutrient enema)
3. तेल धारण एनीमा (Oil retention enema)
4. कृमिनाशक एनिमा (Anthelmintic enema)

3. कानूनी तौर पर सूचित सहमति के लिए क्या आवश्यक है?

1. जोखिम/लाभ के बारे में रोगी की समझ
2. पड़ोसी के हस्ताक्षर
3. केवल फिजीशियन की स्वीकृति
4. आपात स्थिति के दौरान मौखिक समझौता

4. कोशिकाबाह्य तरल में सबसे प्रचुर मात्रा में पाया जाने वाला विद्युत् अपघट्य (electrolyte) कौन-सा है?

1. सोडियम
2. कैल्शियम
3. पोटैशियम
4. क्लोराइड

5. निम्नलिखित में से कौन-सी, स्पंदहीन अतालता नहीं है?

1. निलय विकंपन (Ventricular fibrillation)
2. अलिंद विकंपन (Atrial fibrillation)
3. पीईए (PEA)
4. अप्रकुंचन (Asystole)

6. प्रसव (labour) का निम्नलिखित में से कौन-सा चरण, शिशु के जन्म के तुरंत बाद शुरू होता है और सामान्यतः 30 मिनट के भीतर समाप्त हो जाता है क्योंकि प्लेसेंटा, गर्भाशय भित्ति से अलग हो जाती है और बाहर निकल जाती है?

1. पहला चरण
2. चौथा चरण
3. दूसरा चरण
4. तीसरा चरण

7. विखंडित मनस्कता (schizophrenia) से पीड़ित रोगी की सुरक्षा को बढ़ावा देने के लिए निम्नलिखित में से किस एक को छोड़कर शेष सभी नर्सिंग अंतःक्षेप हैं?

1. रोगी से मांग करना और उसके साथ अधिकारपूर्ण व्यवहार करना
2. रोगी को शांत, कम उद्दीपन करने वाले वातावरण में ले जाना
3. रोगी को पर्याप्त व्यक्तिगत स्थान देना
4. आत्म-क्षति के संकेतों की सटीकता से मॉनिटरिंग करना

1. 3 **2.** 1 **3.** 1 **4.** 1 **5.** 2 **6.** 4 **7.** 1

8. ICU में भर्ती एक 60 वर्षीय महिला रोगी के धमनी रक्त गैस (ABG) परिणामों से पता चलता है कि उसका PH 7.27, $PaCO_2$ 67 mmHg और HCO_3 26 mEq/L है। इस रोगी में कौन-सी अम्ल-क्षार असामान्यता सर्वाधिक संभावित है?

1. मेटाबोलिक एसिडोसिस (Metabolic acidosis)
2. रेस्पिरेटरी एसिडोसिस (Respiratory acidosis)
3. रेस्पिरेटरी एल्केलोसिस (Respiratory alkalosis)
4. मेटाबोलिक एल्केलोसिस (Metabolic alkalosis)

9. साक्ष्य-आधारित अभ्यास पिरामिड में निम्नलिखित में से किसे साक्ष्य का उच्चतम स्तर माना जाता है?

1. यादृच्छिक नियंत्रित परीक्षण (Randomised controlled trials)
2. केस अध्ययन (Case studies)
3. केस-नियंत्रित अध्ययन (Case-control studies)
4. विशेषज्ञ की राय (Expert opinion)

10. आपात परिस्थितियों में कौन-सी नेतृत्व शैली प्रभावी होती है?

1. परामर्शी (Consultative)
2. स्वेच्छाचारी (Autocratic)
3. निष्क्रिय-आक्रामी (Passive-aggressive)
4. अहस्तक्षेप (Laissez-faire)

11. SMART सिद्धांत का उपयोग करके लक्ष्यों और प्रयोजनों को तैयार करने के संबंध में, 'S' का पूर्ण रूप क्या है?

1. sort (सॉर्ट)
2. skill (स्किल)
3. specific (स्पेसिफिक)
4. single (सिंगल)

12. निम्नलिखित में से कौन-सी औषधि, प्रीक्लेम्पसिया और एक्लेम्पसिया (preeclampsia and eclampsia) से ग्रसित महिलाओं में दौरे के उपचार और रोकथाम के लिए उपयोग की जाती है?

1. सोडियम बाइकार्बोनेट (Sodium bicarbonate)
2. मैग्नीशियम सल्फेट (Magnesium sulphate)
3. कैल्सियम ग्लूकोनेट (Calcium gluconate)
4. पोटैशियम ब्रोमाइड (Potassium bromide)

13. पोषण शिक्षा के लिए, विशेष रूप से अशिक्षित या अर्ध-शिक्षित आबादी के लिए, निम्नलिखित में से कौन-सी विधि प्रभावी है?

1. जटिल ग्राफ और चार्ट
2. प्रदर्शन और प्रयोगात्मक सत्र
3. लिखित पैम्फलेट
4. तकनीकी व्याख्यान

14. एक व्यक्ति जो सामान्यतः प्रतिबल से निपटने, स्वस्थ संबंध बनाए रखने और सकारात्मक संवेगों का अनुभव करने में सक्षम होता है, वह मानसिक स्वास्थ्य सांतत्यक (continuum) में कहाँ स्थित होता है?

1. सबसे बाएँ छोर पर (मानसिक व्याधि)
2. सांतत्यक के मध्य में
3. सबसे दाएँ छोर पर (इष्टतम मानसिक स्वास्थ्य)
4. छोरों (ends) के बीच उच्चावच

15. सौम्य निर्जलीकरण (Mild dehydration) से पता चलता है कि बच्चों में तरल (fluid) की कितनी कमी है?

1. 15-20%
2. 6-7%
3. 3-5%
4. 10-12%

16. निम्नलिखित में से किसका उपयोग बाधित प्रसव के प्रबंधन के लिए नहीं किया जा सकता है?

1. सिजेरियन सेक्शन (Caesarean section)
2. सहायक योनि प्रसव (Assisted vaginal delivery)
3. विनाशकारी प्रक्रियाएँ (Destructive procedures)
4. हेमलिच युक्ति (Heimlich maneuver)

8. 2 **9.** 1 **10.** 2 **11.** 3 **12.** 2 **13.** 2 **14.** 3 **15.** 3 **16.** 4

17. कोशिकाओं में सबसे प्रचुर मात्रा में पाया जाने वाला कैटायन कौन-सा है, जो कोशिका आयतन विनियमन, तंत्रिका चालन और पेशी संकुचन में महत्वपूर्ण भूमिका निभाता है?

1. कैल्शियम 2. मैग्नीशियम
3. पोटैशियम 4. सोडियम

18. निम्नलिखित में से कौन-सा, अस्पताल से उपार्जित संक्रमण विकसित होने का सामान्य जोखिम कारक है?

1. अंतः स्थायी चिकित्सा उपकरण
2. रोगी द्वारा बार-बार हाथ धोना
3. अस्पताल में कम समय तक रहना
4. इष्टतम पोषणज स्थिति

19. डोरोथिया ओरेम का नर्सिंग सिद्धांत निम्न में से किस एक को छोड़कर शेष सभी मुख्यतः तीनों परस्पर संबंधित भागों पर प्रकाश डालता है?

1. रोगियों की 14 आवश्यकताएं
2. नर्सिंग प्रणालियाँ
3. स्व-देखभाल की कमी
4. स्व-देखभाल

20. निम्नलिखित में से किस एक को छोड़कर शेष सभी, अतिसार (diarrhoea) के उपचार में बिस्मथ का उपयोग करने के प्राथमिक कारण हैं?

1. प्रतिजीवाणु (antibacterial)
2. वेदनाहर (analgesics)
3. शोथरोधी (anti-inflammatory)
4. प्रतिस्रावी (antisecretory)

21. जब रोगी उत्तान स्थिति में हो, तब कौन-सी डिवाइस कूल्हों के बाहरी घूर्णन को रोकती है?

1. ट्रैपीज बार (Trapeze bar)
2. एंकल फुट ऑर्थोटिक डिवाइस (Ankle foot orthotic device)
3. रिस्ट्रैन्ट (Restraint)
4. ट्रोकेन्टर रोल (Trochanter roll)

22. एक रोगी पेशी उद्वेष्ट और संभ्रम की शिकायत लेकर आपातकालीन विभाग में आया और उसका ECG लिया गया, जिसमें दीर्घकालिक QT समयांतराल दिखाई दिया। कौन-सा विद्युत् अपघट्य असंतुलन इन लक्षणों के साथ सबसे अधिक संबंधित है?

1. हाइपरकैल्सीमिया (Hypercalcemia)
2. हाइपोकैल्सीमिया (Hypocalcemia)
3. हाइपोकेलेमिया (Hypokalemia)
4. हाइपरकेलेमिया (Hyperkalemia)

23. चपापचयी क्षाररक्तता के लिए सामान्य रक्त pH परिसर कितना है?

1. 7.35-7.45 2. 7.35 से नीचे
3. 7.45 से ऊपर 4. 7.0-7-3

24. संज्ञानात्मक व्यवहार चिकित्सा का प्राथमिक फोकस क्या होता है?

1. स्वप्न विश्लेषण
2. दूरनुकूलक विचारों को बदलना
3. बाल्यकाल संघर्षों का अचेतन
4. फार्माकोथेरेपी

25. गर्भाशयग्रीवा नलिका के विस्फारण के साथ, गर्भ कलाओं का अधः ध्रुव असमर्थित हो जाता है और गर्भाशयग्रीवा नलिका में उभरने लगता है। चूंकि इसमें लिकर होता है, जो प्रस्तुत भाग के नीचे से होकर गुजरता है, इसलिए इसे .... कहते हैं।

1. जरायु कोष (chorionic sac)
2. फोरवॉटर (forewater)
3. पीतक कोष (yolk sac)
4. उल्व गुहिका (amniotic cavity)

26. ध्यान न्यूनता अतिसक्रियता (attention deficit hyperactivity) विकार के उपचार के लिए उपयोग की जाने वाली सामान्य उद्दीपक औषध कौन-सी है?

1. सेर्ट्रालाइन (Sertraline)
2. मेथिलफेनिडेट (Methylphenidate)
3. बुप्रोपियन (Bupropion)
4. फ्लुओक्सेटीन (Fluoxetine)

17. 3 **18.** 1 **19.** 1 **20.** 2 **21.** 4 **22.** 2 **23.** 3 **24.** 2 **25.** 2 **26.** 2

27. विश्व स्वास्थ्य संगठन (WHO) सार्वजनिक स्वास्थ्य समस्या के रूप में ट्रैकोमा (trachoma) को समाप्त करने के लिए निम्नलिखित में से किस रणनीति की अनुशंसा करता है?

1. MDT रणनीति
2. DOTS रणनीति
3. SAFE रणनीति
4. RICE रणनीति

28. विट्ज़ेल तकनीक (Witzel technique), ... हेतु एक शल्य चिकित्सा पद्धति है।

1. ट्रेकियोस्टोमी के लिए द्वार बनाने
2. क्रेनियोप्लास्टी के लिए द्वार बनाने
3. क्रिकॉइडेक्टॉमी के लिए द्वार बनाने
4. फीडिंग जेजुनोस्टॉमी (feeding jejunostomy) बनाने

29. किस प्रकार का नर्सिंग ऑडिट, रोगी के उपचार के दौरान देखभाल की गुणवत्ता का मूल्यांकन करता है?

1. कंकरेंट ऑडिट (Concurrent audit)
2. प्रोस्पेक्टिव ऑडिट (Prospective audit)
3. रेट्रोस्पेक्टिव ऑडिट (Retrospective audit)
4. टर्मिनल ऑडिट (Terminal audit)

30. आयरन की कमी का मुख्य नैदानिक लक्षण निम्नलिखित में से कौन-सा है?

1. सूखे, फटे हुए होंठ (Dry, cracked lips)
2. रतौंधी (Night blindness)
3. गलगंड और एडेमोरोर (Goitre and oedema)
4. चम्मच जैसे नाखून (Spoon-shaped nails)

31. भ्रूण असंगति (स्तर II) स्कैन सामान्यतः किस सगर्भता आयु (gestational age) में किया जाता है?

1. 18-22 सप्ताह
2. 24-28 सप्ताह
3. 12-14 सप्ताह
4. 16-18 सप्ताह

32. गर्भाशय के संकुचन का निष्कासी बल उदर की पेशियों के ऐच्छिक संकुचन द्वारा बढ़ाया जाता है, जिसे .... कहा जाता है।

1. वापस खींचने की शक्ति (power of retraction)
2. प्रवहण प्रयत्न (bearing down efforts)
3. कोलेजन तंतुकों का खंडन (breaking down of collagen fibrils)
4. विलोपन (effacement)

33. निम्नलिखित में से किस स्तर के विसंदूषण का उद्देश्य बीजाणुओं सहित सभी प्रकार के सूक्ष्मजीवी जीवन को समाप्त करना है?

1. निर्मलन (Cleaning)
2. निर्जमीकरण (Sterilisation)
3. संदूषण (Contamination)
4. विसंक्रमण (Disinfection)

34. 'ट्रिपल नेगेटिव (triple-negative)' स्तन कैंसर शब्द का तात्पर्य निम्नलिखित में से क्या है?

1. ऐसा कैंसर जो तीन विभिन्न अंगों में फैल गया हो और जिसे निकालने में कठिनाई हो
2. ऐसा कैंसर जिसका निदान तीसरे चरण में हुआ हो और जो कीमोथेरेपी के प्रति दुर्गलनीय हो
3. ऐसा कैंसर जो सभी ट्यूमर मार्करों, फिलाडेल्फिया क्रोमोसोम और HLA टाइपिंग के लिए नेगेटिव हो
4. ऐसा कैंसर जो एस्ट्रोजन, प्रोजेस्टेरोन और HER2 ग्राहियों के लिए नेगेटिव हो

35. निम्नलिखित में से कौन-सी पर्युदर्या (पेरिटोनियम) की एक बड़ी वलि (fold) है, जो गर्भाशय और श्रोणि की भित्तियों के पार्श्व भागों से जुड़ी होती है, जो आधार प्रदान करती है और रक्त वाहिकाओं और तंत्रिकाओं को धारण करती है?

1. गोल स्नायु (Round ligament)
2. जघन-गर्भाशय ग्रीवा स्नायु (Pubocervical ligament)
3. गर्भाशयत्रिक स्नायु (Uterosacral ligament)
4. पृथुस्नायु (Broad ligament)

27. 3 **28.** 4 **29.** 1 **30.** 4 **31.** 1 **32.** 2 **33.** 2 **34.** 4 **35.** 4

36. संक्रमण नियंत्रण अवेक्षण का उपयोग, निम्नलिखित में से किसकी निगरानी के लिए किया जाता है?

1. चिकित्सालयों में उपस्थित रोगियों की मृत्यु
2. उन रोगियों की संख्या, जिनकी अवस्था में उपचार के बाद कोई प्रगति न हुई
3. चिकित्सालय उपार्जित संक्रमण दर
4. चिकित्सा कर्मियों की स्वस्थवृत्त निगरानी

37. सार्वजनिक वादन (public speaking) के भय को .... के नाम से जाना जाता है।

1. गाइनोफोबिया (Gynophobia)
2. निक्टोफोबिया (Nyctophobia)
3. ग्लोसोफोबिया (Glossophobia)
4. एमेटोफोबिया (Emetophobia)

38. पोषण निर्धारण के दौरान बच्चों में वृद्धिरोध की पहचान करने के लिए निम्नलिखित में से किस नृमापी सूचकांक (anthropometric indices) का प्रयोग किया जाता है?

1. आयु के अनुसार लंबाई
2. मध्य भुजा की परिधि
3. आयु के अनुसार वजन
4. लंबाई के अनुसार वजन

39. निम्नलिखित में से कौन-सा, प्रसव (delivery) के बाद शीघ्र चलनक्षमता का लाभ नहीं है?

1. तेजी से स्वास्थ्य लाभ को बढ़ावा देना और दर्द को कम करना
2. पेशी सामर्थ्य में सुधार करना
3. घाती आंत्रावरोध (paralytic ileus) को बढ़ावा देना
4. समग्र कल्याण को बढ़ावा देना

40. एक नर्स को कम साक्षरता वाले मरीज को सोडियम कम करने के बारे में कैसे शिक्षित करना चाहिए?

1. दृश्य सहायक सामग्री का उपयोग करके
2. लिखित पैम्फलेट (pamphlets) उपलब्ध कराकर
3. ऑनलाइन संसाधनों की अनुशंसा करके
4. पोषण लेबल (nutrition label) पढ़ने का सुझाव देकर

41. निम्नलिखित में से कौन-सी, नर्सिंग प्रक्रिया की विशेषता नहीं है?

1. सहयोगात्मक (Collaborative)
2. नर्स केंद्रित (Nurse centered)
3. अंतर्वैयक्तिक (Interpersonal)
4. गतिक (Dynamic) और चक्रिल (cyclical)

42. सत्यवादिता का नैतिक सिद्धांत (ethical principle of veracity) नर्सों से क्या अपेक्षा करता है?

1. रोगियों और उनके परिवारों को सत्य बताना
2. रोगियों और उनके परिवारों से किए गए वादे निभाना
3. निर्णय लेने में रोगी की स्वायत्तता का सम्मान करना
4. रोगियों और उनके परिवारों का भला करना

43. ओपिओइड (opioid) अतिमात्रा के लिए ऐन्टिडोट निम्नलिखित में से कौन-सा है?

1. एट्रोपिन (Atropine)
2. नैलोक्सोन (Naloxone)
3. बुप्रोपियन (Bupripion)
4. डायजेपाम (Diazepam)

44. प्रत्यायोजन (delegation) एक क्रिटिकल मैनेजमेंट स्किल क्यों है?

1. यह प्रबंधकीय कार्यभार बढ़ाता है।
2. यह टीम की दक्षता को अनुकूलित करता है।
3. यह अंतःक्षेप में देरी करता है।
4. यह नर्स की स्वायत्तता को कम करता है।

45. सब्जियाँ बनाते समय पोषक तत्वों को संरक्षित रखने में पाककर्म (cooking) की कौन-सी विधि अत्यंत प्रभावी है?

1. भापन (Steaming)
2. डीप फ्राई करना (Deep-frying)
3. ग्रिल करना (Grilling)
4. उबालना (Boiling)

36. 3 **37.** 3 **38.** 1 **39.** 3 **40.** 1 **41.** 2 **42.** 1 **43.** 2 **44.** 2 **45.** 1

46. नक्तांधता (Nyctalopia), निम्नलिखित में से किस विटामिन की न्यूनता का एक सामान्य लक्षण है?

1. विटामिन B1
2. विटामिन K
3. विटामिन B6
4. विटामिन A

47. 'N95 मास्क' में, 'N95' क्या दर्शाता है?

1. इसे 95 घंटे में उपयोग करने के लिए रेट किया गया है।
2. इसे 95 विभिन्न प्रकार के वायरस हेतु डिजाइन किया गया है।
3. इसमें सामग्री की 95 परतें हैं।
4. यह कम से कम 95% वायुवाहित कणों को फिल्टर कर देता है।

48. BMW नियम, 2016 के अनुसार, संक्रामक अपशिष्ट, जैसे संदूषित लिनन के निपटान के लिए सामान्यतः किस रंग-कोडित बैग का उपयोग किया जाता है?

1. लाल
2. नीला
3. हरा
4. पीला

49. अस्थि का अपह्रासी रोग जिसके अभिलक्षण संहति में कमी, मैट्रिक्स अवनति और संरचनात्मक सामर्थ्य में ह्रास हैं, कहलाता है।

1. तंत्रिकामूलज व्याधि (radiculopathy)
2. अस्थिसुषिरता (osteoporosis)
3. अस्थि कोशिका अल्पता (osteopenia)
4. संधिशोथ (arthritis)

50. ICD-11 कब लागू हुआ था?

1. 2022
2. 2017
3. 2010
4. 2015

51. प्रसव के दौरान बैंडल वलय (Bandl's ring) की उपस्थिति सामान्यतः क्या दर्शाती है?

1. अवरूद्ध प्रसव के कारण गर्भाशय का विदार
2. समय पूर्व प्रसव
3. झिल्लियों का समय पूर्व विदार
4. प्रसव के दूसरे चरण के दौरान सामान्य गर्भाशय संकुचन

52. संतति निरोध (birth control) विधियों की प्रभाविता या प्रभावशीलता का प्राक्कलन करने में सहायता करने के लिए नैदानिक परीक्षणों और वास्तविक जीवन की स्थितियों में उपयोग की जाने वाली एक सामान्य तकनीक कौन-सी है?

1. पर्ल इंडेक्स (Pearl index)
2. चेन का G इंडेक्स (Chen's G index)
3. मिलर का Q इंडेक्स (Miller's Q index)
4. सुलिवन इंडेक्स (Sullivan index)

53. गर्भवती महिलाओं के लिए जिंक क्यों महत्वपूर्ण है?

1. थायराइड हार्मोन को नियंत्रित करता है
2. प्रतिरक्षी कार्यों और घाव भरने में सहायता करता है
3. प्लाज्मा ऑस्मोलैरिटी (plasma osmolarity) को बनाए रखता है
4. खंडोष्ठ (cleft lip) बनने से रोकता है

54. अनुक्रिया शून्य हृद् संरोध से पीड़ित व्यक्ति के प्रबंधन में पहला कदम क्या है?

1. वक्ष संपीडन शुरू करना।
2. अनुक्रिया, नाड़ी और श्वसन की जांच करना।
3. एक स्वचालित बाह्य वितंतु विकंपनित्र (defibrillator) संलग्न करना।
4. एपिनेफ्रीन (epinephrine) देना।

55. आर्द्र ऊष्मा (wet heat) में खाना पकाने की विधि कौन-सी है?

1. उबालना (Boiling)
2. ग्रिलिंग (Grilling)
3. बेकिंग (Baking)
4. तलना (Frying)

46. 4 **47.** 4 **48.** 4 **49.** 2 **50.** 1 **51.** 1 **52.** 1 **53.** 2 **54.** 2 **55.** 1

56. निम्नलिखित में से कौन-सा, देखभाल वितरण (care delivery) के प्रकार्यात्मक नर्सिंग मॉडल का सर्वोत्तम वर्णन करता है?

1. प्रत्येक स्वास्थ्य-देखभाल प्रदाता, अपनी भूमिका के आधार पर सभी रोगियों के लिए विशिष्ट कार्य करता है।
2. एक नर्स, रोगियों के एक समूह को देखभाल के सभी पहलुओं को प्रदान करने हेतु जिम्मेदार है।
3. नर्सों की एक टीम, यूनिट के निर्दिष्ट भौगोलिक क्षेत्रों में सहयोग करती है।
4. कौशल विकास को बढ़ावा देने के लिए नर्सें प्रतिदिन रोगियों की देखभाल का कार्य बदलती रहती हैं।

57. हैरिस फ्लश (Harris flush) को .... के नाम से भी जाना जाता है।

1. एंथेल्मिंथिक एनिमा (anthelminthic enema)
2. वातानुलोमक एनिमा (carminative enema)
3. रिटर्न-फ्लो एनिमा (return-flow enema)
4. स्तंभक एनिमा (astringent enema)

58. द्वितीयक सर्वेक्षण के SAMPLE प्रारूप में, 'A' द्वारा क्या दर्शाया जाता है?

1. Airway management (वायुमार्ग प्रबंधन)
2. Alertness of the patient (रोगी की सतर्कता)
3. Assessment of the patient (रोगी का मूल्यांकन)
4. Allergies to medications (औषध प्रयोग के प्रति एलर्जी)

59. निम्नलिखित में से कौन-सा, यथार्थ और उपयुक्त नर्सिंग दस्तावेजीकरण को सर्वोत्तम रूप से दर्शाता है?

1. 'रोगी ठीक लग रहा है; आज कोई शिकायत नहीं है। (Patient seems fine; no complaints today)'
2. यूनिट व्यस्त होने के कारण दवा देर से दी गई। (Medication was given late because the unit was busy)
3. 'रोगी ने कहा, जब मैं खड़ा होता हूँ तो मुझे चक्कर आते हैं।' (Patient stated, I feel dizzy when I stand up)
4. 'डॉक्टर समय पर नहीं आए, इसलिए उपचार में देरी हुई। (Doctor didn't come on time, so treatment was delayed)

60. 'ओटावा चार्टर फॉर हेल्थ प्रमोशन' (Ottawa Charter for Health Promotion) निम्नलिखित में से किन प्रमुख कार्य क्षेत्रों पर बल देता है?

1. रोग अवेक्षण, औषधि विकास, नई औषधि खोज, नैदानिक औषधि परीक्षण और शल्य चिकित्सा हस्तक्षेप
2. वैयक्तिक चिकित्सीय परामर्श, भेषजिक नुस्खे, शारीरिक पुनर्वासन और नैदानिक परीक्षण
3. आनुवंशिक अभियांत्रिकी, अंग प्रतिरोपण, बुनियादी जीवनरक्षी प्रणाली, और उन्नत हृदय या परिहृद जीवनरक्षी प्रणाली
4. स्वस्थ सार्वजनिक नीति का निर्माण, सहायक वातावरण का निर्माण और सामुदायिक कार्रवाई को सुदृढ़ बनाना

61. हॉलिडे-सेंगर फॉर्मूला के अनुसार, 15 kg वजन वाले बच्चे के लिए अनुरक्षणीय तरल की कुल दैनिक आवश्यकता कितनी होती है?

1. 1000 mL
2. 1500 mL
3. 1250 mL
4. 1750 mL

62. MUAC माप का उपयोग, बालकों में मुख्यतः किसके आकलन के लिए किया जाता है?

1. मस्तिष्क विकास
2. अस्थि घनत्व
3. तीव्र कुपोषण
4. दीर्घकालिक रोग का जोखिम

56. 1 **57.** 3 **58.** 4 **59.** 3 **60.** 4 **61.** 3 **62.** 3

63. प्रसव (labour) के दौरान शिशु के बहिघूर्णन (external rotation) को किस नाम से भी जाना जाता है?

1. क्रॉनिंग (crowning)
2. रेस्टिट्यूशन (restitution)
3. इंगेजमेंट (engagement)
4. बैलटमेंट (ballottement)

64. एक अस्पताल के वार्ड में, एक संक्रमित व्यक्ति की लार की एक बूँद डोर नॉब (doorknob) पर गिरती है। नर्स डोर नॉब को स्पर्श कर लेती है, और फिर वह संक्रमित हो जाती है। इस परिदृश्य में, डोर नॉब किस प्रकार कार्य करता है?

1. प्रवेश द्वार (a portal of entry)
2. एक रोगवाहक (a vector)
3. एक फोमाइट (a fomite)
4. एक रिजर्वायर (a reservoir)

65. समतानी अंतःशिरा विलयन का एक सामान्य उदाहरण कौन-सा है?

1. 3% सोडियम क्लोराइड
2. 0.45% सोडियम क्लोराइड
3. जल में 5% डेक्स्ट्रोस
4. 0.9% सोडियम क्लोराइड

66. कालपूर्व प्रसव (premature labour) में टोकोलिटिक औषधियों (tocolytic medications) का मुख्य लक्ष्य क्या है?

1. प्राक्गर्भाक्षेपक को रोकना (To prevent preeclampsia)
2. संकुचन को रोकना और प्रसव में देरी करना (To stop contractions and delay delivery)
3. गर्भ फुफ्फुस परिपक्वता को बढ़ाना (To increase foetal lung maturity)
4. प्रसव को प्रेरित करना (To induce labour)

67. एक नर्स एक मरीज से उसकी सहायता करने के इरादे से नहीं बल्कि उसके निजी मामलों के बारे में जानने की जिज्ञासा से जानकारी मांग रही है। यहां चिकित्सीय संचार में कौन-सी बाधा उत्पन्न हुई है?

1. असहमति (Disagreeing)
2. चुनौतीपूर्ण (Challenging)
3. जांच संबन्धी (Probing)
4. खारिज (Rejecting)

68. प्रतिनिध्यात्मक अध्ययन (cross-sectional studies) के संबंध में निम्नलिखित में से कौन-सा कथन सत्य है?

1. एक ही समय में एक्सपोजर (exposures) और परिणामों के बीच संबंध की जाँच
2. समय के साथ व्यक्तियों के एक समूह का अनुसरण करके उनके एक्सपोजर के आधार पर रोग के विकास का आकलन करना
3. अंतः क्षेप की प्रभाविता का मूल्यांकन करने के लिए प्रतिभागियों को यादृच्छिक रूप से विभिन्न समूहों में बाँटना
4. रोगग्रस्त व्यक्तियों के एक्सपोजर इतिहास की तुलना रोग-मुक्त व्यक्तियों से करना

69. राष्ट्रीय टीकाकरण कार्यक्रम (National Immunisation Schedule) के अनुसार हेपेटाइटिस B की पहली डोज का समय, अधिकतम आयु और देने का मार्ग निम्न में से क्या है?

1. जन्म के समय, एक वर्ष के भीतर अंतस्त्वचा मार्ग से
2. जन्म के समय, 5 वर्षों के भीतर अधस्त्वक् मार्ग से
3. जन्म के समय, 24 घंटों के भीतर अंतःपेशीय मार्ग से
4. जन्म के समय, 15 दिनों के भीतर मुख मार्ग से

70. IMNCI रंग संकेतन पद्धति में, निम्नलिखित में से कौन-सा रंग संकेत यह दर्शाता है कि बच्चे को चिकित्सालय या इनपेशेंट केयर में तत्काल रेफर करने की आवश्यकता है?

1. पीला
2. गुलाबी
3. हरा
4. नीला

63. 2 **64.** 3 **65.** 4 **66.** 2 **67.** 3 **68.** 1 **69.** 3 **70.** 2

71. बाल्यकाली हकलाहट का अभिलक्षण निम्नलिखित में से क्या है?

1. ध्वनियों की पुनरावृत्ति
2. अनुनासिकता
3. एकस्वर वाक्
4. भाषा बोध में असमर्थता

72. नमूना पंजीकरण प्रणाली (SRS) रिपोर्ट के अनुसार, वर्ष 2021 में भारत की शिशु मृत्यु दर (प्रति 1,000 जीवित जन्मों पर 1 वर्ष से निम्न आयु में मृत्यु) कितनी थी?

1. 1,000 जीवित जन्मों पर 16 मृत्यु
2. 1,000 जीवित जन्मों पर 27 मृत्यु
3. 1,000 जीवित जन्मों पर 39 मृत्यु
4. 1,000 जीवित जन्मों पर 19 मृत्यु

73. सामान्य लेफ्ट वेंट्रिकुलर इजेक्शन फ्रैक्शन (left ventricular ejection fraction—LVEF) क्या होता है?

1. 55% से 70% के बीच
2. 90% से 100% के बीच
3. 81% से 89% के बीच
4. 71% से 80% के बीच

74. ब्लड प्रेशर कफ के स्फीतिशील थैली की चौड़ाई, बाहु (arm) की परिधि की लगभग कितने प्रतिशत होनी चाहिए?

1. 20% 2. 40%
3. 80% 4. 70%

75. पेशेवरों को अपने काम में, बिना किसी अनुचित बाहरी प्रभाव के, अपने पेशेवर ज्ञान और विशेषज्ञता द्वारा निर्देशित, डिसिजन (decisions) लेने और जजमेंट (judgments) करने की जो स्वाधीनता और स्वतंत्रता प्राप्त होती है, उसे .... के रूप में जाना जाता है।

1. पेशेवर विश्वसनीयता (professional reliability)
2. पेशेवर स्वायत्तता (professional autonomy)
3. पेशेवर सत्यवादिता (professional veracity)
4. पेशेवर निष्ठा (professional fidelity)

76. वह व्यक्ति जो किसी रोग से संक्रमित है, लेकिन कोई लक्षण नहीं दर्शाता है, वह, ... कहलाता है।

1. आगार (reservoir) 2. रोगजनक (pathogen)
3. वाहक (carrier) 4. रोगवाहक (vector)

77. निम्नलिखित में से कौन-सा, असंतृप्त वसा का एक प्रकार है?

1. ओलीक अम्ल (Oleic acid)
2. लौरिक अम्ल (Lauric acid)
3. स्टिऐरिक अम्ल (Stearic acid)
4. मिरिस्टिक अम्ल (Myristic acid)

78. ABC मॉडल का उपयोग करते हुए परामर्श के व्यवहारिक उपागम में, अक्षर 'A' किसको संदर्भित करता है?

1. After effect (आफ्टर इफेक्ट)
2. Attitude (एटीट्यूड)
3. Analysis (एनालिसिस)
4. Antecedent (एंटेसेडेंट)

79. निम्नलिखित में से कौन-सा PPE प्रकार नेत्रों के परितः एक सील बनाता है, जो द्रव को नेत्र क्षेत्र में प्रवेश करने से रोकता है?

1. चश्मा 2. मास्क
3. दस्ताने 4. गाउन

80. निम्नलिखित में से किस एक को छोड़कर शेष सभी HIV औषधियों के वर्ग हैं?

1. न्यूक्लियोसाइड रिवर्स ट्रान्सक्रिप्टेज इनहिबिटर्स (nucleoside reverse transcriptase inhibitors)
2. इंटीग्रेज स्ट्रैंड ट्रांसफर इनहिबिटर्स (integrase strand transfer inhibitors)
3. नॉन-न्यूक्लियोसाइड रिवर्स ट्रान्सक्रिप्टेज इनहिबिटर्स (non-nucleoside reverse transcriptase inhibitors)
4. ऐन्जिओटेंसिन रिसेप्टर नेप्रिलिसिन इनहिबिटर्स (angiotensin receptor neprilysin inhibitors)

71. 1 **72.** 2 **73.** 1 **74.** 2 **75.** 2 **76.** 3 **77.** 1 **78.** 4 **79.** 1 **80.** 4

81. सामुदायिक स्वास्थ्य डेटा (community health data) का मुख्य स्रोत, निम्नलिखित में से क्या है?

1. चिकित्सालय लाभ अभिलेख
2. सोशल मीडिया प्रवृत्ति
3. भेषजी बिक्री अभिलेख
4. स्थानीय सार्वजनिक स्वास्थ्य विभाग के अभिलेख

82. निम्नलिखित में से कौन-सा व्यवहार, नर्सिंग में सक्रिय श्रवण को दर्शाता है?

1. भावात्मक जुड़ाव को सीमित करना
2. रोगी के वाक्यों को पूरा करना
3. किसी भी कीमत पर व्यवधानों से बचना
4. आँखों का संपर्क बनाए रखना और सिर हिलाना

83. एक नर्स .... व्यावसायिकता (professionalism) का प्रदर्शन करती है।

1. रोगी फीडबैक को नजरअंदाज करके
2. टीम वर्क और सहयोग से बचकर
3. व्यक्तिगत अभिनति के आधार पर देखभाल प्रदान करके
4. तदनुभूति और करुणा प्रदर्शित करके

84. '100% विलोपित' गर्भाशय ग्रीवा का अर्थ निम्नलिखित में से क्या है?

1. गर्भाशय ग्रीवा कागज के टुकड़े के समान पूर्णतः पतली हो गई है।
2. गर्भाशय ग्रीवा पूर्णतः बंद हो गई है।
3. गर्भाशय ग्रीवा 7 से 10 cm तक फैली हुई है।
4. गर्भाशय ग्रीवा कोमल होने लगी है, लेकिन पतली नहीं हुई है।

85. स्तनपान कराने वाली माताओं के लिए कितनी अतिरिक्त कैलोरी अनुशंसित की जाती है?

1. 300 kcal/दिन
2. 100 kcal/दिन
3. 500 kcal/दिन
4. 200 kcal/दिन

86. निम्नलिखित में से कौन-सा कथन, निष्पादन मूल्यांकन में प्रयुक्त 360-डिग्री फीडबैक पद्धति (360-degree feedback method) का सर्वोत्तम रूप से वर्णन करता है?

1. पर्यवेक्षकों, सहकर्मियों, अधीनस्थों और स्वयं कर्मचारी से प्राप्त अनाम फीडबैक का उपयोग करके निष्पादन मूल्यांकन
2. दैनिक प्रेक्षणों के आधार पर केवल आसन्न पर्यवेक्षक द्वारा मूल्यांकन
3. संगठनात्मक लक्ष्यों की तुलना में स्व-आकलन
4. केवल एक निश्चित समय सीमा में पूर्ण किए गए कार्यों की संख्या के आधार पर रेटिंग

87. शारीरिक रूप से अक्षम व्यक्ति को प्रभावी देखभाल प्रदान करने का सबसे मूल सिद्धांत, निम्नलिखित में से कौन-सा है?

1. केवल उनकी चिकित्सीय अवस्था और शारीरिक असामान्यता पर ध्यान केंद्रित करना
2. उनकी क्षमता सुनिश्चित करने और उनकी निर्भरता में वृद्धि करने के लिए उनके सभी कार्यों का निष्पादन करना
3. किसी भी क्षत से बचाने के लिए उनकी समूह, सामाजिक या सामुदायिक अन्तः क्रियाओं को सीमित करना
4. स्वतंत्रता और स्वायत्तता को यथासंभव अधिकतम सीमा तक प्रोत्साहित करना

88. वृद्धि और विकास के संबंध में निम्नलिखित में से कौन-सा कथन सत्य है?

1. वृद्धि और विकास दोनों मात्रात्मक परिवर्तनों को संदर्भित करते हैं।
2. वृद्धि मात्रात्मक परिवर्तनों को संदर्भित करती है, जबकि विकास गुणात्मक परिवर्तनों को संदर्भित करता है।
3. वृद्धि गुणात्मक परिवर्तनों को संदर्भित करती है, जबकि विकास मात्रात्मक परिवर्तनों को संदर्भित करता है।
4. वृद्धि और विकास दोनों गुणात्मक परिवर्तनों को संदर्भित करते हैं।

81. 4 **82.** 4 **83.** 4 **84.** 1 **85.** 3 **86.** 1 **87.** 4 **88.** 2

89. DEXA स्कैन निम्नलिखित में से किस रोग के निदान के लिए स्वर्ण मानक है?

1. कुशिंग संलक्षण (Cushing syndrome)
2. बहुसृत काठिन्य (Multiple sclerosis)
3. अस्थिसुषिरता (Osteoporosis)
4. सिमंड रोग (Simmond's disease)

90. CCR5 विरोधी औषधियों का उपयोग सामान्यतः .... के उपचार में किया जाता है।

1. डेंगू ज्वर
2. यक्ष्मा
3. HIV संक्रमण
4. कोविड-19 संक्रमण

91. निम्न में से कौन-सा स्वास्थ्य-संबंधी मॉडल, स्वास्थ्य को बढ़ाने के लिए अपने पारस्परिक और भौतिक वातावरण के साथ अंतःक्रिया करने वाले व्यक्तियों की बहुआयामी प्रकृति को दर्शाता है?

1. स्वास्थ्य संवर्धन मॉडल (Health Promotion Model)
2. स्वास्थ्य विश्वास मॉडल (Health Belief Model)
3. स्वास्थ्य बीमारी मॉडल (Health Illness Model)
4. स्वास्थ्य व्यवहार परिवर्तन मॉडल (Health Behaviour Change Model)

92. विडाल परीक्षण का प्राथमिक उपयोग क्या है?

1. रोगी के समग्र स्वास्थ्य और कल्याण का आकलन करना
2. निपा संक्रमण (Nipah infection) की गंभीरता का निर्धारण करना
3. टाइफॉइड जीवाणु की उपस्थिति का पता लगाना
4. स्ट्रेप्टोकोकस विरिडांस (Streptococcus viridans) के कारण होने वाले संक्रमण का निदान करना

93. निम्नलिखित में से किस दुर्लभ जन्मजात अपसामान्यता में, हृदय, वक्ष के बाईं ओर की बजाय दाईं ओर स्थित होता है?

1. डेक्सट्रोकार्डिया (Dextrocardia)
2. हाइपोप्लास्टिक लेफ्ट हार्ट सिंड्रोम (Hypoplastic left heart syndrome)
3. लेवोकार्डिया (Laevocardia)
4. महाधमनियों का स्थानांतरण (Transposition of the great arteries)

94. गर्भवती महिला के लिए प्रसवपूर्व स्तन देखभाल शिक्षा का निम्नलिखित में से कौन-सा पहलू महत्वपूर्ण है?

1. समय पूर्व प्रसव को रोकने के लिए निपल को स्पर्श करने या उत्तेजित करने से बचना।
2. निपल को दिन में कई बार साबुन और जल से साफ करना।
3. स्तन वृद्धि को कम करने के लिए टाइट-फिटिंग ब्रा का प्रयोग करना।
4. चपटे या उल्टे निपल की जाँच करना तथा आवश्यकता पड़ने पर स्तन मालिश को प्रोत्साहित करना।

95. नेत्र श्लेष्मलाशोथ को सामान्यतः .... के नाम से जाना जाता है।

1. मंददृष्टिता (amblyopia)
2. अभिमध्य विचलनता (esotropia)
3. संक्रमीनेत्र (pink eye)
4. तिर्यकदृष्टि (strabismus)

96. सगर्भता के दौरान उल्वीय कोश या गर्भोदक थैली का प्राथमिक कार्य क्या है?

1. गर्भाशय संकुचनों को उद्दीपित करना
2. गर्भ को पोषक तत्व प्रदान करना
3. गर्भ को सहारा देना और उसकी रक्षा करना
4. गर्भ की हृदयगति दर को नियमित करना

97. निम्नलिखित में से कौन-सी एक सूक्ष्म पेशीय कौशल उपलब्धि है?

1. दौड़ना (Running)
2. कूदना (Jumping)
3. टहलना (Walking)
4. आड़ी-तिरछी रेखाएं खींचना (Scribbling)

89. 3 **90.** 3 **91.** 1 **92.** 3 **93.** 1 **94.** 4 **95.** 3 **96.** 3 **97.** 4

98. निम्नलिखित में से किस नैदानिक शिक्षण पद्धति में वास्तविक समय अधिगम और नैदानिक तर्क को बढ़ाने के लिए रोगी की स्थिति और देखभाल पर सीधे बेडसाइड पर चर्चा करना शामिल है?

1. बेडसाइड क्लिनिक (Bedside Clinic)
2. सिमुलेशन (Simulation)
3. केस स्टडी (Case Study)
4. हेल्थ टॉक (Health Talk)

99. निम्नलिखित में से किसे छोड़कर शेष सभी नर्सिंग प्रक्रिया में मूल्यांकन के प्रमुख पहलू हैं?

1. यह एक अंतिम प्रक्रिया है, न कि एक सतत प्रक्रिया
2. देखभाल योजना में संशोधन की आवश्यकता का आकलन
3. परिणामों और लक्ष्य प्राप्ति की तुलना
4. अंतः क्षेप की प्रभावशीलता का आकलन

100. प्रकुंचन (सिस्टोल) के दौरान रक्त के निष्कासन के लिए हृदय को जिस दाब के विरुद्ध कार्य करना पड़ता है, ... कहलाता है।

1. भारपूर्व (preload)
2. हृद् निकास (cardiac output)
3. स्ट्रोक आयतन (stroke volume)
4. भारोत्तर (afterload)

व्याख्यात्मक उत्तर

1. टूटे हुए पारा थर्मामीटर में पारा (Mercury) होता है, जो विषैला और पर्यावरण के लिए खतरनाक है। इसलिए इसका निपटान सामान्य कचरे में नहीं किया जाता। सही तरीका यह है कि इसे खतरनाक/रासायनिक अपशिष्ट के रूप में अलग संग्रह करके निर्धारित chemical/hazardous waste कंटेनर में भेजा जाए ताकि सुरक्षित उपचार/निष्पादन हो सके।

2. आँतों में गैस (flatus) कम करने या बाहर निकालने के लिए carminative enema का उपयोग होता है। इसका उद्देश्य गैस के कारण होने वाले पेट के फुलाव, ऐंठन और असुविधा को घटाना होता है; Nutrient enema पोषण हेतु, Oil retention enema मल नरम/स्नेहन हेतु, और Anthelmintic enema कृमि नाश हेतु होता है।

3. कानूनी रूप से सूचित सहमति में रोगी को प्रक्रिया/उपचार के लाभ, जोखिम, विकल्प और संभावित परिणाम समझ में आने चाहिए और वह अपनी इच्छा से सहमति दे। पड़ोसी के हस्ताक्षर कानूनी आवश्यकता नहीं होते, केवल चिकित्सक की स्वीकृति सहमति का स्थान नहीं लेती, और आपात स्थिति में औपचारिक सहमति संभव न हो तो अलग नियम लागू होते—पर 'सूचित सहमति' के मूल में रोगी की समझ और स्वैच्छिक सहमति ही मुख्य है।

4. कोशिकाबाह्य तरल (Extracellular fluid) में मुख्य/सबसे अधिक मात्रा में पाया जाने वाला धनायन सोडियम (Na^+) होता है, इसलिए प्रमुख extra-cellular electrolyte के रूप में सोडियम माना जाता है।

5. स्पंदहीन (pulseless) अतालताओं में Ventricular fibrillation, PEA और Asystole आते हैं—इनमें प्रभावी pulse नहीं मिलती। Atrial fibrillation आमतौर पर perfusing rhythm हो सकता है और pulse प्रायः मौजूद रहती है (हालाँकि अनियमित), इसलिए यह 'स्पंदहीन अतालता' नहीं है।

6. शिशु के जन्म के तुरंत बाद जो चरण शुरू होता है और सामान्यतः ~30 मिनट के भीतर समाप्त हो जाता है, उसमें प्लेसेंटा गर्भाशय भित्ति से अलग होकर बाहर निकलता है—यह प्रसव का तीसरा चरण (Third stage of labour) है।

98. 1 **99.** 1 **100.** 4

7. स्किजोफ्रेनिया से पीड़ित रोगी की सुरक्षा बढ़ाने हेतु नर्सिंग हस्तक्षेपों में शांत, कम उद्दीपन वाला वातावरण देना, पर्याप्त व्यक्तिगत स्थान देना और आत्म-क्षति के संकेतों की सतत निगरानी करना उचित है। रोगी से मांग करना या अधिकारपूर्ण/आदेशात्मक व्यवहार करना सुरक्षा नहीं बढ़ाता, बल्कि रोगी की चिंता, आक्रामकता और अविश्वास को बढ़ा सकता है।

इसलिए यह विकल्प शेष सभी सुरक्षा-उन्मुख नर्सिंग हस्तक्षेपों से भिन्न है।

8. दिए गए ABG में pH 7.27 है जो अम्लीय है। $PaCO_2$ 67 mmHg है, जो सामान्य से काफी अधिक है और CO_2 रिटेन्शन दर्शाता है। HCO_3 – 26 mEq/L लगभग सामान्य सीमा में है, जिससे प्राथमिक विकार श्वसन से संबंधित सिद्ध होता है। अतः यह रेस्पिरेटरी एसिडोसिस है।

9. साक्ष्य-आधारित अभ्यास (Evidence-based practice) पिरामिड में सबसे उच्च स्तर का साक्ष्य RCTs को माना जाता है क्योंकि इनमें यादृच्छिकरण और नियंत्रण समूह के कारण पक्षपात न्यूनतम होता है। केस स्टडी, केस-कंट्रोल अध्ययन और विशेषज्ञ राय अपेक्षाकृत निम्न स्तर के साक्ष्य हैं।

10. आपात परिस्थितियों में त्वरित निर्णय, स्पष्ट निर्देश और कड़े नियंत्रण की आवश्यकता होती है। Autocratic नेतृत्व शैली में नेता तुरंत निर्णय लेकर निर्देश देता है, जिससे समय की बचत होती है और आपात स्थिति में प्रभावी प्रबंधन संभव होता है। अन्य शैलियाँ इस संदर्भ में धीमी या अप्रभावी होती हैं।

11. SMART सिद्धांत में S का पूर्ण रूप Specific होता है। इसका अर्थ है कि लक्ष्य स्पष्ट, सटीक और अच्छी तरह परिभाषित हों, ताकि उन्हें समझना और प्राप्त करना आसान हो। अन्य विकल्प SMART सिद्धांत का भाग नहीं हैं।

12. प्रीक्लेम्पसिया और एक्लेम्पसिया में दौरे की रोकथाम और उपचार के लिए मैग्नीशियम सल्फेट मानक औषधि है। यह CNS irritability को कम करता है और एक्लेम्पटिक सीजर्स की रोकथाम में प्रभावी है। अन्य दिए गए विकल्प इस उद्देश्य के लिए उपयोग नहीं किए जाते।

13. पोषण शिक्षा में अधिशिक्षित या अर्ध-शिक्षित आबादी के लिए वे विधियाँ सबसे प्रभावी होती हैं जो देखकर-करके सीखने पर आधारित हों। प्रदर्शन और प्रयोगात्मक सत्र में वास्तविक सामग्री, खाद्य पदार्थों की तैयारी और प्रत्यक्ष भागीदारी शामिल होती है, जिससे समझ सरल बनती है। जटिल ग्राफ, लिखित पैम्फलेट और तकनीकी व्याख्यान इस वर्ग के लिए अपेक्षाकृत कम प्रभावी होते हैं।

14. जो व्यक्ति सामान्यतः तनाव से निपटने में सक्षम होता है, स्वस्थ संबंध बनाए रखता है और सकारात्मक संवेगों का अनुभव करता है, वह मानसिक स्वास्थ्य संततांक के उस छोर पर स्थित माना जाता है जहाँ सर्वोत्तम या इष्टतम मानसिक स्वास्थ्य पाया जाता है। यह स्थिति मानसिक बीमारी के विपरीत छोर को दर्शाती है।

15. सौम्य निर्जलीकरण (Mild dehydration) बच्चों में सामान्यतः शरीर के कुल तरल/वजन के लगभग 3-5% की कमी को दर्शाता है। इससे अधिक प्रतिशत मध्यम या गंभीर निर्जलीकरण की श्रेणी में आता है।

16. बाधित प्रसव के प्रबंधन में सिजेरियन सेक्शन, सहायक योनि प्रसव और कुछ परिस्थितियों में विनाशकारी प्रक्रियाएँ प्रयुक्त की जा सकती हैं। हेमलिच युक्ति श्वासनली में फंसे अवरोध (choking) के उपचार हेतु है और प्रसव प्रबंधन से संबंधित नहीं है, इसलिए इसका उपयोग नहीं किया जाता।

17. कोशिकाओं के भीतर सबसे अधिक मात्रा में पाया जाने वाला कैटायन पोटैशियम (K^+) है। यह कोशिका आयतन विनियमन, तंत्रिका आवेग संचरण और पेशी संकुचन में प्रमुख भूमिका निभाता है। सोडियम मुख्यतः कोशिकाबाह्य कैटायन है।

18. अस्पताल से उपार्जित संक्रमण (Hospital-acquired infection) का एक सामान्य जोखिम कारक अंतःस्थायी

चिकित्सीय उपकरणों जैसे कैथेटर, IV लाइन आदि का उपयोग है, क्योंकि ये सूक्ष्मजीवों के प्रवेश का मार्ग प्रदान करते हैं। बार-बार हाथ धोना, कम समय तक अस्पताल में रहना और अच्छी पोषण स्थिति जोखिम को कम करते हैं।

19. डोरोथिया ओरेम का नर्सिंग सिद्धांत मुख्यतः स्व-देखभाल (Self-care), स्व-देखभाल की कमी (Self-care deficit) और नर्सिंग प्रणालियाँ (Nursing systems) — इन तीन परस्पर संबंधित घटकों पर केंद्रित है। 'रोगियों की 14 आवश्यकताएँ' फ्लोरेंस नाइटिंगेल/वर्जीनिया हेंडरसन के सिद्धांत से संबंधित हैं, न कि ओरेम के सिद्धांत से; इसलिए यही वह विकल्प है जिसे छोड़कर शेष ओरेम सिद्धांत से संबंधित हैं।

20. अतिसार (diarrhoea) के उपचार में बिस्मथ का प्रमुख उपयोग antibacterial, anti-inflammatory तथा antisecretory प्रभावों के कारण होता है। बिस्मथ का उपयोग दर्द निवारक (analgesic) के रूप में प्राथमिक कारण नहीं है, इसलिए यह विकल्प अपवाद है।

21. जब रोगी उतान (supine) स्थिति में होता है, तब कूल्हों के बाहरी घूर्णन (external rotation) को रोकने के लिए ट्रोकेंटर रोल का उपयोग किया जाता है। इसे जांघ के बाहरी भाग के साथ रखा जाता है ताकि पैरों की सही एलाइनमेंट बनी रहे।

22. ECG में QT अंतराल का दीर्घकालिक (prolonged QT interval) होना कैल्शियम की कमी से सबसे अधिक संबंधित होता है।

हाइपोकैल्सीमिया में ventricular repolarization लंबी हो जाती है, जिससे QT interval बढ़ जाता है।

23. मानव रक्त का सामान्य pH परास 7.35-7.45 होता है। जब रक्त का pH 7.45 से ऊपर चला जाता है, तो उसे क्षारकत्ता (Alkalosis) कहा जाता है।

चयापचयी क्षारकता विशेष रूप से तब होती है जब बाइकार्बोनेट का स्तर बढ़ जाता है या शरीर से अम्ल (जैसे गैस्ट्रिक एसिड) का अत्यधिक ह्रास होता है। इसके विपरीत, pH 7.35 से नीचे होने पर अम्लरक्तता (Acidosis) होती है।

24. संज्ञानात्मक व्यवहार चिकित्सा (Cognitive Behaviour Therapy) का प्राथमिक फोकस नकारात्मक, विकृत या अनुपयुक्त विचारों की पहचान कर उन्हें यथार्थवादी और सकारात्मक विचारों से बदलना होता है, ताकि व्यवहार और भावनाओं में सुधार हो सके।

25. प्रसव के दौरान जब गर्भाशयग्रीवा नलिका का विस्तार होता है, तब गर्भ-कलाओं का निचला ध्रुव अलग होकर गर्भाशयग्रीवा नलिका में उभर आता है और प्रस्तुत भाग के नीचे से तरल से भरी थैली बाहर की ओर दिखाई देती है। इस स्थिति में बनने वाली तरल-भरी झिल्ली को forewater कहा जाता है। यह अम्नियोटिक थैली का वह भाग है जो प्रस्तुत भाग के आगे रहता है।

26. ध्यान न्यूनता अतिसक्रियता विकार (ADHD) के उपचार में सबसे सामान्य रूप से प्रयुक्त औषधियाँ उत्तेजक (stimulants) होती हैं। मेथाइलफेनिडेट केंद्रीय तंत्रिका तंत्र को उत्तेजित करके ध्यान, एकाग्रता और आवेग नियंत्रण में सुधार करता है। अन्य दिए गए विकल्प मुख्यतः अवसादरोधी दवाएँ हैं।

27. विश्व स्वास्थ्य संगठन (WHO) ट्रैकोमा के उन्मूलन के लिए SAFE strategy की सिफारिश करता है, जिसमें S-Surgery, A-Antibiotics, F-Facial cleanliness और E-Environmental improvement शामिल हैं। यह रणनीति सार्वजनिक स्वास्थ्य स्तर पर ट्रैकोमा नियंत्रण के लिए मानक है।

28. विट्जेल तकनीक एक शल्य-चिकित्सा विधि है जिसका उपयोग जेजुनम में ट्यूब डालकर feeding jejunostomy बनाने के लिए किया जाता है। इसमें ट्यूब को आंत की दीवार में सुरंगनुमा मार्ग से सुरक्षित किया जाता है ताकि रिसाव न हो।

29. कंकरेंट नर्सिंग ऑडिट में रोगी के उपचार और देखभाल के दौरान ही देखभाल की गुणवत्ता का मूल्यांकन किया जाता है। इससे तुरंत सुधारात्मक कदम उठाना

संभव होता है, इसलिए यह उपचार के दौरान गुणवत्ता आकलन से संबंधित है।

30. आयरन की कमी (Iron deficiency anaemia) का प्रमुख नैदानिक लक्षण *कोइलोनीकिया* होता है, जिसमें नाखून चम्मच के आकार के हो जाते हैं। अन्य विकल्प क्रमशः विटामिन A, आयोडीन या अन्य पोषक तत्वों की कमी से संबंधित हैं।

31. भ्रूण असंगति स्कैन, जिसे लेवल-II अल्ट्रासाउंड या TIFFA स्कैन भी कहा जाता है, गर्भावस्था की दूसरी तिमाही में आदर्श रूप से 18 से 22 सप्ताह के बीच किया जाता है।

इस अवधि में भ्रूण के प्रमुख अंग और संरचनाएँ—जैसे मस्तिष्क, हृदय, रीढ़, गुर्दे और अंग—पर्याप्त रूप से विकसित हो चुकी होती हैं, जिससे उनका विस्तृत और सटीक मूल्यांकन संभव होता है। साथ ही, इस समय अम्नियोटिक द्रव की मात्रा पर्याप्त होती है, जो स्पष्ट इमेजिंग में सहायक होती है।

इसलिए 18-22 सप्ताह का समय संरचनात्मक असामान्यताओं की पहचान के लिए मानक और सर्वाधिक उपयुक्त माना जाता है।

32. गर्भाशय के संकुचन के दौरान निष्कासी बल प्रसव के दूसरे चरण में माँ द्वारा किए गए प्रवहण प्रयत्नों से प्रभावी रूप से बढ़ता है। ये प्रयत्न ऐच्छिक होते हैं और उदर तथा डायाफ्राम की मांसपेशियों के सक्रिय संकुचन के कारण उत्पन्न होते हैं। ये गर्भाशय के अनैच्छिक संकुचनों के साथ समन्वय में कार्य करते हैं और भ्रूण को जन्म मार्ग से बाहर निकालने में सहायता करते हैं।

इसके विपरीत, वापस खींचने की शक्ति (power of retraction) गर्भाशय की संकुचन के बाद स्थायी रूप से छोटी लंबाई बनाए रखने की विशेषता है, जो निष्कासी बल को प्रत्यक्ष रूप से नहीं बढ़ाती। विलोपन (effacement) और कोलेजन तंतुकों का खंडन गर्भाशय ग्रीवा में होने वाले संरचनात्मक परिवर्तन हैं, न कि निष्कासन को बढ़ाने वाले बल।

33. निर्जमीकरण का उद्देश्य सभी प्रकार के सूक्ष्मजीवों को, बीजाणुओं (spores) सहित, पूर्णतः नष्ट करना होता है। Cleaning केवल दृश्य गंदगी हटाता है, Disinfection बीजाणुओं को नहीं मारता और Contamination कोई नियंत्रण प्रक्रिया नहीं है।

34. ट्रिपल-नेगेटिव स्तन कैंसर की परिभाषा यही है कि ट्यूमर में ER, PR और HER2—तीनों रिसेप्टर अनुपस्थित होते हैं। यह वर्गीकरण जैविक गुणों पर आधारित है, न कि फैलाव, स्टेज या अन्य आनुवंशिक मार्करों पर।

35. ब्रॉड लिगामेंट पेरिटोनियम की एक बड़ी द्विस्तरीय तह (fold) है, जो गर्भाशय के पार्श्व भागों से श्रोणि की भित्तियों तक फैली रहती है। यह गर्भाशय को आधार प्रदान करती है तथा इसके भीतर रक्त वाहिकाएँ और तंत्रिकाएँ स्थित रहती हैं।

36. संक्रमण नियंत्रण अवेक्षण (Infection control surveillance) का प्रमुख उद्देश्य अस्पताल में उत्पन्न होने वाले संक्रमणों की दर पर निगरानी रखना होता है, ताकि उनके स्रोतों की पहचान कर रोकथाम की जा सके। रोगी मृत्यु, उपचार-अप्रगति या कर्मचारियों की स्वास्थ्य निगरानी इसके प्राथमिक लक्ष्य नहीं हैं।

37. सार्वजनिक वादन या लोगों के सामने बोलने के भय को Glossophobia कहा जाता है। यह विशिष्ट रूप से भाषण/पब्लिक स्पीकिंग से संबंधित भय है; अन्य विकल्प क्रमशः महिलाओं का भय, अंधकार का भय और उल्टी का भय दर्शाते हैं।

38. पोषण निर्धारण के दौरान बच्चों में वृद्धिरोध (stunting) की पहचान के लिए आयु के अनुसार लंबाई (Height-for-age) सबसे उपयुक्त नृमापी सूचकांक है। यह सूचकांक बच्चे के कद/लंबाई की तुलना उसकी आयु से करता है और दीर्घकालिक अथवा पुराने कुपोषण को दर्शाता है, क्योंकि लंबाई पोषण की कमी के प्रति धीरे-धीरे प्रभावित होती है। इसके विपरीत, लंबाई के अनुसार वजन दुबलापन (wasting) यानी तीव्र कुपोषण

का संकेत देता है, आयु के अनुसार वजन समग्र स्थिति बताता है पर वृद्धिरोध और दुबलापन में भेद नहीं कर पाता, तथा MUAC मुख्यतः तीव्र कुपोषण (विशेषकर SAM) की पहचान के लिए प्रयुक्त होता है।

39. प्रसव के बाद शीघ्र चलनशीलता के लाभों में दर्द में कमी, मांसपेशी शक्ति में सुधार और समग्र कल्याण शामिल हैं। *Paralytic ileus* को बढ़ावा देना लाभ नहीं है; वास्तव में शीघ्र चलना आंत्र क्रिया को बेहतर करता है।

40. कम साक्षरता वाले मरीजों को शिक्षा देते समय चित्र, चार्ट, मॉडल और डेमो जैसे दृश्य साधन समझ को सरल बनाते हैं। लिखित पैम्फलेट, ऑनलाइन संसाधन या न्यूट्रिशन लेबल पढ़ना अपेक्षाकृत कम प्रभावी होते हैं।

41. नर्सिंग प्रक्रिया की विशेषताएँ सहयोगात्मक, अंतर्वैयक्तिक तथा गतिशील-चक्रीय होती हैं और यह patient-centered होती है, न कि nurse-centered। इसलिए यह विकल्प विशेषता नहीं है।

42. सत्यवादिता (veracity) का नैतिक सिद्धांत स्वास्थ्य-सेवा में ईमानदारी और सत्य जानकारी प्रदान करने की अपेक्षा करता है। अन्य विकल्प क्रमशः fidelity, autonomy और beneficence से संबंधित हैं।

43. ओपिओइड अतिमात्रा में श्वसन अवसाद और CNS डिप्रेशन होता है। नालोक्सोन एक विशिष्ट opioid antagonist है, जो μ-opioid receptors से ओपिओइड को विस्थापित कर उसके प्रभावों को शीघ्र उलट देता है; इसलिए यही मानक एंटीडोट है।

44. प्रत्यायोजन (delegation) को क्रिटिकल मैनेजमेंट स्किल इसलिए माना जाता है क्योंकि यह कार्यों का उपयुक्त वितरण कर टीम की क्षमता, समय-प्रबंधन और उत्पादकता को बेहतर बनाता है। इससे प्रबंधकीय बोझ घटता है और देखभाल की गुणवत्ता सुधरती है।

45. सब्जियों में पोषक तत्वों (विशेषकर जल-घुलनशील विटामिन) को संरक्षित रखने के लिए भापन सबसे प्रभावी है, क्योंकि इसमें पानी का न्यूनतम संपर्क और कम लीचिंग होती है; उबालने/डीप-फ्राइंग/ग्रिलिंग में पोषक हानि अधिक होती है।

46. नक्तान्धता (Nyctalopia) विटामिन A की कमी का विशिष्ट और सामान्य लक्षण है, क्योंकि रेटिना में रॉड्स के कार्य के लिए रेटिनल (vitamin A derivative) आवश्यक होता है।

47. 'N95' का अर्थ है कि यह मास्क मानक परीक्षण स्थितियों में ≥0.3 माइक्रॉन कणों का कम से कम 95% निस्यंदन करता है।

48. BMW नियम, 2016 के अनुसार संक्रामक अपशिष्ट जैसे soiled linen (रक्त/शारीरिक द्रव से दूषित) का निपटान सामान्यतः पीले रंग के बैग में किया जाता है।

49. अस्थि का वह अपक्षयी रोग जिसमें अस्थि घनत्व (bone density) में कमी, मैट्रिक्स का अवनति और संरचनात्मक सामर्थ्य में स्पष्ट ह्रास होता है, osteoporosis कहलाता है। Osteopenia अपेक्षाकृत हल्की अवस्था है जिसमें ह्रास कम होता है।

50. ICD-11 को विश्व स्वास्थ्य संगठन द्वारा औपचारिक रूप से 1 जनवरी 2022 से लागू किया गया।

51. Bandl's ring एक pathological retraction ring है, जो सामान्यतः obstructed labour का संकेत देता है और गर्भाशय के निचले खंड के अत्यधिक खिंचाव से जुड़ा होता है।

52. जन्म नियंत्रण विधियों की प्रभावशीलता/प्रभाविता का आकलन नैदानिक परीक्षणों और वास्तविक जीवन स्थितियों में करने के लिए Pearl index एक मानक और व्यापक रूप से प्रयुक्त तकनीक है।

53. जिंक गर्भावस्था में प्रतिरक्षा क्रियाओं, ऊतक मरम्मत और घाव भरने में महत्वपूर्ण भूमिका निभाता है। अन्य विकल्प क्रमशः आयोडीन/सोडियम/फोलिक एसिड से अधिक संबंधित हैं।

54. अनुक्रिया शून्य हृदय संरोध (cardiac arrest) के प्रबंधन में पहला कदम प्राथमिक आकलन है—रोगी की प्रतिक्रिया, श्वसन और नाड़ी की त्वरित जाँच—जिसके बाद तुरंत उपयुक्त BLS/ALS कदम उठाए जाते हैं।

55. आर्द्र ऊष्मा (wet heat) में भोजन पकाने की विधियों में वह विधि शामिल होती है जिसमें जल या भाप का उपयोग होता है। उबालना सीधे जल माध्यम में किया जाता है, इसलिए यह wet heat विधि है; ग्रिलिंग, बेकिंग और तलना शुष्क ऊष्मा (dry heat) की विधियाँ हैं।

56. प्रकार्यात्मक नर्सिंग मॉडल एक कार्य-उन्मुख (task-oriented) देखभाल वितरण प्रणाली है, जिसमें नर्सिंग देखभाल को कार्यों में विभाजित किया जाता है। प्रत्येक स्वास्थ्य-देखभाल प्रदाता को उसकी दक्षता के अनुसार एक विशिष्ट कार्य सौंपा जाता है, जिसे वह यूनिट के सभी रोगियों के लिए करता है—जैसे एक नर्स सभी रोगियों को दवाएँ देती है और दूसरी सभी के vital signs जाँचती है। इस मॉडल में दक्षता और समय-बचत पर बल होता है, इसलिए यह स्टाफ की कमी या अधिक रोगी भार की स्थितियों में उपयोगी माना जाता है।

57. हैरिस फ्लश (Harris flush) को return-flow enema भी कहा जाता है। इसका उपयोग विशेष रूप से गैस और फीकल सामग्री को हटाने के लिए किया जाता है, जिसमें द्रव का अंदर-बाहर प्रवाह बार-बार कराया जाता है।

58. द्वितीयक सर्वेक्षण में प्रयुक्त SAMPLE प्रारूप एक मानक इतिहास-संग्रह उपकरण है, जिसका उपयोग आपातकालीन स्थिति में रोगी से आवश्यक और त्वरित जानकारी प्राप्त करने के लिए किया जाता है। इसमें 'A' का अर्थ Allergies होता है, अर्थात रोगी को किसी दवा, भोजन या पर्यावरणीय कारक से ज्ञात एलर्जी है या नहीं। यह जानकारी अत्यंत महत्वपूर्ण होती है क्योंकि एलर्जी की उपस्थिति उपचार के चयन, दवाओं के उपयोग और संभावित जटिलताओं को सीधे प्रभावित कर सकती है। SAMPLE का पूर्ण रूप है—S: Signs/Symptoms, A: Allergies, M: Medications, P: Past medical history, L: Last oral intake, E: Events leading to illness/injury—और इनमें 'A' स्पष्ट रूप से एलर्जी को दर्शाता है।

59. 'रोगी ने कहा, जब मैं खड़ा होता हूँ तो मुझे चक्कर आते हैं' : उपयुक्त नर्सिंग दस्तावेजीकरण वस्तुनिष्ठ या प्रत्यक्ष उद्धरण (quotation) के रूप में रोगी के कथन को दर्ज करता है। विकल्प 3 में रोगी का कथन शब्दशः दर्ज है, जबकि अन्य विकल्पों में राय, बहाना या दोषारोपण शामिल है।

60. ओटावा चार्टर फॉर हेल्थ प्रमोशन पाँच प्रमुख कार्य क्षेत्रों पर बल देता है—healthy public policy, supportive environments, community action को सुदृढ़ करना, व्यक्तिगत कौशल का विकास और स्वास्थ्य सेवाओं का पुनर्मुखीकरण। दिए गए विकल्पों में यही तत्व समग्र रूप से विकल्प 4 में निहित हैं।

61. हॉलिडे-सेगर (Holliday-Segar) फॉर्मूला के अनुसार दैनिक अनुरक्षणीय तरल आवश्यकता की गणना इस प्रकार की जाती है—पहले 10 kg के लिए 100 mL/kg = 1000 mL और अगले 5 kg के लिए 50 mL/kg = 250 mL।

अतः 15 kg वजन वाले बच्चे के लिए कुल दैनिक तरल आवश्यकता = 1000 + 250 = 1250 mL।

62. MUAC (Mid Upper Arm Circumference) माप का उपयोग बच्चों में मुख्यतः तीव्र कुपोषण (Acute malnutrition), विशेषकर SAM और MAM की पहचान के लिए किया जाता है। यह मस्तिष्क विकास, अस्थि घनत्व या दीर्घकालिक रोग जोखिम का आकलन नहीं करता।

63. प्रसव के दौरान शिशु के सिर के जन्म के बाद होने वाले बाह्य घूर्णन (external rotation) को restitution कहा जाता है। यह सिर का अपने मूल अक्ष के अनुरूप पुनः समायोजन है ताकि कंधे श्रोणि के अनुप्रस्थ व्यास में समा सकें।

64. इस परिदृश्य में डोर नॉब एक निर्जीव वस्तु है जिस पर रोगजनक जमा होकर अप्रत्यक्ष रूप से संक्रमण फैलाते हैं। ऐसी निर्जीव वस्तु को fomite कहा जाता है। यह न तो प्रवेश द्वार है, न जैविक वेक्टर और न ही रिजर्वायर।

65. 0.9% सोडियम क्लोराइड एक समतानी (isotonic) अंतःशिरा विलयन है, जिसका ऑस्मोलैरिटी प्लाज्मा के समान होती है। 3% NaCl हाइपरटोनिक और 0.45% NaCl तथा 5% डेक्सट्रोज प्रभावी रूप से हाइपोटोनिक माने जाते हैं।

66. कालपूर्व प्रसव में टोकॉलिटिक औषधियों का मुख्य उद्देश्य गर्भाशय संकुचनों को अस्थायी रूप से रोककर प्रसव को विलंबित करना होता है, ताकि स्टेरॉयड देकर भ्रूण के फेफड़ों की परिपक्वता बढ़ाने का समय मिल सके। टोकॉलिटिक्स स्वयं फेफड़ों की परिपक्वता नहीं बढ़ाते।

67. इस स्थिति में नर्स रोगी की सहायता करने के उद्देश्य से नहीं, बल्कि उसकी निजी बातों के बारे में अनावश्यक जिज्ञासा के कारण जानकारी निकालने का प्रयास कर रही है। चिकित्सीय संचार में इसे probing कहा जाता है, जो रोगी की गोपनीयता का उल्लंघन कर सकता है और एक संचार बाधा माना जाता है।

68. प्रतिछेदनात्मक (cross-sectional) अध्ययन किसी एक निश्चित समय बिंदु पर जनसंख्या में एक्सपोजर और परिणाम दोनों का एक साथ आकलन करते हैं। इनमें न तो अनुवर्तन होता है और न ही कारण-कार्य संबंध स्थापित किया जाता है।

69. राष्ट्रीय टीकाकरण कार्यक्रम के अनुसार हेपेटाइटिस-B की पहली खुराक जन्म के समय, आदर्शतः 24 घंटे के भीतर, intramuscular मार्ग से दी जाती है ताकि नवजात को प्रारंभिक सुरक्षा मिल सके।

70. IMNCI रंग संकेत पद्धति में गुलाबी रंग यह दर्शाता है कि बच्चे की स्थिति गंभीर है और उसे तत्काल रेफरल या इन-पेशेंट केयर की आवश्यकता है।

71. बाल्यकालीन हकलाहट का प्रमुख अभिलक्षण शब्दों या ध्वनियों की बार-बार पुनरावृत्ति है। यह प्रवाह विकार (fluency disorder) से संबंधित है, न कि भाषा-बोध की अक्षमता से।

72. नमूना पंजीकरण प्रणाली (SRS) रिपोर्ट 2021 के अनुसार भारत की शिशु मृत्यु दर (IMR) 27 प्रति 1,000 जीवित जन्म थी, जो पूर्व वर्षों की तुलना में कमी को दर्शाती है।

73. सामान्य लेफ्ट वेंट्रिकुलर इजेक्शन फ्रैक्शन (LVEF) हृदय की पंपिंग क्षमता को दर्शाता है और सामान्यतः 55%-70% के बीच माना जाता है। इससे कम होने पर सिस्टोलिक डिस्फंक्शन की संभावना होती है, जबकि इससे अधिक मान सामान्य नहीं माना जाता।

74. रक्तचाप मापते समय स्फीतिशील कफ की चौड़ाई, बाँह (arm) की परिधि के लगभग 40% के बराबर होनी चाहिए। इससे गलत उच्च या निम्न रीडिंग से बचा जा सकता है और सटीक मापन संभव होता है।

75. पेशेवर स्वायत्तता का अर्थ है कि कोई पेशेवर अपने ज्ञान, कौशल और विशेषज्ञता के आधार पर, बिना अनुचित बाहरी दबाव के, स्वतंत्र रूप से निर्णय और जजमेंट ले सके। यही अवधारणा यहाँ वर्णित है।

76. जो व्यक्ति किसी संक्रामक रोग से संक्रमित होता है लेकिन स्वयं में कोई लक्षण नहीं दिखाता, फिर भी रोग को दूसरों तक पहुँचा सकता है, उसे carrier कहा जाता है। यह न तो रोगजनक स्वयं है, न वेक्टर और न ही केवल रिजर्वायर की परिभाषा में आता है।

77. ओलिक अम्ल एक असंतृप्त वसा अम्ल (mono-unsaturated fatty acid) है। जबकि लॉरिक, स्टीयरिक और मिरिस्टिक अम्ल सभी संतृप्त वसा अम्ल हैं।

78. ABC मॉडल में A = Antecedent, B = Behaviour और C = Consequence होता है। अतः 'A' उस पूर्ववर्ती घटना या परिस्थिति को दर्शाता है, जो किसी व्यवहार से पहले घटित होती है।

79. PPE में protective goggles आँखों के चारों ओर एक सील बनाते हैं, जिससे तरल, रक्त या बॉडी फ्लुइड्स का नेत्र क्षेत्र में प्रवेश रोका जाता है। मास्क श्वसन पथ के लिए, दस्ताने हाथों के लिए और गाउन शरीर/कपड़ों की सुरक्षा के लिए होते हैं।

80. NRTIs, NNRTIs और Integrase strand transfer inhibitors—ये सभी HIV की मान्य औषधि श्रेणियाँ हैं। Angiotensin receptor neprilysin inhibitors हृदय विफलता के उपचार में प्रयुक्त होते हैं, HIV में नहीं, इसलिए यही अपवाद है।

81. सामुदायिक स्वास्थ्य डेटा का मुख्य और विश्वसनीय स्रोत स्थानीय सार्वजनिक स्वास्थ्य विभाग के अभिलेख होते हैं, जिनमें जन्म-मृत्यु आँकड़े, रोग निगरानी और कार्यक्रम रिपोर्ट शामिल रहती हैं।

82. सक्रिय श्रवण (active listening) में गैर-मौखिक संकेत जैसे eye contact, सिर हिलाना और उपयुक्त बॉडी लैंग्वेज शामिल होते हैं, जो रोगी को यह महसूस कराते हैं कि उसे ध्यानपूर्वक सुना जा रहा है।

83. नर्सिंग में व्यावसायिकता (professionalism) का प्रमुख संकेत रोगी के प्रति empathy और compassion दिखाना है।

शेष विकल्प अव्यावसायिक या नैतिक सिद्धांतों के विपरीत हैं।

84. '100% विलोपित' (100% effaced) गर्भाशय ग्रीवा का अर्थ है कि वह पूरी तरह पतली हो चुकी है। पूर्ण बंद होना या 7-10 cm फैलाव dilatation को दर्शाता है, effacement को नहीं।

85. स्तनपान कराने वाली माताओं में दूध निर्माण और ऊर्जा व्यय बढ़ जाता है। सामान्यतः स्तनपान अवधि में प्रतिदिन लगभग 500 kcal अतिरिक्त ऊर्जा की आवश्यकता मानी जाती है, ताकि माँ के पोषण स्तर और दूध की गुणवत्ता दोनों बनाए रखे जा सकें।

86. 360-डिग्री फीडबैक पद्धति में विभिन्न स्रोतों—वरिष्ठ, सहकर्मी, अधीनस्थ तथा स्व-मूल्यांकन—से प्राप्त फीडबैक के आधार पर निष्पादन का समग्र मूल्यांकन किया जाता है।

87. शारीरिक रूप से अक्षम व्यक्ति की प्रभावी देखभाल का मूल सिद्धांत उसकी स्वतंत्रता, आत्मनिर्भरता और स्वायत्तता को अधिकतम स्तर तक बढ़ावा देना है, न कि अनावश्यक निर्भरता पैदा करना।

88. वृद्धि में शरीर के आकार, वजन और ऊँचाई जैसे मापनीय परिवर्तन आते हैं, जबकि विकास में कार्यात्मक, भावनात्मक और मानसिक परिपक्वता जैसे गुणात्मक परिवर्तन शामिल होते हैं।

89. DEXA (Dual-Energy X-ray Absorptiometry) स्कैन हड्डियों के खनिज घनत्व को मापने की स्वर्ण-मानक विधि है और इसका उपयोग मुख्यतः ऑस्टियोपोरोसिस के निदान के लिए किया जाता है।

90. CCR5 विरोधी औषधियाँ (जैसे maraviroc) HIV के कोशिका में प्रवेश को रोकती हैं। इसलिए इनका उपयोग सामान्यतः HIV संक्रमण के उपचार में किया जाता है, न कि डेंगू, यक्ष्मा या कोविड-19 में।

91. यह मॉडल व्यक्ति को एक बहुआयामी प्राणी मानता है जो अपने सामाजिक, पारस्परिक और भौतिक वातावरण के साथ निरंतर अंतःक्रिया करता है। यह दृष्टिकोण स्वास्थ्य को बढ़ाने वाले व्यवहारों को समझने और प्रोत्साहित करने पर केंद्रित है, न कि केवल रोग या विश्वास तक सीमित रहता है।

92. विडाल परीक्षण का प्राथमिक उपयोग *Salmonella typhi* और *paratyphi* के विरुद्ध एंटीबॉडी की उपस्थिति का पता लगाने के लिए किया जाता है, जिससे टाइफॉइड बुखार के निदान में सहायता मिलती है। यह न तो समग्र स्वास्थ्य आकलन है और न ही अन्य विशिष्ट संक्रमणों का परीक्षण।

93. डेक्स्ट्रोकार्डिया एक दुर्लभ जन्मजात अवस्था है जिसमें हृदय सामान्य बाईं ओर के बजाय दाईं ओर स्थित होता है। अन्य विकल्पों में हृदय का स्थान सामान्य या अन्य संरचनात्मक दोषों से संबंधित है।

प्रैक्टिस सेट 1

1. एक न्यूरोलॉजिकल विकार जिसमें व्यक्ति के चेहरे के भाव और उसके घूरने का तरीका मुखौटे जैसे हो जाए, वो जाना जाता है ....।

A. मियासथीनिया ग्रेविस बीमारी
B. अल्जाइमर बीमारी
C. हंटिंग्टन कोरिया
D. पार्किंसन बीमारी

2. निम्नलिखित में से कौन-सी ऐसी चिकित्सा स्थिति है जिसमें फुफ्फुसीय (पल्मोनरी) धमनी और महाधमनी के बीच सम्बन्ध होता है?

A. पेटेंट डक्टस आर्टेरीओसस
B. बड़ी नलिकाओं में स्थानांतरण
C. आंद्रियल सेप्टल दोष
D. निलयी वंशीय दोष

3. रीढ़ की हड्डी और कशेरुका नली की एक्स-रे परीक्षा के बाद रीढ़ की हड्डी के सबरैक्नॉइड स्पेस में कंट्रास्ट मीडिया के प्रवेश को .... कहा जाता है।

A. इकोएन्सेफेलोग्राफी
B. माइलोग्राफी
C. इलेक्ट्रोमायोग्राफी
D. इलेक्ट्रोएन्सेफेलोग्राफी

4. अतृप्त मानवीय आवश्यकताओं की पहचान के लिए मरीजों का व्यवस्थित विवरण समूह:

A. नर्सिंग रोग निदान
B. नर्सिंग मूल्यांकन
C. नर्सिंग हस्तक्षेप
D. नर्सिंग आकलन

5. मस्तिष्क में विषाक्त बिलीरुबिन के असामान्य स्तर के कारण मस्तिष्क में हुई क्षति _________ कहलाती है।

A. पीलिया
B. आइसोइम्युनाइजेशन
C. कर्नईक्टरस
D. सिर में खून जमना (सेफेलोहेमाटोमा)

6. चिकित्सकीय आपातस्थिति के मामले में सहमति का एक प्रकार, जिसके तहत डॉक्टर उन रोगियों का आपातकालीन उपचार शुरू करते हैं जो सूचित सहमति नहीं दे सकते हैं, और जिनके लिए ऐसे निर्णय लेने के लिए परिवार के सदस्यों से तत्काल सम्पर्क नहीं किया जा सकता है:

A. निहित
B. अनुपस्थित
C. प्रक्रिया
D. सूचना देना

7. उस अनुसंधान डिजाइन को क्या कहा जाता है जिसमें प्रतिभागियों की दशा या दशा के क्रम का आकस्मिक आकलन किए बिना स्वतंत्र चर में हेरफेर किया जाता है?

A. पूर्व प्रायोगिक
B. क्वासी प्रायोगिक
C. वर्णनात्मक
D. गैर प्रायोगिक

8. बच्चों में उच्च रक्तचाप के कारण:

A. अतालता
B. निर्जलीकरण
C. हाइपोथायराइडिज्म
D. ग्लोमेरुलोनेफ्राइटिस

9. मातृ एवं शिशु स्वास्थ्य के आवश्यक अंग हैं:
A. स्वास्थ्य सर्वे, टीकाकरण, पोषण कार्यक्रम
B. रिकॉर्डिंग और रिपोर्टिंग, रेफरल सेवाएँ, डिलीवरी
C. छोटी बीमारियों का उपचार, स्वास्थ्य संवर्धन, स्वास्थ्य शिक्षा
D. मातृ स्वास्थ्य, बाल स्वास्थ्य, परिवार नियोजन

10. _________ एक तरीका है जिसमें ग्रैंड माल के दौरे का कृत्रिम प्रेरण किया जाता है मस्तिष्क तक विद्युत प्रवाह के अनुप्रयोग के माध्यम द्वारा।
A. ट्रांसक्रेनियल चुंबकीय उत्तेजना
B. रिफ्लेक्सोलॉजी
C. प्रकाश-चिकित्सा
D. विद्युत-आक्षेपी चिकित्सा

11. हाइपरबेरिक ऑक्सीजन थेरेपी का उपयोग निम्न में से कौन-से मरीजों के इलाज में किया जाता है?
A. ऑर्गेनोफॉस्फेट के जहर के लिए
B. पारे के जहर के लिए
C. कार्बन मोनोऑक्साइड के जहर के लिए
D. नारकोटिक के जहर के लिए

12. वह कौन-सा मानसिक विकार है जिसमें संबंध विच्छेद, कोरी कल्पना, आभास, मतिभ्रम और खासकर बच्चों में संवाद करने में असमर्थता पाई जाती है?
A. बाल अपराध
B. सामाजिक चिंता विकार
C. स्वलीनता
D. मूकता

13. एक नर्स ने इस बात पर गौर किया कि पिछली पाली की नर्स द्वारा डाक्टर द्वारा बताई गई दवाइयों की खुराक को गलत अंकित किया गया है। इस घटना की रिपोर्ट इनमें से कौन दर्ज करेगा?
A. संबंधित नर्स जिसने यह गलती पकड़ी
B. वह नर्स जिसने पिछली पाली में यह गलती की थी
C. पर्यवेक्षक नर्स जो इस वक्त नर्सिंग विभाग की प्रभारी है
D. मूल नर्स जिसे पहले दिन उस मरीज का जिम्मा मिला था

14. उन्मुक्ति, जो मां के एंटीबॉडी से भ्रूण को ट्रांसप्लैन्टैंटली और स्तन के दूध के माध्यम से शिशु को उनके स्वयं के प्रतिरक्षा प्रणाली के परिपक्व होने तक सुरक्षित रखने के लिए हस्तांतरित होती है, एक प्रकार का है:
A. सहज मुक्ति　　B. प्राप्त प्रतिरक्षा
C. सक्रिय प्रतिरक्षा　　D. निष्क्रिय प्रतिरक्षा

15. प्रसवोत्तर रक्तस्राव के बाद मातृ अवलोकन हैं:
(*a*) रक्त परीक्षण की कुल मात्रा का अनुमान
(*b*) पल्स और तापमान को हर 15 मिनट में रिकॉर्ड करना
(*c*) केंद्रीय शिरापरक दबाव
(*d*) निगरानी द्रव के नुकसान से मुकाबला करने के लिए रुकावट के बिना IV तरल पदार्थों का प्रबंध करना
A. (*a*), (*b*), (*c*)　　B. (*b*), (*c*), (*d*)
C. (*a*), (*c*), (*d*)　　D. (*a*), (*b*), (*c*), (*d*)

16. एड्स में वेस्टिंग सिंड्रोम के क्लिनिकल लक्षणों में शामिल हैं:
(*a*) अनैच्छिक वजन घटना
(*b*) क्रोनिक डायरिया
(*c*) प्रोटीन-ऊर्जा कुपोषण
(*d*) इस्पैगल कैंडिडिआसिस
A. (*a*), (*b*), (*c*)　　B. (*b*), (*c*), (*d*)
C. (*a*), (*b*), (*d*)　　D. (*a*), (*b*), (*c*), (*d*)

17. गर्भावस्था के 12 हफ्तों के गर्भपात के रोगी के सक्रिय प्रबंधन में शामिल हैं:
(*a*) योनि निकास
(*b*) ऑक्सीटोसिन ड्रिप के द्वारा गर्भाशय के संकुचन में तेजी लाने के लिए
(*c*) लामिनेरिया टेंट द्वारा गर्भाशय ग्रीवा का धीमा फैलाव
(*d*) चूषण निकास
A. (*a*), (*b*), (*c*)　　B. (*b*), (*c*), (*d*)
C. (*a*), (*c*), (*d*)　　D. (*a*), (*b*), (*c*), (*d*)

18. रिकॉर्डिंग सिस्टम का प्रकार, जिसमें प्रत्येक विभाग के सदस्य चार्ट के पृथक लेबल वाले अनुभाग में अपने निष्कर्षों को रिकॉर्ड करते हैं:
A. स्रोत-उन्मुख रिकॉर्ड सिस्टम
B. समस्या-उन्मुख रिकॉर्ड सिस्टम
C. केंद्रित रिकॉर्ड प्रणाली
D. अपवाद आधारित रिकॉर्ड प्रणाली

19. डीएसएम IV के अनुसार, सिजोफ्रेनिया के सकारात्मक लक्षणों में शामिल हैं:

(*a*) मतिभ्रम

(*b*) भ्रष्टाचार

(*c*) फ्लैट प्रभाव

(*d*) विचित्र व्यवहार

A. (*a*), (*b*), (*c*) B. (*b*), (*c*), (*d*)

C. (*a*), (*c*), (*d*) D. (*a*), (*b*), (*d*)

20. निम्नलिखित चिकित्सीय रिश्तों की बाधाएं हैं:

(*a*) बहुत सारे सवाल (*b*) मुखर शैली

(*c*) रूढ़िबद्धता (*d*) संरक्षण

A. (*a*), (*b*), (*c*) B. (*b*), (*c*), (*d*)

C. (*a*), (*c*), (*d*) D. (*a*), (*b*), (*c*), (*d*)

21. एक नर्सिंग होम में प्रशिक्षु नर्स का काम कर रही नर्स को नासिक-आमाशयिक नली को मरीज के शरीर में प्रविष्ट कराने को कहा गया। तो इस प्रशिक्षु द्वारा इनमें से लिया गया कौन-सा निर्णय बेहतर होगा?

A. नासिक-आमाशयिक नली को निर्देश के अनुसार प्रविष्ट कर देना

B. वरिष्ठ नर्स से आग्रह करें कि वे नासिक-आमाशयिक नली को प्रविष्ट करने की प्रक्रिया का निरीक्षण करते रहें

C. नर्सिंग कॉलेज के प्रशिक्षक को नासिक-आमाशयिक नली को प्रविष्ट करने में सहायता करने को कहना

D. नासिक-आमाशयिक नली को प्रविष्ट करने से साफ-साफ मना कर देना

22. एक मानवतावादी तरीके से लोगों की मदद करने से स्वयं संतुष्टि प्राप्त करने को कहा जाता है:

A. अपनी भावनाओं का विश्लेषण करने की योग्यता

B. एक मॉडल के रूप में सेवा करने की योग्यता

C. परोपकारिता

D. नैतिकता की मजबूत भावना

23. स्टीवन-जॉनसन सिंड्रोम की जटिलताओं में शामिल हैं:

(*a*) अनुपचारित सेप्सिस केरेटो

(*b*) नेत्रश्लेष्मलाशोथ

(*c*) नेत्रगोलक वापस लेना

(*d*) कॉर्नियल घाव

A. (*a*), (*b*), (*c*) B. (*b*), (*c*), (*d*)

C. (*a*), (*c*), (*d*) D. (*a*), (*b*), (*c*), (*d*)

24. मानक सम्मेलन में, निम्नलिखित आकृतियों को एक फ्लोचार्ट में विभिन्न ब्लॉकों के लिए उपयोग किया जाता है, को छोड़कर:

A. गोल अंत के साथ आयतें स्टार्ट और स्टॉप को इंगित करने के लिए उपयोग की जाती हैं

B. समानांतर चित्रों का प्रयोग इनपुट और आउटपुट कार्यों का प्रतिनिधित्व करने के लिए किया जाता है

C. प्रसंस्करण परिचालन के लिए आयत

D. भंडारण और अंकगणित के लिए डायमंड के आकार का बक्से

25. पांच साल के एक बच्चे को ब्रोन्कोपल्मोनरी डिस्प्लासिआ (बीपीडी) के निदान के साथ अस्पताल में भर्ती कराया जाता है। यदि बच्चा तीसरे चरण में है, तो क्या क्लिनिकल लक्षण मौजूद होंगे?

A. प्रोफ्यूज हायलाइन झिल्ली और लापरवाह श्लेष्म सिलिया हानि

B. अंतरालीय फाइब्रोसिस और उपकला प्रसार

C. एल्विओलर कोशिकाओं के अंतःस्थित और नेक्रोसिस की एडेमा

D. वायुकोशीय पतन और ऑक्सीजन में कठिनाई

26. एक चिकित्सा सर्जन नर्स की भूमिका, जो महत्वपूर्ण सोच, क्लिनिकल निर्णय और नर्सिंग अभ्यास के लिए नर्सिंग प्रक्रिया का महत्वपूर्ण उपकरण के रूप में उपयोग करते हैं:

A. प्रैक्टिशनर रोल B. नेतृत्व की भूमिका

C. प्रबंधकीय भूमिका D. अनुसंधान भूमिका

27. संवेदी हानि के जोखिम वाले कारकों में निम्नलिखित शामिल हैं:

(*a*) संवेदी हानि का पारिवारिक इतिहास

(*b*) कपाल संरचनाओं की जन्मजात विरूपता

(*c*) तीव्र शोर के लिए क्रोनिक एक्सपोजर

(*d*) आवर्त कान संक्रमण

A. (*a*), (*b*), (*c*) B. (*b*), (*c*), (*d*)

C. (*a*), (*b*), (*d*) D. (*a*), (*c*), (*d*)

28. चिकित्सीय समुदाय में वसूली को प्रभावित करने वाले कारक निम्न हैं, ... को छोड़कर

A. ग्राहक से पर्यावरण के बारे में बातचीत

B. प्रेरणा और रोगी की तत्परता

C. रोगी और विश्लेषक के बीच यथार्थवादी दृष्टिकोण

D. चिकित्सीय समुदाय में होने वाली जीवनशैली में बदलाव

29. शिशु के पौष्टिक आहार के लिए, निम्नलिखित उपकरण की आवश्यकता है:

(*a*) एक रबर सिलिकॉन लगी हुई ट्यूब

(*b*) एक 10 से 14 फ्रेंच कैथेटर

(*c*) ट्यूब पर दूरी को चिन्हित करने के लिए एक गैर-विरल टेप

(*d*) पानी-घुलनशील स्नेहक

A. (*a*), (*b*), (*c*)　B. (*b*), (*c*), (*d*)

C. (*a*), (*c*), (*d*)　D. (*a*), (*b*), (*c*), (*d*)

30. एक नर्स द्वारा प्रदान की जाने वाली एक व्यक्तिगत, व्यापक और सुसंगत देखभाल, जिसकी अवधि 24/7 है, उसे निम्नलिखित के रूप में जाना जाता है?

A. प्राथमिक नर्सिंग　B. मामला (केस) विधि

C. कार्यात्मक नर्सिंग　D. टीम नर्सिंग

31. रिंगर के लैक्टेट घोल में निम्नलिखित सभी घटक शामिल हैं, सिवाय इसके:

A. पोटैशियम　B. क्लोराइड

C. शर्करा (ग्लूकोज)　D. सोडियम

32. एक कफ जो बहुत संकीर्ण है, रोगी के बीपी के लिए किस प्रकार की रीडिंग प्रदान करेगा?

A. सच्चा और ऊँचा रीडिंग

B. सच्चा और निम्न रीडिंग

C. गलत और ऊँचा रीडिंग

D. गलत और निम्न रीडिंग

33. मूत्राशय को धोकर साफ करने के लिए निम्नलिखित में से कौन-सा एक सामान्य घोल नहीं है?

A. सोडियम नाइट्रेट　B. पोटेशियम परमैंगनेट

C. बोरिक अम्ल　D. लैक्टिक एसिड

34. जहर निगलने पर प्राथमिक उपचार के रूप में निम्नलिखित में से कौन-सी कार्रवाई नहीं की जानी चाहिए?

A. मरीज की श्वास, नाड़ी और चेतना के स्तर की जाँच करते रहना।

B. पौधों, खाली पैकेट और कंटेनरों जैसे सुराग की तलाश करते रहना।

C. यदि प्रतिक्रियाशील नहीं है, तो वायुमार्ग खोलें और श्वास की जांच करते रहना।

D. मरीज को निर्मल तरल पिलाएं और उल्टी को प्रेरित करते रहना।

35. निम्नलिखित कथनों में से कौन-सा कथन प्रभावी अनुकूलन (ऑपरैन्ट) कंडीशनिंग के बारे में सत्य नहीं है?

A. प्रतिक्रियाएं अनैच्छिक और स्वचालित हैं

B. पुनर्बलन रुकने पर प्रतिक्रियाएँ कम हो जाती हैं

C. शिक्षार्थियों की भूमिका सक्रिया है

D. प्रभाव के कानून का उपयोग किया जाता है

36. श्रीमान एक्स मोटापे के लिए डाइट पर हैं। वह अपनी पसंदीदा मिठाई, आइसक्रीम चाहते हैं, लेकिन उन्हें अपने अतिरिक्त कैलोरी की भी याद दिलाई जाती है। द्वंद्व के प्रकार को पहचानें।

A. दृष्टिकोण-दृष्टिकोण द्वंद्व

B. दृष्टिकोण-परिहार द्वंद्व

C. परिहार-परिहार द्वंद्व

D. दोहरा दृष्टिकोण-परिहार द्वंद्व

37. एक शुक्राणु द्वारा कौन-सा एंजाइम स्रावित होता है जो डिंब में प्रवेश करने में मदद करता है?

A. हयालूरोनिडेस　B. प्रोटीज

C. ग्लूकोसरेब्रोसिडेज　D. एमाइलेस

38. निम्न में से किस योनि चिन्ह के लिए, गर्भावस्था के दौरान पार्श्व फोर्निस के माध्यम से वृद्धि हुई धड़कन महसूस होती है?

A. ओसियांदर का चिन्ह

B. चाडविक का चिन्ह

C. जैक्विमियर का चिन्ह

D. हेगर का चिन्ह

39. प्रसव के तंत्र के दौरान सिर की डिलीवरी के बाद निम्नलिखित में से कौन-सी क्रिया होती है?

A. फ्लेक्सियन B. आंतरिक रोटेशन
C. क्राऊनिंग D. प्रत्यास्थापन

40. गर्भाशय ग्रीवा की अक्षमता के मामले में गर्भपात को रोकने के लिए कौन-सी प्रक्रिया की जाती है?

A. मेट्रोप्लास्टी B. योनिभित्तिछेदन
C. सरक्लेज D. अधिष्ठापन

41. सिजेरियन सेक्शन के लिए प्रसव कक्ष की मेज पर एक गर्भवती महिला को किस अवस्था में रखा जाता है?

A. रकाव में पैरों के साथ ट्रेंडेलनबर्ग स्थिति
B. घुटने के नीचे एक तकिया के साथ अर्ध-फाउलर की स्थिति
C. पैरों को अलग और ऊंचा करने के साथ प्रवण स्थिति
D. दाहिने कूल्हे के नीचे एक कील के साथ सुपाइन की स्थिति

42. निम्नलिखित में से कौन-सा संकेत या लक्षण पर एक नर्स ध्यान देगा यदि सतही शिरापरक घनास्त्रता एक माँ में मौजूद थी जो सिजेरियन सेक्शन द्वारा एक स्वस्थ शिशु को जन्म देती है?

A. पैल्पेबल डोर्सलिस पेडिस पल्स
B. पिंडली क्षेत्र का पीलापन
C. बढ़े हुए और सख्त नसें
D. पिंडली क्षेत्र की शीतलता

43. शुरू में कौन-सा नर्सिंग देखभाल उचित होगा, जब एक नर्स तत्काल प्रसवोत्तर अवधि में माँ के गर्भाशय फंडस का आकलन करती है, और महसूस करती है, कि गर्भाशय नरम और दलदली है?

A. मरीज के पैरों को ऊपर उठाएं
B. थक्के को प्रकट करने में सहायता करने के लिए गर्भाशय पर धक्का दें
C. मरीज को खाली करने के लिए प्रोत्साहित करें
D. जब तक यह दृढ़ न हो जाए तक तक फंडस की मालिस करें

44. जब एक नर्स प्रसव में एक माँ की निगरानी करते हुए गर्भनाल संपीडन का संदेह करती है, निम्नलिखित में से किस पर एक संकुचन का पता लगाने वाले बाहरी मॉनिटर पर ध्यान दिया जाता है?

A. परिवर्तनीय अवत्वरण B. परिवर्तनशीलता
C. शीघ्र अवत्वरण D. त्वरण

45. प्रोटीन-ऊर्जा कुपोषण के निम्नलिखित वर्गीकरणों में से कौन-सा उस उम्र के लिए अपेक्षित वजन के 90% से अधिक वजन का सामान्य रूप में वर्गीकरण करता है?

A. भारतीय बाल चिकित्सा अकादमी द्वारा वर्गीकरण
B. सिन्ड्रोमल वर्गीकरण
C. गोमेज का वर्गीकरण
D. डब्ल्यूएचओ वर्गीकरण

46. ब्राउन एडिपोस ऊतक (BAT) निम्नलिखित में से किस क्षेत्र में स्थित नहीं होता है?

A. इंटरस्कैप्यूलर क्षेत्र B. सुप्राक्लेविकुलर क्षेत्र
C. एक्सिलरी क्षेत्र D. सेक्रल क्षेत्र

47. निम्नलिखित में से कौन-सा रेटिनोबलास्टोमा का एक क्लासिक पेश लक्षण है?

A. ब्रशफील्ड के धब्बे
B. बिल्ली की आँख का प्रतिबिंब (कैट्स आइ रिफ्लेक्स)
C. रीड-स्टर्नबर्ग कोशिकाएं
D. ब्रुडजिंस्की का चिन्ह

48. एक वर्ष से कम उम्र के शिशु को डीपीटी वैक्सीन देने के लिए कौन-सी साइट सबसे ज्यादा पसंद की जाती है?

A. वास्तु पार्श्व माँसपेशी
B. डेल्टॉइल माँसपेशी
C. ग्लुटिअल पेशी
D. बाइसेप्स की माँसपेशी

49. एसिड फास्ट स्टेनिंग क्या करता है?

A. एसिड-फास्ट बैक्टीरिया (लाल) और गैर-एसिड-फास्ट बैक्टीरिया (नीला) के बीच अंतर करता है
B. गैर एसिड-फास्ट बैक्टीरिया (लाल) और एसिड-फास्ट बैक्टीरिया (नीला) के बीच अंतर करता है

C. एसिड-फास्ट बैक्टीरिया (लाल) और गैर-एसिड-फास्ट बैक्टीरिया (नीला) के बीच अंतर नहीं कर सकता

D. गैर-एसिड फास्ट बैक्टीरिया (लाल) और एसिड-फास्ट बैक्टीरिया (नीला) के बीच अंतर नहीं कर सकता

50. मिस्टर एक्स का रक्त शर्करा स्तर 250 mg/dl है और उसके मूत्र में कीटोन्स हैं। व्यायाम के बारे में एक नर्स को उसे क्या सलाह देनी चाहिए?

A. सप्ताह में एक से तीन बार व्यायाम करें

B. रोज एक ही समय पर तेज चलना

C. व्यायाम न करें

D. सप्ताह में एक बार व्यायाम करें

51. एक नर्स एक एंडोट्रेकल एक्सटयूबेशन के बाद एक रोगी की देखभाल कर रही है। इस मामले में निम्नलिखित में से कौन-सा एक नर्सिंग देखभाल पहलू नहीं है?

A. फेस मास्क द्वारा ऑक्सीजन दें

B. रक्तस्राव को रोकने के लिए मुंह की देखभाल न करें

C. मौखिक रूप से कुछ भी न दें (NPO)

D. श्वसन दर और छाती की गतिविधि की निगरानी करें

52. एक चिकित्सक ने एचआईवी वाले मरीज के लिए वायरल लोड टेस्ट की सलाह दी। इस परीक्षण का उद्देश्य क्या है?

A. प्लाज्मा एचआईवी आरएनए स्तरों को मापता है

B. एचआईवी के खिलाफ एंटीबॉडी की पहचान करता है

C. सेरोपोसिटिविटी की पुष्टि करने में मदद करता है

D. एचआईवी के लिए एंटीबॉडी का पता लगाता है

53. हाथ के संपार्श्विक परिसंचरण की जांच करने के लिए किस परीक्षण का उपयोग किया जाता है?

A. कोशिका फिर से भरना परीक्षण

B. स्चमरोथ का परीक्षण

C. एलन परीक्षण

D. रोमबर्ग का परीक्षण

54. मस्तिष्क और रीढ़ की हड्डी के तंत्रिका तंतुओं के माइलिन-रहित प्रसार द्वारा वर्णित एक अपक्षयी विकार की पहचान करें।

A. मियासथीनिया ग्रेविस B. मल्टीपल स्क्लेरोसिस

C. माँसपेशीय दुर्विकास D. अल्जाइमर रोग

55. निम्नलिखित में से कौन-सा टीकाकरण इंट्राडर्मल मार्ग के माध्यम से दिया जाता है?

A. हेपेटाइटिस बी B. खसरा

C. बीसीजी D. जापानी मस्तिष्ककोप

56. असुरक्षित संभोग के बाद सहवास-पश्चात गर्भनिरोधक गोली लेने के लिए अनुशंसित अवधि क्या है?

A. 5 दिनों के भीतर B. 4 दिनों के भीतर

C. 3 दिन के अंदर D. एक सप्ताह के अन्दर

57. निम्नलिखित कथनों पर विचार कीजिए :

(*i*) जब मरीज यह सोचता है कि उसके खाने में जहर है तो नर्सिंग का सबसे अच्छा तरीका मरीज को चैक किये भोजन या बंद कंटेनरों से भोजन, फलों एवं अण्डों का सेवन करने देना चाहिए।

(*ii*) रोग के क्षेत्र में आने वाली गतिविधियाँ जिसमें कर्मचारी एवं छात्र के सीखने के अनुभव को नर्सिंग राउंड कहा जाता है।

कूट की सहायता से सही उत्तर का चयन कीजिए।

A. केवल (*i*) B. केवल (*ii*)

C. (*i*) एवं (*ii*) दोनों D. न तो (*i*) न ही (*ii*)

58. जन्मजात प्रतिरोधक रोग प्रतिरोधक शक्ति का मतलब क्या है?

A. इंसान को जन्म से मिलनेवाली प्रतिरोधक शक्ति

B. किसी भी व्यक्ति द्वारा उसके जीवनकाल में प्राप्त की हुई प्रतिरोधक शक्ति

C. प्रापक को अंतरिक की हुई बनी बनाई प्रतिकार शक्ति

D. माँ से भ्रूण को अंतरित हुई प्रतिरोधक शक्ति

59. एक 80 साल की वृद्ध महिला को कमर के दाएं निचले हिस्से में दर्द के लिए आपातकालीन विभाग में लाया गया। जाँच करने पर परिचारिका ने मरीज के जाँघ के अंतरभाग पर सिगरेट्स के जलाने के निशान देखे हैं। इसका वह विकल्प चुनें जो सबसे उपयुक्त प्रलेखन दिखाता है।

A. आंतरिक जांघों पर दोनों तरफ की त्वचा पर अंशतः ठीक हुए छह गोलाकार जख्म
B. पीड़िता के दोनों आंतरिक जाँघों पर बहुत सारे जलने के निशान
C. आंतरिक जांघों पर घावों की संख्या संभवतः बड़े व्यक्ति द्वारा किए गए दुर्व्यवहार से संबंधित है
D. आंतरिक जांघों के अतंरभाग पर सिगरेट से जलने के निशानों जैसे बहुत सारे जख्म

60. परिचारिका के लिए जीवाणुओं की वृद्धि देखने (कल्चर) के लिए थूक का नमूना लेने का सर्वोत्तम समय कौन-सा है?
A. प्रातःकाल
B. एयरोसोल चिकित्सा (थेरेपी) के बाद
C. नाश्ते के बाद
D. छाती के भौतिक चिकित्सा के बाद

61. 2 साल के बच्चे के कान में ठीक तरह से दवाई डालने के लिए कर्ण नलिका को कैसे सीधा करते हैं?
A. कान सीधा पीछे खींचो
B. कान नीचे और पीछे की तरफ खींचो
C. कान ऊपर और पीछे की तरफ खींचो
D. कान सीधा ऊपर की तरफ खींचो

62. वह स्थिति पहचानिये जिसमें प्रोटीन की जहाँ अल्प मात्रावाला खाना खाने की सलाह दी जाती है?
A. जिन मरीजों का ऑपरेशन किया हो
B. यकृत का सिरोसिस
C. बहुत पुरानी गुर्दे की बीमारी
D. जलना

63. किस स्थिति में योनि से ''लाल चिपचिपा में सफेद चिपचिपा स्राव'' प्रकार का खून बहता है?
A. हैडॉटिडीफॉर्म तिल
B. पूतिक (सेप्टिक) गर्भपात
C. (फैलोपियन ट्यूब) नलिका का टूटना
D. गर्भाशय ग्रीवा की अक्षमता

64. कौन-से वर्ष में गर्भावस्था के वैद्युकिय निष्कासन (मेडिकल टर्मिनेशन ऑफ प्रेगनेंसी एक्ट) का कानून भारत में कार्यान्वित किया गया?
A. 1972
B. 1983
C. 1995
D. 2001

65. निम्नलिखित घटनाओं में से किसमें एरिथ्रोब्लास्टोसिस फेटलिस होता है?
A. माता आर एच पॉजिटिव (Rh +ve) है; भ्रूण आर एच नेगेटिव (Rh–ve) है
B. माता और भ्रूण दोनों आर एच नेगेटिव (Rh–ve) है
C. माता आर एच नेगेटिव (Rh–ve) है; भ्रूण आर एच पॉजिटिव (Rh+ve) है
D. माता और भ्रूण दोनों आर एच पॉजिटिव (Rh+ve) है

66. प्रसवोत्तर रक्तस्राव होने वाली माता के लिए एर्गोमेट्रिन लेने की सलाह दी जाती है उसके लिए निम्नलिखित स्थितियों में से कौन-सी स्थिति अंतर्विरोध है?
A. अल्प रक्त-चाप (हाइपोटेंशन)
B. अबटु-अल्पक्रियता (हाइपोटेंशन)
C. मधुमेह
D. परिधीय संवाहिनी रोग

67. अकाली प्रसव वेदना से पीड़ित महिला की जब कोई परिचारिका माता या उसके भ्रूण की जान को धोखा है यह जाँचने के लिए चिकित्सा करती है, तब निम्नलिखित में से कौन-सी चीज उसे सतर्क करती है?
A. गर्भाशय के समन्वित संकुचन की क्रिया
B. भ्रूण की दिल की धड़कन लगातार बदलना
C. माँ की थकान
D. गर्भाशय की ग्रीवा में ज्यादा मात्रा में बदलाव

68. गर्भनाल (प्लेसेंटा) प्रिविआ की गर्भावस्था से जिस माता ने अभी-अभी शिशु को जन्म दिया है उसके लिए परिचारिका को निम्नलिखित में से किस धोखे का ध्यान रखना पड़ता है
A. संक्रमण
B. बहुत चिरकारी उच्च रक्तचाप
C. रक्तस्राव
D. नसों के अंदर रक्त गुठलियों का संकलन

69. कमर की हड्डी के अपावर्तन के वजह से होने वाले क्लिक ऐसे आवाज से कौन-सा लक्षण दिखता है?

A. कर्निंग के लक्षण

B. बार्लो के लक्षण

C. प्रजनक (प्रोनेटर) लक्षण

D. ऑर्टोलनी लक्षण

70. निम्नलिखित में से कौन-से लक्षण में प्लास्टर का साँचा डाले हुए बच्चे को जाँच की जरूरत नहीं है?

A. सूजन या साँचा डाले हुए पैर की उंगलियाँ अचानक से ठंडी गिरना

B. सांचे का खिचाव

C. साँचा डाले हुए पैर में स्पंदन कम या बिलकुल नहीं आना

D. साँचा डाले हुए पैर में उंगलियाँ घुमाने की शक्ति

71. जिस बच्चे को गुर्दे का रोग है उसमें कौन-से लक्षण दिखाई देते हैं?

A. सूजन, रक्त में एल्ब्यूमिन की कमी, रक्त में प्रोटीन का अभाव (एडिमा, हाइपोएल्ब्यूमिनमिया, प्रोटीनमिया)

B. रक्त में एल्ब्यूमिन की कमी, रक्त में चर्बी की ज्यादा मात्रा, सूजन हाइपोएल्ब्यूमिनमिया, हाइपरलिपिडिमिया, एडिमा

C. मूत्र से प्रोटीन बहना, बढ़ा हुआ जीएफआर, मूत्र से खून बहना

D. उच्च रक्तदाब, कम होता हुआ जीएफआर, रक्त में प्रोटीन का अभाव

72. श्री X पेट के दाएं निचले हिस्से में गंभीर दर्द होने के कारण अस्पताल में भर्ती हुए हैं। डॉक्टर के आने तक परिचारिका क्या उपचार कर सकती है?

A. पेट के दर्द से छुटकारा देने के लिए परिचारिका एनीमा शुरू कर सकती है।

B. पेट की दाहिनी की तरफ के निचले हिस्से पर गरम पानी की थैली रख सकती है।

C. दर्द को नियंत्रण में लाने के लिए परिचारिका पीड़ाहारी दवाई शुरू कर सकती है।

D. परिचारिका निचले हिस्से में बर्फ की थैली रख सकती है।

73. इंट्राओक्युलर लेंस प्रत्यारोपण के बाद परिचारिका मरीज को अस्पताल से मुक्ति (डिस्चाज) के वक्त सलाह दे रही है। निम्नलिखित विधानों में से कौन-सी सलाह गलत होगी?

A. पूरे वक्त धातु का आँख का कवच पहनो।

B. आँख को स्पर्श करने से या साफ करने से पहले हाथ धो लो।

C. प्रभावित आँख की तरफ लेट जाएं।

D. स्नान करते वक्त या शैम्पू लगाते वक्त ध्यान रखना।

74. निम्नलिखित में से किस स्थिति में किसी भी समाज की महिला को प्राथमिक उपचार केंद्र में अगले उपाययोजन के लिए लाया जाता है?

A. हर 5 मिनट में गर्भाशय आंकुचन

B. योनिमार्ग से खून बहना

C. पेट के निचले हिस्से में समस्तरीय उभार आना

D. पहले चरण में प्रसव पीड़ा छह घंटों से अधिक समय तक कायम रहना

75. अगर एक शल्य चिकित्सक को मरीज उसकी इच्छा के अनुसार प्रतिक्रिया नहीं देता है तो वह ऑपरेशन के वक्त मौजूद परिचारिका की आलोचना कर सकता है। यह व्यवहार इसका एक उदाहरण है :

A. युक्तिकरण B. मुआवजा

C. वापसी D. प्रक्षेपण

76. निम्नलिखित में से कौन-सा सबसे महत्वपूर्ण तथ्य है जब मरीज तकलीफ में है तब चिकित्सा के वक्त परिचालिका उससे प्राप्त कर सकती है?

A. सामाजिक और आर्थिक स्थिति

B. पोषण स्थिति

C. ताकत और आधार प्रणाली

D. पारिवारिक स्वास्थ्य की स्थिति

77. निम्नलिखित कथनों पर विचार कीजिए :

कथन (A): समस्या केन्द्रित मूल्यांकन, नर्सिंग देखभाल के साथ एकीकृत जारी मूल्यांकन की एक प्रक्रिया है।

कारण (R): अंतःशिरा (Intravenous) हाइपोटोनिक घोल सेलुलर एडिमा का कारण बनता है।

कूट की सहायता से सही उत्तर का चयन कीजिए।

A. कथन (A) एवं कारण (R) दोनों सही हैं तथा R, A की सही व्याख्या करता है।

B. कथन (A) एवं कारण (R) दोनों सही हैं किन्तु R, A की सही व्याख्या नहीं करता है।

C. कथन (A) सही है, परन्तु कारण (R) सही नहीं है।

D. कथन (A) सही नहीं है, परन्तु कारण (R) सही है।

78. पेट में परिश्रवण के निम्नलिखित निष्कर्षों में से किसके लिये एक नर्स को तुरंत डॉक्टर को रिपोर्ट करना चाहिए?

A. महाधमनी क्षेत्र पर ऊंची मर्मरध्वनि

B. धमनी की ऊंची मर्मरध्वनि की अनुपस्थिति

C. 20 सेकंड के लिए आंत्र ध्वनियों की अनुपस्थिति

D. ऊँची रालदार आंत्र की आवाज

79. अवधारण एनीमा का उद्देश्य क्या है?

A. आंतें खाली करने के लिए

B. कठोर मल को नरम करने के लिए और धीरे से क्रमाकुंचन को उत्तेजित करने के लिए

C. अधोवायु की वजह से होने वाली फैलावट को दूर करने के लिए

D. आंत्र क्रिया को कम करने के लिए

80. 9 साल के बच्चे के लिए कैल्शियम का अनुशंसित आहार मात्रा (आरडीए) क्या है?

A. 200 ग्राम प्रतिदिन B. 400 ग्राम प्रतिदिन

C. 600 ग्राम प्रतिदिन D. 800 ग्राम प्रतिदिन

81. योनि जांच पर, भ्रूण के सिर का कौन-सा स्तर +1 स्टेशन भ्रूण प्रस्तुति भाग को निर्धारित करता है?

A. इलियाक शिखा से 1 सेमी ऊपर

B. इसकीयल रीढ़ के नीचे 1 सेमी

C. सिम्फिसिस प्यूबिस से 1 इंच ऊपर

D. कोक्सीक्स के नीचे 1 इंच

82. गर्भपात के प्रकार की पहचान करें जहाँ परिवर्तन उस स्थिति तक प्रगति करता है, जहाँ से गर्भावस्था की निरंतरता असंभव हो जाती है।

A. संभावित गर्भपात B. अपरिहार्य गर्भपात

C. पूर्ण गर्भपात D. विफल गर्भपात

83. पोस्टपार्टम क्लाइंट पर फंडल मूल्यांकन करने से पहले निम्नलिखित में से कौन-सी प्रारंभिक नर्सिंग कार्रवाई की जानी चाहिए?

A. माँ को करवट मुड़ने के लिए कहें।

B. माँ को घुटनों और पैरों को सपाट और सीधे रखते हुए पीठ के बल लेटने के लिए कहें।

C. माँ को अपना मूत्राशय खाली करने के लिए कहें।

D. फंडस के स्तर को निर्धारित करने से पहले धीरे से फंडस की मालिश करें।

84. निम्नलिखित में से किस दुःस्थिति में पेट की जांच पर नाभि पर या उसके नीचे एक तश्तरी के आकार का कोटर देखा गया है?

A. ओक्सिपिटोऐन्टीरियर स्थिति

B. मेंटोऐन्टीरियर स्थिति

C. ओस्सिपिटोपोस्टीरियर स्थिति

D. मेंटोपोस्टीरियर स्थिति

85. एक नवजात में कठोर तालू पर गठित उपकला कोशिकाओं के अस्थायी संचय को क्या कहा जाता है?

A. अधिसंख्य दांत B. एपस्टीन मोती

C. प्रतिधारण पुटी D. चूसने की कॉलोसिटीज

86. ब्लालॉक-तौसिग शंट कैसे किया जाता है?

A. आरोही महाधमनी और दाएं फुफ्फुसीय धमनी का एनास्टोमोसिस

B. ऊपरी अवरोही महाधमनी और बाएं फुफ्फुसीय धमनी का एनस्टोमोसिस

C. बेहतर वेनेकावा और बाएं फुफ्फुसीय धमनी का एनस्टोमोसिस

D. सबक्लेवियन धमनी और दाएं फुफ्फुसीय धमनी का एनस्टोमोसिस

87. मानसिक मंदता वाले बच्चों की निम्नलिखित श्रेणियों में से किसे एक शिक्षणीय समूह के रूप में जाना जाता है?

A. हल्की मानसिक मंदता

B. मध्यम मानसिक मंदता

C. गंभीर मानसिक मंदता

D. गहन मानसिक मंदता

88. हाइपरक्लेमिया में ईसीजी परिवर्तनों के संबंध में सही कथन को चुनें।

A. सामान्य 'पी' तरंग और 'क्यूआरएस कॉम्प्लेक्स', गोल 'टी' तरंग और उथले 'यू' तरंग

B. पीक 'पी' तरंग, 'एसटी' डिप्रेशन, उथले 'टी' तरंग और प्रमुख 'यू' तरंग

C. फ्लैट 'पी' तरंग, लंबे समय तक 'पीआर' अंतराल, चौड़ा 'क्यूआरएस कॉम्प्लेक्स' और ऊंची 'टी' तरंग

D. पीक 'पी' तरंग, अनुपस्थित 'क्यूआरएस कॉम्प्लेक्स' और प्रमुख 'यू' तरंग

89. श्री Y फुफ्फुसीय तपेदिक के उपचार पर हैं। उन्होंने आठवें कपाल तंत्रिका क्षति से संबंधित लक्षण विकसित किए। उपरोक्त दुष्प्रभाव के लिए जिम्मेदार दवा को इनमें से पहचानें?

A. स्ट्रेप्टोमाइसिन B. एथेमब्युटोल

C. रिफैम्पिसिन D. आइसोनियाजिद

90. एक नर्स ग्राहक की शारीरिक जांच कर रही है और एक्सोफ्थेल्मस को नोटिस कर रही है। ग्राहक का निदान क्या होगा?

A. अतिगलग्रंथिता (हाइपरथायरायडिज्म)

B. हाइपोथायरायडिज्म

C. अबटुशोथ

D. गलग्रंथि का कैंसर

91. एक नर्स एक मरीज की देखभाल कर रही है, जो एक ट्रेकियोस्टोमी से गुजरा है। ट्रेकियोस्टोमी की एक प्रारंभिक जटिलता को इनमें से पहचानें?

A. एक ट्रेकियोईसोफैगल फिस्टुला

B. एयर एम्बालिज्म

C. ट्रेकिअल नेक्रोसिस

D. निगलने में कठिनाई

92. मल्टीबैसिलरी कुष्ठ रोग हैं व्यक्ति किससे पीड़ित होता है?

A. एक तंत्रिका भागीदारी के बिना 1 से 5 त्वचा के घाव

B. एक तंत्रिका भागीदारी के साथ 5 से अधिक त्वचा के घाव

C. एक से अधिक तंत्रिका भागीदारी के साथ 6 से अधिक त्वचा के घाव

D. तंत्रिका भागीदारी के बिना 6 से अधिक त्वचा के घाव

93. मल्टीड्रग-रेसिस्टेंट ट्यूबरकुलोसिस का अर्थ है .... दवाओं के प्रति प्रतिरोध होना, इनमें से पहचानें?

A. रिफैम्पिसिन और स्ट्रेप्टोमाइसिन

B. रिफैम्पिसिन और पायराजिनमाइड

C. आइसोनियाजिड और पायराजिनमाइड

D. आइसोनियाजिड और रिफैम्पिसिन

94. निम्नलिखित में से कौन-सा एक कैटैटोनिक स्टूपर का एक नैदानिक लक्षण नहीं है?

A. गूंगापन

B. शब्दानुकरण

C. असंबद्धता

D. पोस्चरिंग (किसी विशेष ढंग की मुद्रा)

95. एक ग्राहक 10 दिनों के लिए लिथियम दवा पर है। यह क्या दर्शाता है, यदि 10वें दिन उसका सीरम लिथियम स्तर 1.0 mEq/L है?

A. विषाक्त स्तर

B. चिकित्सीय रक्त स्तर

C. प्रयोगशाला की त्रुटि

D. दवा की असामान्य प्रतिक्रिया

96. 30 आईक्यू स्कोर वाले बच्चे की आत्म-देखभाल क्षमताओं का आकलन करते समय, नर्स बच्चे से क्या उम्मीद करती है?

A. निगरानी के दौरान, कुछ हद तक स्वतंत्र रूप से आत्म-देखभाल कर सकते हैं

B. कुछ स्वतंत्र गतिविधियों का प्रदर्शन करते समय नजदीकी पर्यवेक्षण की आवश्यकता होती है

C. पूर्ण पर्यवेक्षण की आवश्यकता होती है, लेकिन सरल स्वच्छ कौशल प्रदर्शन करने में सक्षम हो सकता है

D. निरंतर सहायता और पर्यवेक्षण की आवश्यकता होती है।

97. एक मरीज, जो कैंसर से पीड़ित है, चिकित्सक पर चिल्लाता है और कहता है? मुझे क्यों? 'कुबलर-रॉस थ्योरी' के अनुसार रोगी दुख की किस अवस्था में है?

A. इनकार B. गुस्सा
C. सौदा D. डिप्रेशन

98. छात्रों द्वारा सीखे जाने वाले ज्ञान, क्षमता और कौशल के संदर्भ में विशेष रूप से लिखे गए उद्देश्यों को क्या कहा जाता है?

A. केंद्रीय उद्देश्य
B. अंशदायी उद्देश्य
C. संस्थागत उद्देश्य
D. सामान्य उद्देश्य

99. एक अस्पताल में गंभीर, अवांछनीय और परिहार्य परिणामों की माप, जैसे कि फॉल, को निम्न में से किस रूप में जाना जाता है?

A. बेंच मार्किंग B. सैन्टिनल घटना सूचक
C. रुग्णता सूचक D. मानक सूचक

100. अस्पताल में भर्ती तपेदिक रोगियों की सूची से हर पांचवें मरीज का चयन निम्नानुसार होता है?

A. व्यवस्थित यादृच्छिक नमूनाकरण (सैम्पलिंग)
B. सामान्य यादृच्छिक नमूनाकरण
C. स्तरीय यादृच्छिक नमूनाकरण
D. अनुक्रमिक नमूनाकरण

उत्तरमाला

1	2	3	4	5	6	7	8	9	10
D	A	B	D	C	A	B	D	D	D
11	**12**	**13**	**14**	**15**	**16**	**17**	**18**	**19**	**20**
C	C	A	D	A	A	C	A	D	C
21	**22**	**23**	**24**	**25**	**26**	**27**	**28**	**29**	**30**
D	C	D	D	D	A	C	C	C	A
31	**32**	**33**	**34**	**35**	**36**	**37**	**38**	**39**	**40**
C	C	D	D	A	B	A	A	D	C
41	**42**	**43**	**44**	**45**	**46**	**47**	**48**	**49**	**50**
D	C	D	A	C	D	B	A	A	C
51	**52**	**53**	**54**	**55**	**56**	**57**	**58**	**59**	**60**
B	A	C	B	C	C	C	A	A	A
61	**62**	**63**	**64**	**65**	**66**	**67**	**68**	**69**	**70**
B	C	A	A	C	D	B	C	D	D
71	**72**	**73**	**74**	**75**	**76**	**77**	**78**	**79**	**80**
B	D	C	C	D	C	B	A	B	D
81	**82**	**83**	**84**	**85**	**86**	**87**	**88**	**89**	**90**
B	B	C	C	B	D	B	C	A	A
91	**92**	**93**	**94**	**95**	**96**	**97**	**98**	**99**	**100**
B	D	D	C	B	C	B	B	B	A

प्रैक्टिस सेट 2

1. निम्नलिखित में से कौन स्तन कैंसर की स्क्रीनिंग परीक्षा नहीं है?
   A. स्तन का बायोप्सी
   B. अंतःशिरा पाइलोग्राफी
   C. स्तन का इमेजिंग
   D. नैदानिक स्तन परीक्षा

2. किसे अप्रत्याशित रूप से पता चला कि पेंसिलियम कवक एक पदार्थ उत्पन्न करती है जो स्टैफीलोकॉक्की को नष्ट कर देती है?
   A. एलेक्जेंडर डोमैग्क
   B. एलेक्जेंडर फ्लेमिंग
   C. कॉर्ल पोपर
   D. इडुअर्ड बुचनर

3. गर्भाशय संबंधी रक्त प्रवाह का नियमित अंतराल पर बढ़ना अथवा 80 mL से अधिक रक्त की क्षति होना, कहलाता है:
   A. मेट्रोरेजिया
   B. क्रिप्टोमेनोरिया
   C. हाइपरमेनोरिया
   D. इपिमेनोरिया

4. एक नर्स किसी वयस्क को किस प्रकार आयरन की सूई (इंजेक्शन) देती है?
   A. फोरआर्म में इंट्राडर्मल
   B. आर्म में सबक्युटेनियस
   C. ग्लुटिअल में Z ट्रैक इंट्रामसकुलर
   D. डेल्टॉयड में इंट्रामसकुलर

5. एक नर्स उस रोगी की देखभाल कर रही है, जिसका हिप रिप्लेसमेंट हुआ है। निम्नलिखित में से कौन अत्यंत महत्वपूर्ण जाँच-परिणाम है?
   A. शारीरिक चिकित्सा के दौरान दर्द की शिकायत
   B. पुनःस्थिति के दौरान दर्द की शिकायत
   C. 101.8 F (38.7 C) तापक्रम
   D. सर्जिकल ड्रेसिंग में अल्प रक्त स्राव

6. निम्नलिखित में से किससे ओपन फ्रैक्चर से अत्यधिक रक्तस्राव होने वाले रोगी की तुरंत चिकित्सा की जाती है?
   A. रक्तस्राव को नियंत्रित करने के लिए प्रेशर ड्रेसिंग
   B. सदमे का इलाज
   C. हड्डियों को सामान्य स्थिति में लाना
   D. निःसंचालन (गतिहीनता)

7. निम्नलिखित में से कौन-सा लक्षण संकेत देता है कि बच्चे को भयानक डिहाइड्रेशन हो गया है?
   A. बेचैनी
   B. चिड़चिड़ापन
   C. आलस्य अथवा अचेतावस्था
   D. जो व्यग्रता से पानी पी रहा हो

8. जब एक पुरुष रोगी को टॉनिक-क्लोनिक दौरे पड़ रहे हों, तो नर्स को सबसे पहले क्या करना चाहिए?
   A. रोगी के बाँह और पैरों को नियंत्रित करना
   B. रोगी के मुँह में टंग ब्लेड रखना
   C. बिस्तर के सिरहाने को ऊपर उठाना
   D. घाव को रोकने के लिए कदम उठाना

9. गोमेज वर्गीकरण के अनुसार, निम्नलिखित में से कौन 'वजन प्रति आयु' तीसरी डिग्री के कुपोषण की श्रेणी में आता है, जब इसकी तुलना हार्वर्ड वृद्धि मानक से की जाती है?

A. मानक का 90-110%

B. मानक का 60-74%

C. मानक से 60% कम

D. मानक का 75-90%

10. निम्नलिखित में से किस आयु वर्ग में एकीकृत बाल विकास सेवाओं के तहत् पूरक पोषण, स्वास्थ्य जाँच और रेफरल सेवाएं प्रयोज्य हैं?

A. 12 से 14 वर्ष B. 8 से 10 वर्ष

C. 7 से 9 वर्ष D. 3 से 6 वर्ष

11. एक नर्स कमरे में प्रवेश करती है और पाती है कि एक रोगी फर्श पर पड़ा है। सबसे पहले नर्स को क्या करना चाहिए?

A. रोगी को बिस्तर पर ले जाने में सहायता

B. रोगी से पूछना क्या हुआ था

C. यह तय करना कि रोगी अनुक्रियाशील है

D. रोगी को बिस्तर तक पहुँचाने के लिए मदद की गुहार लगाना

12. पल्मोनरी एम्बोलिज्म की रोकथाम के लिए, निम्नलिखित में से कौन इंट्रावेनस हेपरीन का इन्फ्यूजन डोज का सही रख-रखाव है?

A. 28 u/kg प्रति घंटा B. 48 u/kg प्रति घंटा

C. 38 u/kg प्रति घंटा D. 18 u/kg प्रति घंटा

13. यकृत से वसायुक्त उत्तकों तक ट्राइग्लिसराइड्स का परिवहन निम्नलिखित में से किस लिपोप्रोटीन का कार्य है?

A. उच्च घनत्व वाला लिपोप्रोटीन

B. कम घनत्व वाला लिपोप्रोटीन

C. मध्यम घनत्व वाला लिपोप्रोटीन

D. अत्यंत कम घनत्व वाला लिपोप्रोटीन

14. किस रोगी को सबसे पहले नर्स द्वारा देखा जाता है, जो राउंड लगाने की तैयारी कर रही है?

A. कशिंग रोग से ग्रस्त 50 वर्षीय वृद्ध

B. कन्जेस्टिव हर्ट फैल्यिोर से ग्रस्त 70 वर्षीय वृद्ध

C. पैनक्रियाटिटिस में सुधार करते 42 वर्षीय व्यक्ति

D. हाथ और पांव सिन्ड्रोम वाला 2 वर्षीय व्यक्ति

15. किसी वयस्क में रेक्टल सपोजिटरी की प्रविष्टि की आदर्श लम्बाई क्या है?

A. इंटरनल स्पिंटर से 4 इंच दूर

B. इंटरनल स्पिंटर से 2 इंच दूर

C. इंटरनल स्पिंटर से 10 इंच दूर

D. इंटरनल स्पिंटर से 9 इंच दूर

16. शिशुओं को इंट्रामस्कुलर सूई (इंजेक्शन) देने के लिए निम्नलिखित में से कौन-सी सही जगह है?

A. वैस्टस लैटरलिस मांसपेशी

B. ग्लुटियल मांसपेशी

C. डेल्टॉयड मांसपेशी

D. ट्राइसेप मांसपेशी

17. एक अस्पताल में चार रोगी हैं जिन्हें नर्स की देखभाल की आवश्यकता है। निम्नलिखित में से किसे नर्स पहले देखेगी?

A. डिस्चार्ज की प्रतीक्षा में 66 वर्षीय वृद्ध

B. एम्बुलेट की मांग करता हुआ 34 वर्षीय दमा का रोगी

C. सांस की दिक्कत की शिकायत करता 66 वर्षीय वृद्ध जिसे न्युमोथोरैक्स है

D. दर्द की शिकायत करता 21 वर्षीय युवा जिसका ऑपरेशन हो चुका है

18. मेडिकल-सर्जिकल नर्स का प्रारंभिक कार्य क्या होना चाहिए यदि 24 घंटे पूर्व लगे सिर की चोट वाला रोगी "अस्पष्ट उच्चारण और समय तथा स्थान को नहीं पहचानता है"

A. रोगी की तंत्रिका संबंधी स्थिति की 15 मिनट में पुनः जाँच करना

B. प्रत्येक घंटे पर तंत्रिका संबंधी आकलन जारी रखना

C. आकस्मिक शैल्य चिकित्सा के लिए रोगी को तैयार करना

D. रोगी की स्थिति की जानकारी न्यूरोसर्जन को देना

19. निम्नलिखित में से कौन बैग-वाल्व-मास्क वेन्टीलेशन का संकेत है?

A. 100 बिट्स से कम हृदय की धड़कन के साथ बच्चा एपनोइक है

B. 120 बिट्स की धड़कन के साथ जन्म के समय अच्छा श्वसन प्रयास

C. मिकोनियम स्टेन्ड डिलीवरी

D. डायफ्रेगमैटिक हर्निया

20. निम्नलिखित में से किससे बाइसेप्स ब्रैची मांसपेशी का लम्बा सिर प्रकट होता है?

A. लैटरल इपिकॉन्डाइल ऑफ ह्यूमरस

B. सुप्राग्लिनॉयड ट्यूबरक्ली ऑफ स्कैपुला

C. स्कैपुला की कोराक्बायड्स प्रक्रिया

D. स्कैपुला का इन्फ्राग्लिनॉयड ट्यूबरक्ली

21. सामान्य स्टेथोस्कोप से गर्भस्थ शिशु के हृदय की ध्वनि का पता गर्भावस्था के .... सप्ताह के अंदर लगाया जा सकता है।

A. 24 से 26 B. 6 से 8

C. 18 से 20 D. 8 से 10

22. निम्नलिखित में से कौन-सा ग्राम पोजिटिव बैक्टीरिया की कोशिका भित्ति का लक्षण नहीं है?

A. सल्फर युक्त अमिनो अम्ल की अनुपस्थिति

B. लिपिड की अनुपस्थिति

C. टियोकोइक अम्ल की अनुपस्थिति

D. मोटी कोशिका भित्ति

23. निम्नलिखित में से किस जाँच का उपयोग मिस्ड पीरियड के पहले दिन (28 दिनों का चक्र) प्रिगनेन्सी का पता लगाने के लिए किया जाता है?

A. टू साइट सैंडविच इम्युनोएस्से

B. डायरेक्ट लेटेक्स एग्लुटिनेशन टेस्ट

C. एग्लुटिनेशन इनहिबिशन टेस्ट

D. एन्जाइम-लिंक्ड इम्युन एस्से

24. ऑपरेशन के उपरांत दूसरे दिन एक सर्जिकल पेशेंट अपनी यूनिट में बिस्तर से गिर जाता है और गलती से नाक से निकलने वाली फीडिंग ट्यूब अपने स्थान से हट जाती है। मूल्यांकन करने पर, रोगी बेचैन दिख रहा था और वह शल्य चिकित्सा के क्षेत्र में दर्द की शिकायत कर रहा था। उपरोक्त/पूर्वकथित मुद्दे को असामान्य घटना के रूप में दर्ज किया जाना था क्योंकि यह स्वास्थ्य देखभाल के तहत हुआ था। निम्नलिखित में से कौन-सी रिपोर्ट पर आप नर्स होने के नाते विचार करेंगी?

A. आपराधिक घटना रिपोर्ट

B. रोगी घटना रिपोर्ट

C. शिफ्ट घटना रिपोर्ट

D. कर्मचारी घटना रिपोर्ट

25. जब गर्भाशय से दर्द आरम्भ होता है तो कथित दर्द का स्थान क्या है?

A. अपर सेकरल रीजन

B. मिड-इनगुइनल बिन्दु के ऊपर

C. जांघ का एन्टीरियर और मिडियल आस्पेक्ट

D. लोअर सैकरल रीजन

26. निम्नलिखित में से कौन इन्डोजिनस डिप्रेशन की विशेषता नहीं है?

A. एकांत में बेहतर महसूस होता है

B. प्रातः में अत्यधिक उदासी महसूस करना

C. शाम में अत्यधिक उदासी महसूस होना

D. आत्महत्या की प्रवृत्ति होना

27. एक नर्स देखभाल, ईमानदारी, सहानुभूति और विश्वसनीयता प्रदर्शित करती है:

A. नैतिक नर्स-रोगी अंतर्क्रिया

B. भावनात्मक नर्स-रोगी अंतर्क्रिया

C. कानूनी नर्स-रोगी अंतर्क्रिया

D. चिकित्सीय नर्स-रोगी अंतर्क्रिया

28. एक 45 दिन के शिशु में डेवलपमेंट इक्टेरस और दो दिन बाद तेजी से यकृत (liver) की विफलता के लक्षण दिखाई दिए। HbsAg के लिए बच्चा B+ve पाया गया। माँ भी HbsAg की वाहक थीं। माँ की हेपेटाइटिस बी सीरोलॉजिकल प्रोफाइल होने की संभावना है:

A. HbsAg और एंटी HbeAb +ve

B. उत्परिवर्ती HBV से संक्रमित माँ

C. केवल HbsAg +ve

D. HbsAg और Ag +ve

29. ये एजेंट मल के मार्ग को धीमा करने के लिए आंतों की मांसपेशियों की टोन को कम करते हैं:
A. हाइपरटोनिक
B. कैथर्टिक्स
C. लैक्जाटिव्स
D. एंटीडायरियल ओपिएट एजेंट

30. इलेक्ट्रोकन्वल्सिव उपचार के ज्ञान के आधार पर, नर्स छात्र नर्सों को समझाती है कि उपचार से पहले एट्रोपिन मुख्य रूप से दिया जाता है:
A. आंतों के संकुचन को कम करने के लिए
B. मानसिक बैचेनी को कम करने के लिए
C. चूषण को रोकने के लिए
D. शरीर के स्राव बढ़ाने के लिए

31. नर्स-क्लाइंट संबंध में अशाब्दिक संचार का उपयोग करते समय, नर्स को सबसे अधिक किसके प्रति जागरूक होना चाहिए:
A. जातीय पृष्ठभूमि
B. क्लाइंट का विकास स्तर
C. क्लाइंट के लिए विरोधाभास
D. उत्तेजित हाथों की गतिविधि

32. लेखापरीक्षा अनुसंधान से किस प्रकार भिन्न है?
A. यह नर्सिंग पर लागू होने की अधिक संभावना है
B. यह निर्जीव वस्तुओं पर किया जा सकता है
C. जानकारी एकत्र करने के लिए बहुत लोगों की आवश्यकता नहीं है
D. यह विषय की हमारी समझ को स्वयं नहीं बढ़ाता है या हमें परिणामों को अन्य स्थितियों में स्थानांतरित करने की अनुमति नहीं देता है

33. निम्नलिखित में से कौन-सा हस्तक्षेप दर्शाता है कि नर्स नवजात की थर्मोरेगुलेटरी क्षमता के बारे में समझती है?
A. नवजात को रेडियंट वार्मर के नीचे रखना
B. बल्ब सीरिंज से सक्शन करना
C. APGAR स्कोर प्राप्त करना
D. नवजात शिशु की गर्भनाल का निरीक्षण करना

34. सहज गर्भपात होने वाले क्लाइंट की देखभाल करते समय नर्स की मुख्य प्राथमिकता _______ का आकलन करना है।
A. हैमरेज
B. हायपरटेंशन
C. डिहाइड्रेशन
D. सबइनवॉल्यूशन

35. टिटनेस के खिलाफ निष्क्रिय प्रतिरक्षा किसके द्वारा प्राप्त की जाती है?
A. DT
B. TT
C. DPT
D. टेटनस इम्युनोग्लोबुलिन

36. हाइपरट्रॉफिक पाइलोरिक स्टेनोसिस शिशु के पेट को सहलाते समय, नर्स को पता चलता है:
A. पेट के निचले हिस्से में लयबद्ध क्रमाकुंचन तरंगें
B. डिस्टेंडेड कोलोन
C. दाहिने ऊपरी पेट में जैतून के आकार की मात्रा
D. पेट के आसपास चिह्नित कोमलता

37. नर्सिंग में आचार संहिता होती है जिसका पेशेवर पंजीकृत नर्सें पालन करती हैं और:
A. ग्राहक को नुकसान से बचाती हैं
B. स्व-स्वास्थ्य देखभाल में सुधार करती हैं
C. उन सिद्धांतों को परिभाषित करती हैं जिनके द्वारा नर्सें अपने ग्राहकों की देखभाल करती हैं
D. सभी ग्राहकों का समान देखभाल सुनिश्चित करती हैं

38. रोगी को एक लूप इलेक्ट्रोसर्जिकल एक्जिशन प्रक्रिया (LEEP) से गुजरना पड़ता है, निम्नलिखित में से कौन इस प्रक्रिया से संभावित दीर्घकालिक जटिलताओं का प्रतिनिधित्व करता है?
A. सरवाइकल अक्षमता और सर्वाइकल स्टेनोसिस
B. कब्ज
C. हर्निया और इंट्रापेरिटोनियल आसंजन
D. फोड़ा

39. आनुवंशिक सामग्री डीऑक्सीराइबोन्यूक्लिक एसिड (डीएनए) निहित है:
A. क्रोमैटिन में
B. न्यूक्लियोली में
C. गुणसूत्र में
D. न्यूक्लियस में

40. अनियंत्रित मधुमेह के रोगियों के मूत्र में कीटोन बॉडीज पाए जाते हैं:
A. वसा के चयापचय में वृद्धि के कारण
B. रक्त में अतिरिक्त शर्करा के अपघटन के कारण

C. बिगड़ा हुआ गुर्दा कार्य के कारण

D. प्रोटीन के चयापचय में वृद्धि के कारण

41. सल्फोमाइड की तैयारी करते समय प्रमुख नर्सिंग जिम्मेदारी क्या है?

A. बच्चे के तापमान की निगरानी करना

B. बच्चे का प्रतिदिन वजन करना

C. दवा के साथ दूध देना

D. निर्धारित समय पर दवा देना

42. प्रेडनिसोलोन के लिए दिन में चार बार 10 मिलीग्राम का आदेश दिया जाता है। बच्चे के लिए खुराक 2 मिलीग्राम/दिन है। बच्चे का वजन कितने पाउंड है?

A. 36 पाउंड B. 44 पाउंड

C. 40 पाउंड D. 46 पाउंड

43. सीओपीडी वाले ग्राहक के लिए ऑक्सीजन देने के बारे में सबसे प्रासंगिक ज्ञान कौन-सा है?

A. गैर-श्वांस मास्क का उपयोग करके ऑक्सीजन को सर्वोत्तम रूप से प्रशासित किया जाता है

B. पल्स ऑक्सीमीटर का उपयोग करके रक्त गैसों की निगरानी की जाती है

C. हाइपोक्सिया मज्जा के केंद्रीय केमोरिसेप्टर I को उत्तेजित करता है जो ग्राहक को सांस की पूर्ति करता है

D. सांस लेने हेतु हाइपोक्सिक उत्तेजना को बनाए रखने के लिए 1-2 ली/मिनट की दर से ऑक्सीजन दी जाती है

44. प्रयोगशाला के निष्कर्षों का आकलन करते हुए, नर्स को क्रोनिक रीनल फेल्योर वाले क्लाइंट में कौन से परिणाम मिलने की सबसे अधिक संभावना होगी?

A. घटी हुई सीरम कैल्शियम, रक्त pH 7.2, पोटैशियम 6.5 m Eq/L

B. BUN 35 से 40 mg/dl, पौटेशियम 3.5 m Eq/L, pH 7.35, सीरम कैल्शियम में कमी

C. BUN 15 mg/dl, बढ़ा हुआ सीरम कैल्शियम, क्रिएटिनिन 1.0 mg/dl

D. BUN 10 से 30 mg/dl, क्रिएटिनिन 0.5 से 1.5 mg/dl

45. प्राथमिक स्वास्थ्य देखभाल के तत्व निम्नलिखित हैं सिवाय:

A. स्वास्थ्य शिक्षा

B. इंटरसेक्टोरल समन्वय

C. आवश्यक दवाओं का प्रावधान

D. लागत प्रभावशीलता

46. तनावपूर्ण स्थितियों से आसानी से उबरने की व्यक्ति की क्षमता कहलाती है:

A. मानसिक स्वतंत्रता B. एंड्रोगाइनी

C. लचीलापन D. कठोरता

47. एक विधि जिसमें विशेषज्ञों के पैनल को कई दौर के प्रश्न दिए जाते हैं, कहलाती है:

A. क्यू-सॉर्ट पद्धति B. सामग्री विश्लेषण

C. डेल्फी तकनीक D. मेटा-विश्लेषण

48. प्लेसेंटा के कार्य करने से पहले कॉर्पर्स ल्यूटियम निम्नलिखित में से किस हार्मोन के संश्लेषण का प्राथमिक स्रोत है?

A. T4 और TSH

B. एस्ट्रोजन और प्रोजेस्टेरोन

C. कोर्टिसोल और थायरोक्सिन

D. LH और FSH

49. एक विशिष्ट नैदानिक क्षेत्र में नर्स के अनुभव के परिणामस्वरूप निम्नलिखित विकसित होता है, जिस समय नर्स अभ्यास में रही है, और नर्स ने क्लाइंट के साथ संबंध की गुणवत्ता बनाई है:

A. ग्राहकों को जानना B. नेतृत्व

C. व्यक्तिगत नैतिकता D. देखभाल सौंपने की क्षमता

50. 32 सप्ताह के गर्भ में प्रीटर्म शिशु में तनाव को कम करने के लिए निम्नलिखित में से कौन-सा सबसे उपयुक्त हस्तक्षेप है?

A. प्रवण या पार्श्व झुकाव विस्तार का रवैया

B. एक समय में कई इंद्रियों सहित संवेदी उत्तेजना

C. कंगारू केयर

D. अत्यधिक उत्तेजना के लक्षण विकसित होने तक स्पर्श उत्तेजना

51. पैरासिम्पेथेटिक तंत्रिका तंत्र का एक कार्य है:
A. पसीने की ग्रंथि को उत्तेजित करना
B. पुतली का संकुचन
C. बालों की मांसपेशियों का संकुचन
D. दिल की धड़कन का त्वरण

52. समस्याओं की जांच और समाधान पर पहुंचने के लिए सटीक तरीकों का उपयोग करना कहलाता है:
A. वैज्ञानिक समस्या समाधान
B. गंभीर सोच
C. परीक्षण और त्रुटि
D. योजना और निष्पादन

53. दिए गए कथनों पर विचार कीजिए।

कथन (A): डेमोग्राफी में परिवार के आकार (Family Size) का भी बहुत महत्व होता है।

कारण (R): परिवार आकार-परिवार के कुल बच्चों की संख्या जो उनकी माँ के द्वारा 15 से 45 वर्ष की उम्र तक जन्में हो।

कूट की सहायता से सही उत्तर का चयन कीजिए :
A. कथन (A) एवं कारण (R) दोनों सही हैं, तथा R, A की सही व्याख्या करता है।
B. कथन (A) एवं कारण (R) दोनों सही हैं, किन्तु R, A की सही व्याख्या नहीं करता है।
C. कथन (A) सही है, परन्तु कारण (R) सही नहीं है।
D. कथन (A) सही नहीं है, परन्तु कारण (R) सही है।

54. सूची-I एवं सूची-II को सही सुमेलित कीजिए।

सूची-I (जीवाणु)	**सूची-II (पदार्थ)**
(*a*) स्ट्रेप्टोकोकस लैक्टिस	1. छाछ या मट्ठा
(*b*) स्ट्रेप्टोकोकस क्रिमोरिस	2. योगहर्ट
(*c*) लैक्टोबैसिलस	3. मक्खन
(*d*) लैक्टोबैसिलस बुल्गेरिकस	4. पनीर

कूट :

	(*a*)	(*b*)	(*c*)	(*d*)
A.	1	3	2	4
B.	4	1	2	4
C.	3	4	1	2
D.	3	1	4	2

55. सूची-I एवं सूची-II को सही सुमेलित कीजिए।

सूची-I (उपकरण)	**सूची-II (उपयोग)**
(*a*) एसेप्टो सिरींज एवं बल्व	1. लीवर, किडनी से अधिक तरल को बाहर निकालना
(*b*) ट्रोकार एवं कैबुला	2. औरतों में मूत्र के निष्कासन में
(*c*) मैलकॉट्स कैथेटर	3. पेट/अमाशय की हरकत का पता लगाने में
(*d*) स्टोमक ट्यूब	4. घाव, गुहा को साफ करने में

कूट :

	(*a*)	(*b*)	(*c*)	(*d*)
A.	4	1	2	3
B.	1	2	4	3
C.	3	2	1	4
D.	2	4	1	3

56. नीचे दिए गए कथनों पर विचार कीजिए।
1. अन्तरावस्था (Fastigium/stadium) वह समय होता है जब ज्वर अपनी उच्चतम स्थिति में पहुँच चुका होता है।
2. अलग-अलग रोग कारक जीवों में संक्रमित व्यक्तियों द्वारा एक-दूसरे को संचारित संक्रमण को पार संक्रमण कहते हैं।
3. Colostomy एक कृत्रिम निकास है जो कि उदरीय भित्ति के अग्र भाग पर मल एवं उदर वायु को प्रक्षलन के लिए किया जाता है।
4. CPR में हृदय संपीड़न एवं वायु संचारण का अनुपात 2:3 का होता है।

कूट की सहायता से सही उत्तर का चयन कीजिए।
A. 1, 2 एवं 3 B. 2, 3 एवं 4
C. 1, 3 एवं 4 D. 1 एवं 3

57. दिए गए विकल्पों में से कौन-सा विकल्प सही नहीं है।
A. इरिथ्रोस्लोस्टोसिस फिटेलीस रोग Rh फेक्टर नहीं मिलने के कारण होता है।
B. ऐलिविओलर वेन्टीलेशन का सामान्य मान 6.2 लीटर/मिनट होता है।

C. प्रत्येक Ventrical द्वारा प्रति धड़कन पम्प किया गया रक्त स्ट्रोक वोल्यूम कहलाता है।

D. एनीमिया में रक्त में हीमोग्लोबिन की सान्द्रता सामान्य सान्द्रता से कम हो जाती है।

58. निम्न कथनों पर विचार कीजिए :

1. Acute Palmonary Oedema का रोगी जिसका BP अधिक हो उसे Propped up Position में रखा जाता है।
2. Flea के नियंत्रण के लिए डाइमिथाइल टोल्यूमाइड नामक फ्लिया रिपलीएन्ट का उपयोग किया जाता है।

कूट की सहायता से सही उत्तर का चयन कीजिए :

A. केवल 1 B. केवल 2
C. 1 एवं 2 दोनों D. न तो 1 और न ही 2

59. दिए गए कथनों का सही चयन कूट की सहायता से कीजिए।

1. औषधि के वांछित प्रभाव को उत्पन्न करने हेतु पहले से अधिक मात्रा में drug लेना पड़ता है तो यह Drug Tolerance कहलाता है।
2. एक प्रक्रिया जिसमें मरीज के आत्मविश्वास को बढ़ाने हेतु सकारात्मक आश्वासन दिए जाते हैं तो उसे Abraction कहते हैं।

कूट :

A. केवल 1 B. केवल 2
C. 1 एवं 2 दोनों D. न तो 1 एवं न ही 2

60. जब एक सल्फर सॉल वाष्पित किया जाता है, तो सल्फर प्राप्त होता है, पानी के साथ मिलाने पर सल्फर सॉल नहीं बनता है। सॉल .... है।

A. प्रतिवर्ती B. हाइड्रोफोबिक
C. हाइड्रोफिलिक D. लिओफिलिक

61. एक औरत को महसूस होता है कि वो कैंसर से ग्रसित है परन्तु सभी जाँचें सामान्य हैं। बार-बार चिकित्सकों द्वारा सामान्य बताये जाने पर भी उसे विश्वास नहीं होता है तो वो किस मनोरोग से ग्रसित है?

A. कन्वर्जन डिस्आर्डर B. हाइपोकोन्ड्रियोसिस
C. डिप्रेशन D. शाइजोफ्रेनिया

62. यदि किसी व्यक्ति में कोई विचार स्थायी, अनैचिछक रूप से बार-बार आता है व इस विचार के परिणामस्वरूप वह अतार्किक रूप से किसी क्रिया को बार-बार करता है, तो व्यक्ति रोग से ग्रसित है?

A. Mania
B. Obessive compulsive disorder (DCN)
C. Schizophrenia
D. Depression

63. Distal colon में उपश्लेष्मीय व पेशीय स्तर में तन्त्रिका गैन्गलिऑन कोशिकाओं की अनुपस्थिति के कारण क्रमाकुंचन गतियों के अभाव के परिणामस्वरूप होने वाला Intestinal obstruction है

A. Intussusception
B. Hirschprungs diseases
C. Omphalocele
D. Volvulus

64. एक बच्चे को congestive cardiac failure है और इसे lasix का injection दिया जा रहा है तो नर्सिंग प्रबंधन है

A. अधिक I.V. Fluid देंगे
B. अधिक सोडियम देंगे
C. अधिक पोटेशियम देंगे
D. उपरोक्त सभी

65. Emergency में एक रोगी आया जिसमें कोई Heart Sound Audible नहीं है, Carotid Pulse Palpaple नहीं है व कोई Respiration नहीं है, तो सर्वप्रथम करेंगे

A. Cardiac massage
B. Removing any secretion in mouth
C. O_2 pumping
D. I.V. Drip

66. प्रसव का सही क्रम है :

(*a*) फ्लेशन (*b*) क्रोविंग
(*c*) बाह्य रोटेशन (*d*) रेस्टिच्यूशन

A. (*a*), (*b*), (*c*), (*d*) B. (*a*), (*b*), (*d*), (*c*)
C. (*b*), (*c*), (*d*), (*a*) D. (*b*), (*d*), (*a*), (*c*)

67. एक रोगी जो बहुत गंभीर अवस्था में कैंसर से पीड़ित है और कैंसर शरीर के भागों में फैल गया है। इसके लिए नर्सिंग केयर की प्राथमिकता होगी :

A. आँत के कार्य को ठीक रखना
B. दर्द दूर करना
C. श्वाँस रुकने को बचाना
D. कीमोथेरेपी लगाना

68. निम्नलिखित में से कौन-सा कथन उप-केन्द्र पर प्रदान की गई सेवा को बताता है?

I. सुरक्षित गर्भपात सेवा के लिए परामर्श तथा उचित रेफरल
II. शौचालय के उपयोग तथा उचित अपशिष्ट निपटान सहित स्वच्छता को बढ़ावा देना

A. केवल II   B. I तथा II दोनों
C. केवल I   D. न ही I न ही II

69. निम्नलिखित में से कौन-सा महिलाओं की मृत्यु का कारण बनने वाला गैर-संचारणीय रोग नहीं है?

A. तम्बाकू का हानिकारक प्रयोग
B. सुजाक संक्रमण
C. ऐल्कोहॉल का दुरुपयोग
D. स्थूलता

70. हॉर्मोनल गर्भनिरोधकों का उपयोग करते समय, गोली आवर्त चक्र के 5वें दिन से शुरू होकर क्रमागत ________ दिनों के लिए मौखिक रूप से दी जाती है।

A. 45   B. 11
C. 31   D. 21

71. निम्नलिखित में से कौन-सा अपरिपक्व शिशु की देखभाल का सिद्धांत नहीं है?

A. शरीर के अपेक्षाकृत स्थिर तापमान तथा पर्याप्त आर्द्रीकरण को बनाए रखने के लिए
B. फुफ्फुसपात को रोकने या उपचार करने के लिए
C. संक्रमण फैलाने के लिए
D. पर्याप्त पोषण बनाए रखने के लिए

72. स्वास्थ्य को बढ़ावा देने, व्याधि को रोकने, सामान्य व्याधियों की देखभाल तथा चल रही स्वास्थ्य समस्याओं के प्रबंधन के लिए स्वास्थ्य प्रणाली के साथ संपर्क के पहले स्तर के रूप में क्या परिभाषित किया गया है?

A. रोग
B. प्राथमिक स्वास्थ्य देखभाल
C. सामुदायिक स्वास्थ्य देखभाल
D. पर्याक्रमण

73. ________ किसी भी समय प्राप्त, जारी तथा स्टॉक में उपस्थित मात्रा के बारे में सूचना प्रदान करता है, इसका उपयोग ऑर्डर की गणना के लिए किया जा सकता है, तथा कमी तथा ओवरस्टॉकिंग को रोकने के लिए एक उपयोगी उपकरण है।

A. स्टॉक कार्ड   B. क्रय ऑर्डर
C. स्टॉक नियंत्रण   D. मूल्यांकन प्रणाली

74. निम्नलिखित में से कौन-सा कथन स्नान करने के लिए सामान्य दिशानिर्देश बताता है?

I. स्नान करने के पश्चात अपने शरीर को पोंछने के लिए केवल अपने तौलिये का ही प्रयोग करें। दूसरे का तौलिया इस्तेमाल करने से त्वचा में संक्रमण हो सकता है।
II. शिशुओं के लिए बेबी साबुन की सिफारिश की जाती है क्योंकि उनकी त्वचा नाजुक होती है तथा उन्हें मृदु साबुन की आवश्यकता होती है।

A. केवल I   B. न ही I न ही II
C. I तथा II दोनों   D. केवल II

75. निम्नलिखित में से कौन-सा कथन इस बात का सूचक है कि एक गर्भवती महिला के आहार को क्या प्रदान करना चाहिए?

A. बढ़ते गर्भ की आवश्यकता
B. अनुचित स्तन्य स्रवण
C. प्रसव दृढ़ता के दौरान शारीरिक सामर्थ्य तथा जीवन शक्ति
D. मातृज स्वास्थ्य का रखरखाव

76. पोषकोरक की कौन-सी परत मानव कोरियोनिक गोनेडोट्रॉपिन हॉर्मोन का उत्पादन करती है?

A. कोशिकापोषकोरक
B. उपकलाहीन
C. पतनिका
D. सिन्सीटियोट्रॉफ़ोब्लास्ट

77. ________ एक कटक है जो मोटे खंड की निचली सीमा पर बनती है जहां यह गर्भाशय में निचले खंड से मिलती है।

A. झिल्लियों का विदार B. नरम ऊतक विस्थापन
C. प्रतिगमन वलय D. गर्भाशय क्रिया

78. निम्नलिखित में से कौन-सी औषधि सुषुम्ना स्तर पर ओपिओइड रिसेप्टर्स के साथ परस्पर क्रिया करके कार्य करने वाली एक संश्लेषित स्वापक वेदनाहार औषधि है?

A. मिसोप्रोस्टोल B. कार्बोप्रोस्टोल
C. पेथिडीन D. विटामिन K

79. प्रोस्टाग्लेन्डिन को आवश्यक वसीय अम्ल में से एक, ________ से संश्लेषित किया जाता है, जो पूरे शरीर में व्यापक रूप से वितरित होता है।

A. ओलीक अम्ल B. लिनोलीनिक अम्ल
C. स्टिऐरिक अम्ल D. ऐराकिडॉनिक अम्ल

80. निम्नलिखित में से कौन-सा कथन गर्भनिरोधक के रूप में तांबे के उपकरणों का उपयोग करने के लाभ को बताता है?

I. गर्भनिरोधक प्रभावशीलता में वृद्धि
II. प्रति-प्रभाव की घटनाओं में वृद्धि

A. केवल II B. न ही I न ही II
C. I तथा II दोनों D. केवल I

81. निम्नलिखित में से कौन-सा प्रोटीन का प्रकार्य नहीं है?

A. प्रोटीन शरीर के तरल पदार्थों के pH को स्थिर करते हैं।
B. प्रोटीन ऊतकों की वृद्धि, मरम्मत तथा रखरखाव के लिए सामग्री प्रदान करते हैं।
C. प्रोटीन शरीर में नाइट्रोजन का एकमात्र स्रोत है।
D. शरीर की सुरक्षा में प्रोटीन की कोई भूमिका नहीं होती।

82. निम्नलिखित में से कौन-सा कारक स्वास्थ्य को प्रभावित करता है?

I. जैविक कारक
II. व्यावहारिक तथा सामाजिक-सांस्कृतिक कारक

A. न ही I न ही II B. केवल II
C. I तथा II दोनों D. केवल I

83. ________ की आयु के बीच की महिलाओं की एक तिहाई स्वास्थ्य समस्याओं के लिए लैंगिक तथा जननीय स्वास्थ्य समस्याएँ उत्तरदायी हैं।

A. 1-5 वर्ष B. 60-65 वर्ष
C. 6-10 वर्ष D. 15-44 वर्ष

84. निम्नलिखित में से कौन-सा प्रबंधन सूचना तथा मूल्यांकन प्रणाली (MIES) का उद्देश्य है?

A. श्रम प्रधान मैन्युअल गतिविधियों से संबंधित व्ययों में वृद्धि करना
B. संगठन के रणनीतिक लक्ष्यों तथा दिशा का समर्थन नहीं करना
C. सूचना के अभिलेखन करने तथा एकत्र करने के लिए एक प्रणाली प्रदान करना
D. कर्मचारियों के बीच संचार कम करना

85. ________ एक हल्का, सुदम्य तथा क्षणिक भावदशा परिवर्तन है जो प्रसव के 3-4 दिनों के भीतर शुरू होता है तथा 4-5 दिनों में चरम पर होता है।

A. प्रसवोत्तर ब्लूज B. प्रासतिक मनोविक्षिप्ति
C. प्रसवोत्तर अवसाद D. विखण्त-मनस्कता

86. महिलाओं की राजनीतिक भागीदारी के संदर्भ में निम्नलिखित में से कौन-सा कथन सही है?

I. महिलाओं की राजनीतिक स्थिति को सत्ता को आकार देने तथा साझा करने में महिलाओं द्वारा प्राप्त समानता तथा स्वतंत्रता की डिग्री तथा समाज द्वारा महिलाओं की इस भूमिका को दिए गए मूल्य के रूप में परिभाषित किया जा सकता है।
II. राजनीतिक प्रक्रिया तथा विधायी गतिविधियों में बढ़ती भागीदारी महिलाओं के सशक्तीकरण का सूचक है।

A. न ही I न ही II B. केवल II
C. I तथा II दोनों D. केवल I

87. प्रसव दृढ़ता के किस चरण में अपरा तथा झिल्लियों का निष्कासन होता है?

A. दूसरे चरण B. प्रथम चरण
C. चौथे चरण D. तीसरे चरण

88. निम्नलिखित में से कौन-सा उप-केन्द्र का प्रकार्य नहीं है?

A. मातृज तथा बाल स्वास्थ्य के संबंध में सेवाएं प्रदान करता है।
B. उप-केंद्र ग्रामीण क्षेत्रों में मौजूदा स्वास्थ्य वितरण प्रणाली की परिसरीय आउटपोस्ट है।
C. कम से कम एक महिला स्वास्थ्य कार्यकर्ता तथा एक पुरुष स्वास्थ्य कार्यकर्ता कार्यरत हों।
D. उप-केन्द्र प्राथमिक स्वास्थ्य देखभाल प्रणाली तथा समुदाय के बीच अंतिम संपर्क बिंदु है।

89. निम्नलिखित में से कौन-सा कवक के कारण होने वाला लैंगिक संचारित रोग है?

A. कैंडिडिआसिस B. सिफिलिस
C. जननांगी मस्सा D. ट्राइकोमोनिअनता

90. निम्नलिखित में से कौन-सा कथन भारत की प्रमुख स्वास्थ्य समस्या बताता है?

I. प्रदूषण
II. औषधि व्यसन
III. STDs में वृद्धि

A. I, II तथा III B. केवल I तथा II
C. केवल I तथा III D. केवल II तथा III

91. निम्नलिखित में से कौन-सा कथन योनि परीक्षण के भाग को बताता है?

I. बाह्य जननांग का निरीक्षण तथा परिस्पर्शन
II. योनि तथा ग्रीवा की वीक्षक जांच

A. I तथा II दोनों B. केवल II
C. क़ेवल I D. न ही I न ही II

92. निम्नलिखित में से कौन-सा लैंगिक संचारित संक्रमण नहीं है?

A. सिफ़िलिस B. टाइफॉइड
C. सुजाक D. क्लैमाइडिया

93. निम्नलिखित में से कौन-सा होम विजिटिंग बैग का उपयोग करने का उद्देश्य नहीं है?

A. बैग का सही तथा व्यवस्थित तरीके से उपयोग करके परिवार के सदस्यों को स्वच्छता का सिद्धांत सिखाना।
B. एक परिवार और/या परिवार के सदस्य से दूसरे में संक्रमण फैलने से रोकना।
C. अस्वच्छ वातावरण में घर पर शल्य चिकित्सा का पाना।
D. चयनित प्रक्रियाओं को पूरा करना तथा साथ ही किसी आश्रित या रोगी व्यक्ति को परिवार द्वारा प्रदान की जाने वाली देखभाल सिखाना।

94. निम्नलिखित में से कौन-सी औषधि को ठोस रूप (जेली, टेबलेट) में देने की वह विधि है जिसे शरीर के छिद्रों में निवेश किया जाता है?

A. प्रतिष्ठापन B. निवेशन
C. प्रधमन D. अभिश्वसन

95. निम्नलिखित में से किस गैस का उपयोग निर्जीवाणुकरण के लिए किया जाता है?

A. कार्बन डाइऑक्साइड B. ओजोन
C. एथिलीन ऑक्साइड D. नाइट्रोजन

96. निम्नलिखित में से कौन-सी विद्यालय स्वास्थ्य सेवाओं की विशेषता नहीं हैं?

A. पोषणज सेवाएँ
B. विद्यालय स्वास्थ्य अभिलेख का न तो उचित रखरखाव तथा न ही उपयोग
C. स्वास्थ्य मूल्यांकन
D. संचरणीय रोगों का रोकथाम

97. निम्नलिखित में से क़ौन-सा कार्बोहाइड्रेट का मुख्य स्रोत है?

I. स्टार्च
II. शर्करा

A. न ही I न ही II B. केवल II
C. I तथा II दोनों D. केवल I

98. निम्नलिखित में से कौन-सा श्रव्य दृश्य सहायता का उद्देश्य नहीं है?

A. शिक्षार्थी का ध्यान आकर्षित करने के लिए

B. समय बचाने के लिए

C. शिक्षण की प्रभावशीलता को कम करने के लिए

D. अधिगम अनुभव को लंबे समय तक बनाए रखने के लिए

99. ________ का उपयोग परामर्श में वास्तविक जीवन की समस्या के समानांतर स्थितियों पर अभिनय करके किसी व्यक्ति में कौशल तथा अंतर्दृष्टि विकसित करने के लिए किया जाता है।

A. विसंवेदीकरण

B. भूमिका निर्वाह की तकनीक

C. शिथिलन

D. चर्चा तकनीक

100. निम्नलिखित में से कौन-सा जन्मपूर्व देखभाल का उद्देश्य नहीं है?

A. माता के अच्छे शारीरिक, मानसिक तथा भावनात्मक स्वास्थ्य को बढ़ावा देना तथा बनाए रखना

B. माता को प्रसव दृढ़ता, स्तनपान तथा उसके बाद बच्चे की देखभाल के लिए तैयार करना

C. मातृज विकृति तथा मृत्यु दर में वृद्धि करना

D. एक पक्व, स्वस्थ तथा जीवित बच्चे को सुनिश्चित करने के लिए

उत्तरमाला

1	2	3	4	5	6	7	8	9	10
B	B	C	C	C	A	C	D	C	D
11	**12**	**13**	**14**	**15**	**16**	**17**	**18**	**19**	**20**
C	D	D	B	A	A	C	D	A	B
21	**22**	**23**	**24**	**25**	**26**	**27**	**28**	**29**	**30**
C	C	A	B	A	C	D	D	D	C
31	**32**	**33**	**34**	**35**	**36**	**37**	**38**	**39**	**40**
D	C	A	A	D	C	C	A	D	A
41	**42**	**43**	**44**	**45**	**46**	**47**	**48**	**49**	**50**
D	B	D	A	D	C	C	B	A	C
51	**52**	**53**	**54**	**55**	**56**	**57**	**58**	**59**	**60**
B	A	A	D	A	A	B	C	A	B
61	**62**	**63**	**64**	**65**	**66**	**67**	**68**	**69**	**70**
B	B	A	C	B	B	B	B	B	D
71	**72**	**73**	**74**	**75**	**76**	**77**	**78**	**79**	**80**
C	B	A	C	B	A	C	C	D	D
81	**82**	**83**	**84**	**85**	**86**	**87**	**88**	**89**	**90**
D	C	D	C	A	C	D	D	A	A
91	**92**	**93**	**94**	**95**	**96**	**97**	**98**	**99**	**100**
A	B	C	B	C	B	C	C	B	C

प्रैक्टिस सेट 3

1. ________ एक गंभीर तथा सांसर्गिक नेत्र रोग है जो नेत्रश्लेष्मता तथा स्वच्छमंडल को प्रभावित करता है।

A. टिटेनस
B. रेबीज
C. रोहे
D. स्कैबीज

2. निम्नलिखित में से कौन-सा कथन सामुदायिक स्वास्थ्य परिचारिका की भूमिका बताता है?

I. देखभाल प्रदाता
II. संवेदनशील पर्यवेक्षक

A. केवल II
B. I तथा II दोनों
C. न ही I न ही II
D. केवल I

3. निम्नलिखित में से कौन-सा जन्मपूर्व देखभाल का उद्देश्य नहीं है?

A. माता के अच्छे शारीरिक, मानसिक तथा भावनात्मक स्वास्थ्य को बढ़ावा देना तथा बनाए रखना
B. माता को प्रसव दृढ़ता, स्तनपान तथा उसके बाद बच्चे की देखभाल के लिए तैयार करना
C. मातृज विकृति तथा मृत्यु दर में वृद्धि करना
D. एक पक्व, स्वस्थ तथा जीवित बच्चे को सुनिश्चित करने के लिए

4. ऑक्सीटोसिन एक ऑक्टापेप्टाइड है जो ________ मे संश्लेषित होता है तथा पश्च पीयूषिका में संग्रहीत होता है।

A. मेरुरज्जुशीर्ष
B. प्रमस्तिष्क
C. अधश्चेतक
D. अनुमस्तिष्क

5. निम्नलिखित में से कौन-सा एक संक्रमण है जो एक श्वसन या यौन संचारित अलक्षणी व्याधि या एककेंद्रता जैसा संलक्षण है जिसमें ग्रीवा-ग्रैव आस्राव हो सकता है?

A. पोलियो
B. खसरा
C. यकृत् शोथ B
D. साइटोमिगेलि विषाणु

6. स्तन्य आहार के लाभों के संदर्भ में निम्नलिखित में से कौन-सा कथन सही है?

I. स्तन्य दूध का पोषण मूल्य किसी भी अन्य दूध से कहीं ऊर्ध्व होता है।
II. माता तथा शिशु के बीच भावनात्मक बंधन को बढ़ावा देता है।

A. केवल II
B. केवल I
C. I तथा II दोनों
D. न ही I न ही II

7. अपक्व शिशुओं को दुग्ध आहार के विधियों में, जब शिशु निगल तो सकता है, लेकिन चूस नहीं पाता, तब क्या उपयोग किया जाता है?

A. बोतल आहार
B. बिंदुपाती
C. अंतःशिरा द्रव चिकित्सा
D. ट्यूब आहार

8. जब कोई रोगी पहले से ही किसी रोग से पीड़ित है तो उसे किसी अन्य पोषद या किसी बाहरी स्रोत से संक्रमण हो जाता है, इस संक्रमण को क्या कहा जाता है?

A. प्राथमिक संक्रमण B. द्वितीयक संक्रमण

C. रोगलक्षण संक्रमण D. क्रॉस संक्रमण

9. पोषद द्वारा उपयोग किए जाने वाले निर्जीव पदार्थों में रोग पैदा करने वाले अभिकर्ता की उपस्थिति को क्या कहा जाता है?

A. विसंक्रमण B. संदूषण

C. संक्रमण D. पर्याक्रमण

10. परिवार नियोजन में गर्भनिरोधक के रूप में शुक्राणुनाशकों का उपयोग करने के लिए निम्नलिखित में से कौन-सा दोष नहीं है?

A. उन्हें योनि के उन क्षेत्रों में पेश किया जाना चाहिए, जहाँ शुक्राणु जमा होने की संभावना है

B. वे गंदगी के अलावा मंद दाह या क्षोभ पैदा कर सकते हैं

C. उनकी विफलता दर उच्च है

D. इनका उपयोग भोग के पश्चात किसी भी समय किया जा सकता है

11. नवजात पुनर्जीवन के दौरान, अंतःश्वसनिकीय इंट्यूबेशन का संकेत तब दिया जाता है जबः

A. नवजात शिशु प्रीटर्म हो

B. इसमें मेकोनियम-रंजित एम्नियोटिक द्रव होता है

C. हृदय गति 100 bpm से ऊपर हो

D. सकारात्मक दबाव वाला वेंटिलेशन अप्रभावी हो

12. निम्नलिखित में से कौन-सी रणनीति नहीं है जिसका उपयोग बाल स्वास्थ्य नर्सें होम विजिट करते समय सांस्कृतिक बाधाओं को दूर करने के लिए कर सकती हैं?

A. नस्लवाद और भेदभाव के मुद्दों को संबोधित करना

B. भाषा संबंधी बाधाओं को दूर करने के लिए प्रौद्योगिकी के उपयोग से बचना

C. यदि आवश्यक हो तो दुभाषिया का उपयोग करना

D. शब्दजाल (Jargon) या चिकित्सा शब्दावली के प्रयोग से बचना

13. अंतर्गर्भाशयी देखभाल में, निरंतर इलेक्ट्रॉनिक भ्रूण निगरानी सबसे आवश्यक है :

A. सभी डिलीवरी के लिए

B. सक्रिय प्रसवाधीन महिलाओं के लिए

C. उच्च जोखिम वाली गर्भावस्थाओं के लिए

D. कम जोखिम वाली गर्भावस्था के लिए

14. निर्धारित गतिविधियों के लिए उपकेंद्रों और क्लीनिकों का आयोजन करते समय, दक्षता और प्रभावशीलता सुनिश्चित करने के लिए एक महत्वपूर्ण कारक क्या है?

A. सामुदायिक आवश्यकताओं और पीक डिमांड के समय के अनुसार सेवाओं और कर्मचारियों की उपलब्धता को संरेखित करना।

B. सभी स्वास्थ्य सेवाओं को केवल पीक आवर्स के दौरान उपलब्ध कराने का समय निर्धारित करना।

C. दुर्लभ स्थितियों की अनदेखी करते हुए, सेवाओं को सबसे सामान्य स्वास्थ्य समस्याओं तक सीमित करना।

D. स्थानीय भिन्नताओं की परवाह किए बिना सभी उपकेन्द्रों पर एक समान कार्यक्रम लागू करना।

15. नर्सें व्यक्तिगत पोषण को प्रभावी ढंग से कैसे बढ़ावा दे सकती हैं?

A. व्यक्तिगत स्वास्थ्य स्थिति और जीवनशैली के आधार पर व्यक्तिगत पोषण संबंधी परामर्श प्रदान करके।

B. व्यक्तिगत विविधताओं पर विचार किए बिना सामान्य आहार योजनाओं का सुझाव देकर।

C. सभी व्यक्तियों को आहार अनुपूरक निर्धारित करके।

D. व्यक्तियों को लोकप्रिय आहार प्रवृत्तियों का पालन करने के लिए प्रोत्साहित करके।

16. प्रसवपूर्व स्क्रीनिंग परीक्षणों पर प्रसवपूर्व काउंसलिंग से गर्भवती माताओं को सूचित किया जाना चाहिए कि ये परीक्षण निम्न में से किसके लिए डिजाइन किए गए हैं?

A. बच्चे का लिंग और शारीरिक गुणधर्मों का निर्धारण करने के लिए

B. कुछ आनुवांशिक स्थितियों के जोखिम का मूल्यांकन करने के लिए

C. अपने माता-पिता की देखभाल और विकास को अनुकूलित करने के लिए

D. प्रसव के सटीक तारीख का पूर्वानुमान करने के लिए

17. इम्पेटिगो वाले बच्चे का प्रबंधन करते समय, पहली पंक्ति की चिकित्सा आम तौर पर होती है:

A. टॉपिकल ऐंटिफंगल क्रीम

B. टॉपिकल म्यूपिरोसिन

C. सिस्टेमिक कॉर्टिकोस्टेरॉइड्स

D. मौखिक एंटीथिस्टेमाइंस

18. सामुदायिक स्वास्थ्य नर्सिंग में स्वास्थ्य परामर्श का एक मूलभूत सिद्धांत है:

A. ग्राहक के साथ गैर-निर्णयात्मक सहानुभूतिपूर्ण और सहायक संबंध स्थापित करना।

B. ग्राहक स्वायत्तता पर निर्देशात्मक सलाह पर जोर देना।

C. स्वास्थ्य के भावनात्मक या मनोवैज्ञानिक पहलुओं के बारे में चर्चा से बचना।

D. परामर्श सत्रों को केवल सूचनात्मक आदान-प्रदान तक सीमित रखना।

19. सामुदायिक स्वास्थ्य नर्सिंग में प्रभावी हेल्थ काउंसलिंग के कुछ प्रमुख सिद्धांत क्या हैं?

I. ग्राहक के साथ भरोसेमंद और सम्मानजनक संबंध स्थापित करना।

II. व्यक्ति-केंद्रित दृष्टिकोण का उपयोग करना जो ग्राहक की जरूरतों और लक्ष्यों पर केंद्रित है।

III. सांस्कृतिक रूप से संवेदनशील और उचित देखभाल प्रदान करना।

A. केवल II और III B. केवल I और III

C. I, II और III D. केवल I और II

20. स्वास्थ्य देखभाल सेटिंग्स में नरम सतहों को कीटाणुरहित करने के लिए आमतौर पर किस कीटाणुनाशक का उपयोग किया जाता है?

A. क्वैटर्नरी एमोनियम यौगिक

B. फेनोलिक यौगिक

C. हाइपोक्लोराइट घोल

D. फॉर्मल्डिहाइड

21. प्रसवपूर्व काउंसलिंग के दौरान, एक दाई को निम्नलिखित में से किस विषय पर शिक्षा और परामर्श प्रदान करना चाहिए?

I. पोषण और व्यायाम पर

II. प्रसव पीड़ा के लक्षण और संकेत पर

III. प्रसवोत्तर देखभाल पर

A. केवल I और III B. I, II और III

C. केवल II और III D. केवल I और II

22. स्वास्थ्य देखभाल सुविधाओं में आवश्यक स्टॉक को इंडेंट करने और बनाए रखने में महत्वपूर्ण कारक क्या है?

A. माँग की परवाह किए बिना हर महीने समान मात्रा में आपूर्ति का ऑर्डर देना।

B. भविष्य में कमी से बचने के लिए बड़ी मात्रा में दवाओं का भंडारण करना।

C. गुणवत्ता पर विचार किए बिना केवल सबसे कम महँगी आपूर्तियाँ खरीदना।

D. बजट की कमी और भंडारण क्षमता के साथ आवश्यक आपूर्ति की आवश्यकता को संतुलित करना।

23. प्रसव के बाद Rh-नेगेटिव माताओं को Rh इम्युनोग्लोबुलिन (Rhig) देने का प्राथमिक उद्देश्य निम्न में से किसका रोकथाम करना है?

A. मातृ एनीमिया

B. नवजात या नवजात से संबंधित पीलिया

C. भविष्य में एक्टोपिक गर्भधारण

D. नवजात शिशु का हेमोलिटिक रोग

24. सामुदायिक स्वास्थ्य नर्स के रूप में काम करने में निम्नलिखित में से कौन-सी चुनौतियाँ हैं?

I. सीमित संसाधन और फंडिंग।

II. स्वास्थ्य को प्रभावित करने वाले जटिल सामाजिक और पर्यावरणीय कारकों को संबोधित करना।

III. सांस्कृतिक और भाषाई बाधाओं पर काबू पाना।

A. केवल I और II B. केवल II और III

C. केवल I और III D. I, II और III

25. अंतर्गर्भाशयी परामर्श का प्राथमिक लक्ष्य क्या है?

I. दर्द प्रबंधन विकल्पों के बारे में जानकारी प्रदान करना।

II. माँ को प्रसव की भावनात्मक और शारीरिक माँगों से निपटने में मदद करना।

III. महिला की पसंद और प्राथमिकताओं का समर्थन करना।

A. केवल II और III
B. I, II और III
C. केवल I और II
D. केवल I और III

26. पारिवारिक जीवन की गुणवत्ता के लिए मातृ मानसिक स्वास्थ्य के बारे में समुदाय को शिक्षित करना क्यों महत्वपूर्ण है?

A. यह मुख्य रूप से मां के शारीरिक स्वास्थ्य पर केंद्रित है।
B. यह माताओं के लिए एक सहायक वातावरण बनाने में मदद करता हैं।
C. यह बच्चों के लिए बेहतर शैक्षणिक प्रदर्शन सुनिश्चित करता है।
D. यह परिवार के लिए समग्र स्वास्थ्य देखभाल लागत को कम करता है।

27. स्वास्थ्य सेवा प्रदाता परिवारों में स्वस्थ पोषण को कैसे बढ़ावा दे सकते हैं?

I. पारिवारिक भोजन योजना और एक साथ स्वस्थ भोजन पकाने पर शिक्षा प्रदान करके।

II. शारीरिक गतिविधियों और आऊटडोर खेल में परिवार की भागीदारी को प्रोत्साहित करके।

III. घर के भीतर स्वस्थ खान-पान की आदतों के लिए एक सहायक वातावरण बनाकर।

A. केवल I और III B. केवल II और III
C. केवल I और II D. I, II और III

28. स्वास्थ्य देखभाल प्रबंधन में आवश्यक स्टॉक को इंडेंट करने और बनाए रखने में मुख्य विचार क्या हैं?

I. स्टॉक स्तर का सटीक आकलन करना और भविष्य की जरूरतों का पूर्वानुमान लगाना।

II. खरीद और इन्वेंट्री नियंत्रण के लिए स्पष्ट प्रक्रियाएं स्थापित करना।

III. खराब होने या हानि को रोकने के लिए आपूर्ति का उचित भंडारण और प्रबंधन सुनिश्चित करना।

A. केवल I और II
B. I, II और III
C. केवल II और III
D. केवल I और III

29. उचित पोषण मुख्य रूप से रोग की रोकथाम और स्वास्थ्य संवर्धन में कैसे योगदान देता है?

A. केवल कैलोरी सेवन पर ध्यान केंद्रित करके।
B. शारीरिक गतिविधि की आवश्यकता को समाप्त करके।
C. प्रतिरक्षा कार्य को बढ़ाने और रोगों के प्रति संवदेनशीलता को कम करने के माध्यम से।
D. स्वास्थ्य संवर्धन या बीमारी की रोकथाम में पोषण की कोई महत्वपूर्ण भूमिका नहीं है।

30. उच्च जोखिम वाले शिशुओं में रेस्पिरेटरी सिंकाइटियल वायरस (आरएसवी) की रोकथाम का मुख्य आधार है:

A. पैलिविजुमैब (सिनागिस) का प्रबंधन
B. आरएसवी सीजन के दौरान एंटीबायोटिक प्रोफिलैक्सिस
C. जन्म के समय नियमित आरएसवी टीकाकरण
D. उच्च खुराक विटामिन D अनुपूरण

31. मिक्सोडीमा (Myxoedema) का कारण है?

A. बच्चों में थायरॉइड हारमोन की अधिकता
B. बच्चों में थायरॉइड हारमोन की कमी
C. वयस्कों में थायरॉइड हारमोन की अधिकता
D. वयस्कों में थायरॉइड हारमोन की कमी

32. एन्जाइम निरोधन के लिए कौन-सा वक्तव्य सत्य है?

A. प्रतिस्पर्धी निरोधन तब दिखायी पड़ता है जब सबस्ट्रेट एक एन्जाइम से निरोधक प्रोटीन से जुड़ने के लिए प्रतिस्पर्धा करता है।
B. प्रतिस्पर्धी निरोधन तब दिखायी पड़ता है जब सबस्ट्रेट व निरोधक, एन्जाइम की सक्रिय स्थलों से जुड़ने के लिए प्रतिस्पर्धा करते हैं।

C. बड़ी मात्रा में सबस्ट्रेट को मिलाकर एन्जाइम के अप्रतिस्पर्धी निरोधन को कम किया जा सकता है।

D. अप्रतिस्पर्धी निरोधक प्रायः एन्जाइमों से अपरिवर्तनीय रूप से जुड़ते हैं।

33. जीवाणु जनित रोगों की औषधियां अधिक होती हैं जबकि विषाणु (Virus) जनित रोगों की नहीं, क्योंकि–

A. अधिकांश जीवाणु परपोषी होते हैं

B. सभी विषाणु परपोषी होते हैं और उनके चारों ओर प्रोटीन का एक सुरक्षात्मक आवरण होता है

C. विषाणु जीवाणु से बहुत छोटे होते हैं

D. इनमें से कोई नहीं

34. ऑस्टियोआर्थराइटिस वाले बुजुर्ग रोगियों में पुराने दर्द को प्रबंधित करने के लिए आमतौर पर कौन-सी दवा का उपयोग किया जाता है?

A. एसिटामिनोफेन B. इबुप्रोफेन

C. प्रेडनिसोन D. ट्रामाडोल

35. उपचारात्मक तकनीक जिसमें मरीज अपनी दमित भावनाओं के बारे में खुलकर बात करता है एवं अपने दुखद अचेतन अनुभवों से मुक्ति पाता है

A. हिप्नोसिस B. एबरिएक्शन

C. साइकोएनालाइसिस D. व्यवहार चिकित्सा

36. नर्सिंग कर्मचारियों के मूल्यांकन के दौरान इस बिन्दु को सर्वाधिक महत्व दिया जाता है :

A. रोगी की देखभाल

B. स्वास्थ्य और सफाई

C. सहयोग

D. पेशे के प्रति समर्पण

37. विश्व के अनेक अविकसित राष्ट्रों में 6 वर्ष की आयु तक के बालकों का कुपोषण से शिकार होना एक गम्भीर समस्या है। इनमें से नवजात शिशुओं के भोजन में उपयुक्त प्रोटीन की कमी से होने वाला रोग है–

A. रिकेट्स

B. लकवा

C. क्वाशिओरकर

D. ऑस्टियोमैलेशिया

38. कार्बनिक पदार्थ की मात्रा का जन्तु शरीर में घटता क्रम है–

A. प्रोटीन, कार्बोहाइड्रेट, वसा, न्यूक्लिक अम्ल

B. कार्बोहाइड्रेट, प्रोटीन, वसा, न्यूक्लिक अम्ल

C. न्यूक्लिक अम्ल, प्रोटीन, कार्बोहाइड्रेट, वसा

D. वसा, न्यूक्लिक अम्ल, प्रोटीन, कार्बोहाइड्रेट

39. एक नये मरीज की भर्ती के लिये जो bed तैयार किया जाता है, कहलाता है

A. Occupied bed

B. Closed bed

C. Open bed

D. Admission bed

40. जब किसी व्यक्ति में life का कोई sign नहीं हो परन्तु life है व उसमें resucitation से पुनः life के sign लाया जा सकता हो, यह कहलाता है

A. Natural death

B. False death

C. Suspended animation

D. Heart death

41. सभी Contaminated articles व Body discharge का तुरन्त disinfection कहलाता है

A. Terminal disinfection

B. Concurrent disinfection

C. Complete disinfection

D. Sterilization

42. मनोवैज्ञानिक की शाखा जो नर्सिंग से संबंधित है :

A. नर्सिंग मनोविज्ञान

B. अस्पताल मनोविज्ञान

C. चिकित्सा मनोविज्ञान

D. विकृत मनोविज्ञान

43. जीवाणु जनित रोगों की औषधियां अधिक होती हैं जबकि विषाणु (Virus) जनित रोगों की नहीं, क्योंकि–

A. अधिकांश जीवाणु परपोषी होते हैं

B. सभी विषाणु परपोषी होते हैं और उनके चारों ओर प्रोटीन का एक सुरक्षात्मक आवरण होता है

C. विषाणु जीवाणु से बहुत छोटे होते हैं

D. इनमें से कोई नहीं

44. सुमेलित कीजिए–

सूची-I	सूची-II
(*a*) एनसीफेलाइटिस (Encephalitis)	1. मस्तिष्क
(*b*) हेपेटाइटिस (Hepatitis)	2. जिगर
(*c*) लारिनजाइटिस (Laringitis)	3. गला
(*d*) ओटिटिस (Otitis)	4. कान

कूट :

	(*a*)	(*b*)	(*c*)	(*d*)
A.	1	3	2	4
B.	1	2	3	4
C.	2	1	3	4
D.	2	4	3	1

45. Prepuce जब tight होती है तब इसे ग्लान्स पेनिस से पीछे खींच तो सकते हैं पर यह पुनः वापिस ग्लान्स पेनिस पर नहीं आती है, यह घटना कहलाती है?

A. Epispadias B. Phimosis
C. Paraphimosis D. Hypospadias

46. Tetrology of Fallot में Hypoxic Spell की रोकथाम के लिए अवस्था होगी

A. Fowler's Position
B. Knee-Chest Position
C. Trendelberg Position
D. Dorsal Position

47. Testis का सामान्य मार्ग से अतिरिक्त और कहीं पाया जाना कहलाता है

A. Ectopic testis
B. Incomplete Descended Testis
C. Cryptorchidism
D. उपरोक्त सभी

48. Lungs Abscess से अभिप्राय है?

A. Inflammation of lungs tissue
B. Cavity formation in lungs tissue
C. Suppurative necrosis of lungs tissue
D. Consolidation of lungs tissue

49. NPU से अभिप्राय है?

A. $\frac{\text{नाइट्रोजन जो शरीर में रही}}{\text{नाइट्रोजन जो कुल ली गई}} \times 100$

B. $\frac{\text{नाइट्रोजन जो कुल ली गई}}{\text{नाइट्रोजन जो शरीर में रही}} \times 100$

C. $\frac{\text{शरीर में आवश्यक अमीनो एसिड की संख्या}}{\text{प्रोटीन में उपलब्ध अमीनो एसिड की संख्या}} \times 100$

D. $\frac{\text{प्रोटीन में उपलब्ध अमीनो एसिड की संख्या}}{\text{शरीर में आवश्यक अमीनो एसिड की संख्या}} \times 100$

50. निम्नलिखित में से कौन-सा कथन सत्य है?

1. Special Nutrition Programme में गर्भवती महिलाओं व स्तनपान करवाने वाली महिलाओं को 500 कैलोरी एवं 25 ग्राम प्रोटीन दिया जाता है।

B. दूध पिलाने वाली माताओं में अतिरिक्त प्रोटीन की आवश्यकता (प्रथम 6 माह में) 25 gram की होती है।

A. केवल 1 B. केवल 2
C. 1 एवं 2 दोनों D. न तो 1 एवं न ही 2

51. निम्नलिखित में से कौन-सा कथन नहीं है?

1. एक स्कूल हॉस्टल में एक लड़के के Chicken Pox हो गया है तो सबसे सही कदम लड़के को आइसोलेशन में रखना होगा।
2. UNICEF के द्वारा मीड-डे-मील प्रोग्राम में सहायता करने की सेवाएँ भी दी जाती हैं।
3. रोकी जा सकने वाली Blindness का मुख्य कारण विटामिन-ए की कमी है।

कूट :

A. केवल 2 एवं 3 B. केवल 1 एवं 3
C. केवल 1 एवं 2 D. केवल 1

52. दिए गए विकल्पों में से गलत विकल्प की पहचान कीजिए।

A. फेफड़ों की परिपक्वता का पता लगाने हेतु यूरिया एवं यूरिक ऐसिड की जाँच की जाती है।
B. जब स्तनपान की कमी को पूर्ण करने के लिए स्तनपान के तुरन्त बाद ही अतिरिक्त दूध दिया जाता है तो इसे Necessary Feeding कहते हैं।
C. गर्भावस्था में सिफलोस्पोरीन दवाई खाने पर शिशु के दाँतों का रंग परिवर्तन हो सकता है।
D. 'Sucking Reflex' ऊपरी व निचले होठों पर हाथ के सम्पर्क से उत्पन्न होता है।

53. सूची-I एवं सूची-II का सही मिलान कीजिए।

सूची-I (मनुष्य के रोग)	**सूची-II** (रोग पैदा करने वाले जीवाणु)
(*a*) हैजा	1. माइकोबैक्टिरियम डिफ्थीरी
(*b*) न्यूमोनिया	2. विब्रियो कोलेरी
(*c*) टिटनस	3. क्लॉस्ट्रिडियम टिटैनी
(*d*) क्षय रोग	4. स्ट्रेप्टोकोकस न्यूमोनी

कूट :

	(*a*)	(*b*)	(*c*)	(*d*)
A.	4	2	1	3
B.	2	4	3	1
C.	3	2	1	4
D.	1	2	3	4

54. निम्नलिखित कथनों में से सही कथन का चयन कीजिए:

1. नर्स को मानसिक रोगी के साथ Communication के समय Ladder Method का उपयोग करना चाहिए।
2. 6 माह पूर्व एक व्यक्ति की कार से जाते समय भयंकर दुर्घटना हो गई अब वो कार में बैठने से डरता है तो यह Post-traumatic Stress Syndrome रोग होता है।
3. दस्त रोग बच्चों में होने वाला एक सामान्य रोग है, इससे बच्चों की सबसे अधिक मृत्यु होती है।
4. Pre-mature baby (असामान्य शिशु) वह होता है जिसका जन्म गर्भावस्था से 37 सप्ताह के पहले हो जाता है।

कूट :

A. केवल 2 एवं 4
B. केवल 1, 2 एवं 3
C. केवल 2, 3 एवं 4
D. उपरोक्त सभी

55. दिए गए कथनों में से सही कथन को चुनिए :

1. विवरणात्मक सांख्यिकी सांख्यिकी की वह प्रक्रिया है जो न्यादर्श या समय की विशेषताओं का वर्णन करती है।
2. अस्पताल की विभिन्न परिस्थितियाँ विद्यार्थियों को Direct Experience का अनुभव प्रदान करती है।

कूट :

A. केवल 1
B. केवल 2
C. 1 एवं 2 दोनों
D. न तो 1 एवं न ही 2

56. मरीचिका (mirage) का भ्रम क्यों होता है?

A. प्रकाश के रेतीली सतह से परावर्तित होने के कारण
B. वायु का अपवर्तनांक ऊंचाई के साथ निरंतर घटते जाने के कारण
C. वायु का अपवर्तनांक ऊंचाई के साथ निरंतर बढ़ते जाने के कारण
D. उपर्युक्त में से कोई नहीं

57. हीरा, कांच और पानी में प्रकाश का वेग निम्नलिखित क्रम में घटता है :

A. हीरा > पानी > कांच
B. पानी > कांच > हीरा
C. हीरा > कांच > पानी
D. उपर्युक्त में से कोई नहीं

58. विद्युत् बल्ब का तन्तु धारा प्रवाहित करने से चमकने लगता है, परन्तु तन्तु में धारा ले जाने वाले तार नहीं चमकते। इसका कारण है :

A. तन्तु में तारों की अपेक्षा अधिक धारा बहती है।
B. तन्तु का प्रतिरोध तारों की अपेक्षा कम होता है।
C. तन्तु का प्रतिरोध तारों की अपेक्षा अधिक होता है।
D. धारा प्रवाहित करने से केवल टंगस्टन धातु ही चमकती है।

59. "दो स्थिर आवेशों के बीच लगने वाला बल उनकी मात्राओं के गुणनफल के अनुक्रमानुपाती तथा उनकी बीच की दूरी के वर्ग के व्युत्क्रमानुपाती होता है।" यह नियम है :

A. ओम का नियम
B. किरचॉफ का नियम
C. कूलॉम का नियम
D. फैराडे का नियम

60. यदि कोई धातु चुम्बक द्वारा अत्यंत क्षीण शकित से प्रतिकर्षित होती हो तो वह धातु होगी :

A. अचुम्बकीय (non-magnetic)

B. अनुचुम्बकीय (paramagnetic)

C. प्रतिचुम्बकीय (diamagnetic)

D. लौहचुम्बकीय (diamagnetic)

61. धोने का सोडा (washing soda) तैयार करने में सॉल्वे प्रक्रम (solvay process) उपयोग में लाया जाता है। इस प्रक्रम का उपयोग K_2CO_3 तैयार करने में नहीं किया जा सकता, क्योंकि :

A. सामान्य दशाओं में K_2CO_3 स्थाई नहीं है

B. K_2CO_3 जल में अत्यधिक घुलनशील है जिस कारण इसे छान कर अलग नहीं किया जा सकता

C. पोटैशियम सर्वाधिक अभिक्रियाशील धातु है

D. उपर्युक्त में से कोई नहीं

62. कुएं से निकाले गए पानी के एक नमूने को उबालने पर वह दूधिया हो जाता है। पानी के इस नमूने में निम्नलिखित के घुले होने की सर्वाधिक संभावना है?

A. मैग्नीशियम कार्बोनेट

B. कैल्सियम हाइड्रोजन कार्बोनेट

C. सोडियम क्लोराइड

D. कैल्सियम कार्बोनेट

63. हीरे की संरचना में कार्बन के परमाणु परस्पर निम्नलिखित आबन्ध के द्वारा जुड़े होते हैं :

A. आयनिक आबन्ध (Ionic bonds)

B. सहसंयोजक आबन्ध (covalent bonds)

C. हाइड्रोजन आबन्ध (Hydrogen bonds)

D. इनमें से कोई नहीं

64. भारी मशीनरी में स्नेहक के रूप में ग्रेफाइट का उपयोग करने का कारण है :

A. इसमें एक दूसरे के ऊपर बहुत आसानी से फिसलने वाली परतों का बनना

B. इसमें केवल कार्बन निहित होने के कारण स्नेहन गुण होना

C. इसके परमाणुओं का परस्पर अपेक्षाकृत कम बल से जुड़ा होना

D. उपर्युक्त में से कोई नहीं

65. साधारण नमक (Common Salt) किस अम्ल और किस क्षार के मिलने से बनता है?

A. सल्फ्यूरिक अम्ल तथा सोडियम कार्बोनेट

B. हाइड्रोक्लोरिक अम्ल तथा सोडियम कार्बोनेट

C. हाइड्रोक्लोरिक अम्ल तथा कैल्सियम कार्बोनेट

D. इनमें से कोई नहीं

66. नीचे दिए गए चार में से कौन-सा एक शेष तीनों को अपने में समाहित किए हुए है?

A. जीवोम (Biome)

B. पारिस्थितिक तंत्र (ecosystem)

C. जीवमंडल (biosphere)

D. समुदाय (community)

67. पादप कोशिका और जंतु कोशिका में निम्नलिखित प्रमुख अंतर है :

A. पादप कोशिका में सेल्युलोस की बनी कोशिका भित्ति होती है

B. पादप कोशिका आकार में अपेक्षाकृत बड़ी होती है

C. पादप कोशिका में रसधानियां (vacuoles) होती हैं

D. पादप कोशिका का आकार अपेक्षाकृत छोटा होता है

68. भक्षकाणु-क्रिया (phagocytosis) के दौरान रुधिर कोशिकाओं से श्वेत रुधिराणुओं (WBC) के ऊतक अंतराल (tissue space) में निष्पीडित होने की क्रिया कहलाती है।

A. डाइपडेसिस (diapedesis)

B. लसीकाल्पता (lymphopenia)

C. विसरण (diffusion)

D. सक्रिय गमन (active transport)

69. ऐसा अस्थिभंग जिसमें अस्थि दो से अधिक हिस्सों में टूटी हो और कुछ टूटे हुए हिस्सों में संभवतः रक्त परिसंचरण न हो रहा हो, कहलाता है :

A. ग्रीन स्टिक फ्रैक्चर B. सिम्पल फ्रैक्चर

C. कॉमिन्यूटेड फ्रैक्चर D. कम्पाउण्ड फ्रैक्चर

70. एक शिशु को थायरॉक्सिन सोडियम, 0.35 मिलीग्राम दिन में एक बार मौखिक रूप से प्राप्त करना है। दवाएं 0.25 मिलीग्राम/एमएल में सुगंधित तरल के रूप में उपलब्ध है। नर्स को तरल की कितनी मात्रा देनी चाहिए?

A. 1.4 mL B. 1.0 mL
C. 2.4 mL D. 1.3 mL

71. एक 34 वर्षीय महिला पेट के निचले हिस्से में ऐंठन के कारण दर्द की शिकायत करती है, मूत्र hCG सकारात्मक है और पैल्विक अल्ट्रासाउंड से 10 सप्ताह की अंतर्गर्भाशयी गर्भावस्था का पता चलता है। रोगी का कहना है कि उसे यकीन नहीं है कि गर्भावस्था को बनाए रखना है या नहीं। प्रबंधन में निम्नलिखित में से कौन-सा अगला कदम सबसे उपयुक्त है?

A. रोगी के माता-पिता को सूचित करें
B. रोगी के साथी को सूचित करें
C. रोगी को परामर्श दें या किसी उपयुक्त परामर्शदाता के पास भेजें
D. गर्भावस्था की समाप्ति

72. रिसीवर को संप्रेषित करने के लिए निम्नलिखित में से किसका अर्थ संदेश को मौखिक और अशाब्दिक प्रतीक में अनुवाद करना है?

A. फीडबैक B. एन्कोडिंग
C. डिकोडिंग D. चैनल

73. गर्भवती महिला द्वारा किस विटामिन के अपर्याप्त सेवन से न्यूरल ट्यूब का पता चल सकता है?

A. नियासिन B. थायमिन
C. फोलिक एसिड D. राइबोफ्लेविन

74. मूल्यांकन की वह प्रणाली जिसमें किसी कर्मचारी को उसके सहकर्मी के विरुद्ध मापा जाता है, कहलाती है:

A. रैंकिंग B. गंभीर घटनाएं
C. रिपोर्ट D. ग्राफिक रिकॉर्ड

75. गुणवत्ता नियंत्रण और गुणवत्ता आश्वासन में सबसे मजबूत प्रतिस्पर्धियों के खिलाफ किसी संगठन की सेवाओं, उत्पादों और प्रथाओं को मापने की सतत प्रक्रिया को कहा जाता है:

A. गुणवत्ता सुधार B. बेंच मार्किंग
C. लेखा परीक्षा D. गुणवत्ता आश्वासन

76. गुणात्मक अनुसंधान के लिए नैदानिक अनुप्रयोग के किस तरीके को रोगी के साथ गुणात्मक निष्कर्षों को साझा करना माना जाता है?

A. कोचिंग
B. सहानुभूति
C. अग्रिम मार्गदर्शन
D. प्रगति का आकलन

77. नर्सिंग अभ्यास में साक्ष्य-आधार का उपयोग करनेकेलिए निम्नलिखित में से कौन-सा कथन लागू नहीं होता है?

A. रोगियों को दी जाने वाली देखभाल की सर्वोत्तम गुणवत्ता सुनिश्चित करने के लिए
B. यह सुनिश्चित करने के लिए कि नर्सिंग निर्णय साक्ष्य की सर्वोत्तम गुणवत्ता पर आधारित हैं
C. नर्सिंग अभ्यास में अनुसंधान साक्ष्य के उपयोग या कार्यान्वयन के बाद मूल्यांकन करने की आवश्यकता नहीं है
D. नर्सिंग अभ्यास में प्रयुक्त साक्ष्य को इसकी वैधता और प्रयोज्यता के लिए मूल्यांकित किया जाना चाहिए

78. जिस स्थिति में व्यक्तियों को अत्यधिक चिंता या विश्वास होता है कि वे चिकित्सा साक्ष्य की कमी के बावजूद एक शारीरिक बीमारी से पीड़ित हैं, उसे कहा जाता है:

A. विघटनकारी विकार B. दर्द विकार
C. सोमाटोफॉर्म विकार D. फोबिक विकार

79. नर्स को सूचित किया जाता है कि एक बड़े सर्जिकल चीरे वाले क्लाइंट को गहन देखभाल इकाई से सर्जिकल यूनिट में स्थानांतरित किया जा रहा है। नर्स इस क्लाइंट के लिए चिकित्सक द्वारा कौन-सी दवा का आदेश देने का अनुमान लगाती है?

A. एस्कॉर्बिक एसिड
B. विटामिन A
C. विटामिन B12 कॉम्पलेक्स
D. मेफाटाइटन

80. एक 22 वर्षीय मेघा मासिक धर्म नहीं होने के कारण डॉक्टर के पास आती है, उसे हाइपोथायरायडिज्म है जिसके लिए वह थायरोक्सिन लेती है; उसके पास एक कृत्रिम हृदय वॉल्व है, जिसके लिए वह कुमेडिन लेती है, और उसने हाल ही में मुँहासे के लिए टेट्रासाइक्लिन लेना शुरू किया है। मूत्र मानव कोरियोनिक गोनाडोट्रोपिन (एचसीजी) सकारात्मक है। निम्नलिखित में से कौन-सी दवा रोगी को गर्भावस्था के दौरान लेते रहना चाहिए?

A. टेट्रासाइक्लिन

B. कुमेडिन

C. थायरोक्सिन

D. मौखिक गर्भनिरोधक गोली (OCP)

81. गर्भनाल (प्लेसेंटा) निम्नलिखित सभी का स्राव करती है, सिवायः

A. प्रोजेस्टेरोन

B. ह्यूमन कोरियोनिक गोनाडोट्रोपिन

C. ल्युटिनाइजिंग हार्मोन

D. एस्ट्रोजेन

82. निम्नलिखित में से कौन नकली प्रसव पीड़ा नहीं है?

A. एनीमा से राहत

B. बैग ऑफ वाटर्स का निर्माण

C. गर्भाशय के सख्त होने के साथ निरंतर और असंबंधित

D. गर्भाशय के फैलाव पर कोई असर नहीं

83. निम्नलिखित में से किसे एड्स की तीव्र न्यूरोसायकाइट्रिक जटिलता मानी जाती है?

A. डिलिरियम

B. एड्स डिमेनशिया

C. ऑर्गेनिक हैलुसिनोसिस

D. ऑर्गेनिक पर्सेनाल्टी डिजआर्डर

84. निम्नलिखित में किसके कारण फर्स्ट हर्ट साउण्ड उत्पन्न होता है?

A. सेमीलुनर वॉल्व के बंद होने के कारण

B. एट्रियल मस्कुलेचर के सिकुड़न के कारण

C. वेन्ट्रिकल की ओर रक्त प्रवाह के कारण

D. एट्रियोदे[illegible]वॉल्व के बंद होने के कारण

85. बायीं ओसिपुट एन्टीरियर फिटल (Foetal) पोजिशन में फिटल हर्ट साउण्ड अवस्थित होता हैः

A. उसी ओर के स्पिनोअम्बिलिकल लाइन के मध्य में

B. अम्बिलिकस के चारों ओर

C. उसी तरफ पीछे की ओर मां के फ्लैंक में

D. अम्बिलिकस के नीचे

86. बहुआयामी स्वास्थ्य देखभाल टीम के दायरे में नर्सिंग देखभाल जो परिवार की जरूरतों के साथ रोगी देखभाल पर केंद्रित है, कहा जाता हैः

A. टीम आधारित देखभाल

B. पेशेंट नेविगेशन केयर

C. प्राथमिक उपचार

D. केस मैनेजमेंट

87. निम्न में से कौन-सी सूई रक्त निकलने से रोकने के लिए नवजात शिशु को नियमित रूप से दी जाती है?

A. विटामिन K की सूई

B. मिथाइलीरगोमेट्रिन

C. सोडा बाइकार्बोनेट

D. कैल्शियम ग्लुकोनेट

88. गर्भावस्था के किस सप्ताह में गर्भाशय की ऊँचाई सिम्फिसिस प्यूबिस और अम्बिलिकस के बीच मध्य होती है?

A. 12 सप्ताह B. 28 सप्ताह

C. 8 सप्ताह D. 16 सप्ताह

89. सोडियम एमिटल का डायग्नोस्टिक इंटरव्यू अथवा हिपनोसिस एक विशिष्ट विशेषता हैः

A. मेनिया

B. फोबिया

C. हाइपरवेन्टीलेशन सिन्ड्रोम

D. पोस्ट ट्राउमेटिक न्यूरोसिस

90. बाल चिकित्सा नर्स की प्राथमिक भूमिका के रूप में नर्सिंग देखभाल प्रदान करना हैः

A. एक सहयोगी, देखभाल समन्वयक और सलाहकार

B. एक वकील, शिक्षक और प्रबंधक

C. एक स्वतंत्र और स्वायत्त व्यवसायी

D. नैदानिक विशेषज्ञ और मामला प्रबंधक

91. निम्नलिखित में से सही वाक्य की पहचान करें।

A. स्वस्थ 6 सप्ताह का बच्चा रोजाना लगभग 3 घंटे के लिए रोता है

B. रोना और हंगामा करना रात में अधिक प्रचलित है

C. शिशु 6 सप्ताह की उम्र से खुद को शांत करने में सक्षम हैं

D. कोलिक का कारण जेनिटोयूरिनरी प्रणाली में एक समस्या माना जाता है

92. प्रसवपूर्व मूल्यांकन के दौरान, नर्स निम्न निष्कर्षों को दर्ज करते हैं:

(*a*) गर्भाशय लगभग पेट की गुहा भरता है

(*b*) फंडस एक्सफोइड कार्टिलेज की नोक पर है

(*c*) डायाफ्राम ऊपर की ओर दबाया जाता है

यह निष्कर्ष गर्भावधि की आयु इंगित करते हैं:

A. गर्भावस्था के 30 सप्ताह

B. गर्भावस्था के 34 सप्ताह

C. गर्भावस्था के 36 सप्ताह

D. गर्भावस्था के 38 सप्ताह

93. निम्नलिखित में से गलत वाक्य की पहचान करें।

A. स्वास्थ्य शिक्षा समुदाय स्वास्थ्य का एक महत्वपूर्ण उपकरण है

B. स्वास्थ्य शिक्षा स्वास्थ्य के साथ-साथ व्यवहार प्रेरित रोगों में सुधार के साथ संबंधित है

C. स्वास्थ्य शिक्षा सीखने की एक सक्रिय प्रक्रिया है

D. स्वास्थ्य शिक्षा में स्वास्थ्य प्रचार पर विचार नहीं किया जाना चाहिए

94. मांसपेशियों के स्वास्थ्य में अस्थायी हानि और भावनात्मक स्थिति के विभिन्न प्रकारों से उत्पन्न कमजोरी, को कहा जाता है:

A. कैटाप्लैक्सी B. कैथारसिस

C. कंपलसन D. कनफैबुलेशन

95. मनोविश्लेषण की तकनीकों में निम्नलिखित शामिल हैं, ... को छोड़कर।

A. अन्वेषण B. मुक्त संघ

C. क्ले एसोसिएशन D. स्थानांतरण

96. निम्नलिखित में से स्वतंत्र नर्सिंग हस्तक्षेप की पहचान करें।

A. फॉले के कैथेटर को सम्मिलित करना

B. IV तरल पदार्थों का प्रबंध करना

C. कैथेटर देखभाल प्रदान करना

D. जांच के लिए रक्त का नमूना एकत्रित करना

97. जब एक नर्स औषधीय दवाओं के लिए रोगी के कमरे में प्रवेश करती है, तो वह देखती है कि मरीज का भोजन मेज पर रखा हुआ है। रोगी को भोजन करने में सहायता करना और फिर औषधीय दवाओं का सेवन करवाना एक कार्य है:

A. उपकार B. सामान्य दक्षता

C. हानिकरता D. जवाबदेही

98. कार्यस्थल में संचार के सिद्धांतों में शामिल हैं:

(*a*) ऐसी भाषा का प्रयोग करें जो आसानी से समझ में आ जाए

(*b*) वाक्यांशों को दोहराएं नहीं

(*c*) संचार के अप्रत्यक्ष मोड का उपयोग न करें

(*d*) प्रतिक्रिया को प्रोत्साहित करें

A. (*a*), (*b*), (*c*) B. (*b*), (*c*), (*d*)

C. (*a*), (*c*), (*d*) D. (*a*), (*b*), (*c*), (*d*)

99. श्री राजू एक नर्स के पास रो रहा था, जिसमें एक दुर्घटना में अपनी पत्नी को खोने का वर्णन किया गया था। नर्स ने बीच में कुछ नहीं किया, लेकिन उसे अपनी भावनाओं को व्यक्त करने की इजाजत दी। इस तकनीक को कहा जाता है:

A. आश्वासन B. हवादार

C. भावविरेचन D. प्रोत्साहन

100. शिफ्ट के दौरान और अंत में मरीज से जुड़े कागजात बनाते वक्त इनमें से किस बात का ख्याल रखना चाहिए?

A. अभिलेखन कम-से-कम शब्दों में होना चाहिए

B. दस्तावेज अस्पताल के तय मानकों के अनुरूप होने चाहिए

C. अभिलेख कानूनी दस्तावेजों के प्रारूप में होने चाहिए

D. मरीज की नियमित जांच होती रहनी चाहिए

उत्तरमाला

1	**2**	**3**	**4**	**5**	**6**	**7**	**8**	**9**	**10**
C	B	C	C	D	C	B	D	B	D
11	**12**	**13**	**14**	**15**	**16**	**17**	**18**	**19**	**20**
D	B	C	A	A	B	B	A	C	A
21	**22**	**23**	**24**	**25**	**26**	**27**	**28**	**29**	**30**
B	D	D	D	C	B	D	B	C	A
31	**32**	**33**	**34**	**35**	**36**	**37**	**38**	**39**	**40**
D	B	B	A	B	A	C	A	C	C
41	**42**	**43**	**44**	**45**	**46**	**47**	**48**	**49**	**50**
B	C	D	B	C	B	A	C	A	C
51	**52**	**53**	**54**	**55**	**56**	**57**	**58**	**59**	**60**
B	A	B	D	C	C	B	C	C	C
61	**62**	**63**	**64**	**65**	**66**	**67**	**68**	**69**	**70**
B	B	B	A	B	C	A	A	C	A
71	**72**	**73**	**74**	**75**	**76**	**77**	**78**	**79**	**80**
C	B	C	A	B	C	C	C	A	C
81	**82**	**83**	**84**	**85**	**86**	**87**	**88**	**89**	**90**
C	B	A	D	A	D	A	D	D	B
91	**92**	**93**	**94**	**95**	**96**	**97**	**98**	**99**	**100**
A	C	B	A	C	C	A	C	C	C

प्रैक्टिस सेट 4

1. निम्नलिखित में से कौन-सा कथन सत्य है?

1. स्वास्थ्य देखभाल रिकॉर्ड में ICD-10 जैसी कोडिंग प्रणालियों का मुख्य उद्देश्य चिकित्सा और निदानों को मानकीकृत कोड में अनुवाद करना है।
2. स्वास्थ्य बीमा पोर्टेबिलिटी और जवाबदेही अधिनियम (HI PAA) रोगियों की स्वास्थ्य जानकारी की सुरक्षा के लिए सुरक्षा मानक स्थापित करता है।

कूट :

A. केवल 1
B. केवल 2
C. 1 एवं 2 दोनों
D. न तो 1 और न ही 2

2. निम्नलिखित में से कौन-सा कथन सत्य है :

1. मिलो प्रोस्टोल का उपयोग 'ग्रीवा ' को सख्त करने के लिए नही किया जाता है अपितु यह गर्भाशय संकुचन को प्रेरित करने और प्रसवोत्तर रक्तस्राव को नियंत्रित करने के लिए किया जाता है।
2. अपक्व शिशुओं को तापमान बनाए रखने में कठिनाई होती है, क्योंकि उनके शरीर में सतह क्षेत्र का अनुपात अधिक होता है और अधस्वतक् वसा की कमी होती है।

कूट :

A. केवल 1 B. केवल 2
C. 1 एवं 2 दोनों D. न तो 1 और न ही 2

3. निम्नलिखित कथनों पर विचार करते हुए कूट की सहायता से सही उत्तर चुनिए।

1. ''स्पर्मेटिड'', अगुणित कोशिकाओं में से एक है जो शुक्राणु कोशिका के अर्धसूत्री विभाजन से उत्पन्न होती है।
2. नवजात शिशु के लिए प्रसवोत्तर देशभाल का एक आवश्यक घटक चयापचय और आनुवंशिक विकारों के लिए स्क्रीनिंग होता है।
3. बच्चों के जन्म में ''इस्कियाल स्पाइन'' महत्वपूर्ण है क्योंकि वे श्रोणि के सबसे संकीर्ण हिस्से को इंगित करते हैं, जिसके माध्यम से भ्रूण को गुजरना चाहिए।

कूट :

A. केवल 1 B. केवल 2
C. 1 एवं 2 दोनों D. न तो 1 और न ही 2

4. दरवाजे पर स्वास्थ्य आवश्यकताओं को पूरा करने के लिए गृह भ्रमण के तथ्य निष्कर्ष कदम की विशेषताएँ हैं :

1. दौरा किए जाने वाले क्षेत्र का मानचित्र तैयार करना।
2. व्यक्तियों एवं परिवार के सदस्यों की आवश्यकताओं की पहचान।
3. अगली यात्रा की योजना बनाना।

कूट :

A. केवल 1 एवं 2 B. क़ेवल 1
C. केवल 2 एवं 3 D. 1, 2 एवं 3

5. सूची-I एवं सूची-II वो सही सुमेलित कीजिए :

सूची-I (पशुओं में रोग)	**सूची-II (रोग कारक जीवाणु)**
(*a*) एन्थ्रेक्स	1. क्लोस्ट्रीडियम चेनवी
(*b*) ब्लैकलैग	2. कोर्नीबैक्टीरियम डिफ्थेरी
(*c*) डीसेन्ट्री	3. बेसीलस ऐन्थ्रेसिस
(*d*) डिफ्थिरिया	4. शीगेला डीसेन्ट्री

कूट :

	(*a*)	(*b*)	(*c*)	(*d*)
A.	1	2	3	4
B.	2	4	3	1
C.	4	2	1	3
D.	3	1	4	2

6. महत्वपूर्ण कार्बनिक यौगिक एवं उनके उपयोग का सही मिलान कीजिए।

सूची-I (कार्बनिक-यौगिक)	**सूची-II (उपयोग)**
(*a*) एसीटोन	1. स्थानीय निश्चेतक के रूप में
(*b*) मिथाइल ऐल्कोहल	2. कृत्रिम रेशम एवं संश्लेषित रबर बनाने में
(*c*) एथिल ब्रोमाइड	3. कीटाणुनाशक के रूप में
(*d*) गेमेक्सीन	4. मेथिलेटेड स्पिरिट बनाने में

कूट :

	(*a*)	(*b*)	(*c*)	(*d*)
A.	2	4	1	3
B.	4	1	2	3
C.	3	1	2	4
D.	1	3	4	2

7. भ्रूण की खोपड़ी में, ब्रैग्मा कहां पाया जाता है?

A. कोरोनल, सैजिटल और सामने वाले स्यूचर्स के जंक्शन पर

B. लैम्ब्डाडियल और एजिटल स्यूचर्स के जंक्शन पर

C. सामने वाली हड्डी के दो हिस्सों के बीच

D. सामने वाली हड्डियों और पार्श्विका हड्डियों के बीच

8. निदान के लिए 12 प्रमुख कुंजी का उपयोग किया जाता है:

(*a*) डिसरिद्मियाज और चालन संबंधी असामान्यताएं

(*b*) चैंबर में बढ़ोतरी और चोट

(*c*) म्योकार्डियल इस्किलेमिआ और प्रवाहकीय असामान्यताएं

(*d*) फुफ्फुसीय एडिमा और दिल की विफलता

A. (*a*), (*b*), (*c*)
B. (*b*), (*c*), (*d*)
C. (*a*), (*b*), (*d*)
D. (*a*), (*c*), (*d*)

9. एक हार्मोन जो माहवारी को रोकता है और कॉर्पस ल्यूटियम के कार्य को बनाए रखने के द्वारा गर्भावस्था का रखरखाव करता है:

A. फॉलिकल स्टिमुलेटिंग हॉर्मोन

B. ल्यूटिनाइजिंग हॉर्मोन

C. गोनेडोट्रोफिन रिलिजिंग हॉर्मोन

D. ह्यूमन कोरिओनिक गोनेडोट्रोफिन हॉर्मोन

10. व्यापक स्वास्थ्य नर्सिंग समुदाय में शामिल हैं:

(*a*) सामान्य जानकारी

(*b*) जनसांख्यिकीय विशेषताएं

(*c*) पर्यावरण की स्थिति

(*d*) आर्थिक और परिवहन की स्थिति

A. (*a*), (*b*), (*c*)
B. (*b*), (*c*), (*d*)
C. (*a*), (*c*), (*d*)
D. (*a*), (*b*), (*c*), (*d*)

11. स्वास्थ्य के आयाम "शरीर के सही कामकाज" की धारणा के मुताबिक है:

A. शारीरिक आयाम

B. मानसिक आयाम

C. सामाजिक आयाम

D. भावनात्मक आयाम

12. नर्स-रोगी संबंधों में से कौन-सा चरण रोगियों के पूर्वधारणाओं और नर्सों की अपेक्षाओं के बारे में स्पष्टता विकसित करने और एक-दूसरे की स्वीकृति विकसित करने और उन लोगों को जवाब देने पर ध्यान केंद्रित किया जाता है जो सहायता प्रदान कर सकते हैं?

A. ओरिएंटेशन फेज

B. कार्य चरण

C. शोषण चरण

D. समाप्ति चरण

13. निम्नलिखित में से कौन-सी स्थिति मेंथोलेटेड रब्स कॉन्ट्राइंडिकेटेड है?

A. पीठ के निचले हिस्से में दर्द

B. ऑस्टियोआर्थराइटिस

C. फटी त्वचा

D. मोच

14. निम्नलिखित में से किस यौन रोग की उत्पत्ति बैक्टीरिया से है?

A. सिफलिस

B. हेपेटाइटिस B

C. ट्राइकोमोनास वैजिनिटिस

D. स्केवीज

15. किस स्थान का उपयोग लोअर आर्म और असकुलेट रक्त चाप की परिसंचरण की स्थिति का आकलन के लिए होता है?

A. एपिकल B. ब्रैकियल

C. टेम्पोरल D. एक्जिलरी

16. निम्नलिखित में से किस स्थिति में ब्लड ट्रांसफ्यूजन रक्त संक्रमण का संकेत देता है?

A. कनजेस्टिव कार्डियक फेल्योर

B. हिमोफिलिया

C. हेमरेज

D. ब्लीडिंग हेमोरॉयड्स

17. प्रजनन काल के अंत में स्थायी मासिक धर्म का समापन कहलाता है:

A. थीलार्के B. मीनार्क

C. मीनोपॉज D. प्रीकोसियस प्युबर्टी

18. नर्सिंग देखभाल जो रोगी की पहचान और उसकी जरूरतों को पूरा करने पर आधारित है, कहलाती है:

A. हेगर साइन B. लक्ष्य-उन्मुख

C. ग्राहक-उन्मुख D. प्राथमिकता

19. समस्या समाधान में प्रमुख दृष्टिकोण हैं:

A. आगमनात्मक, निगमनात्मक, सक्रिय, विश्लेषणात्मक

B. आगमनात्मक, निगमनात्मक, उद्देश्यपूर्ण, संश्लेषणात्मक

C. आगमनात्मक, निगमनात्मक, पहल, संश्लेषणात्मक

D. आगमनात्मक, निगमनात्मक, विश्लेषणात्मक, संश्लेषणात्मक

20. एक एल्कोहलिक रोगी के लिए थायमिन निर्धारित किया गया है। इसकी सलाह किसके रोकथाम के लिए है:

A. हंटिंगटन की बीमारी

B. एल्कोहलिक डाइमेंशिया

C. शराब मुक्ति सिंड्रोम

D. वर्निक-कोर्साकॉफ सिंड्रोम

21. *लोचिया एल्बा लोचिया सेरोसा* का अनुसरण करती है और आमतौर पर 1 से 3 सप्ताह PP तक रहती है। लोचिया क्या है?

A. भूरे से लाल रंग का प्रसूति स्राव जिसमें पतनिका कोशिकाएं और ल्यूकोसाइट्स होती हैं

B. क्रीमी सफेद-भूरे रंग का प्रसूति स्राव जिसमें पतनिका कोशिकाएं होती हैं और जिनमें बासी गंध हो सकती है

C. भूरे से लाल रंग का प्रसूति स्राव, ऊतक के टुकड़े, गंध

D. क्रीमी सफेद-भूरे रंग का प्रसूति स्राव, बासी गंध

22. जीवन के प्रथम 36 घंटों के भीतर मैकोनियम पारित करने में विफलता, पेट में गड़बड़ी, खराब भोजन और खाली मलाशय का होना परिणाम है:

A. हिर्स्चस्पुंग बीमारी

B. अपेंडिसाइटिस

C. कुअवशोषण (मैलआब्जॉर्प्शन)

D. पेरीटोनिटिस

23. शारीरिक गतिविधियाँ, अच्छा पोषण, परिवार नियोजन, तनाव की कमी और हिंसा का अभाव है:

A. जीवनशैली के कारण B. शारीरिक कारण

C. मानसिक कारण D. सामाजिक परिस्थिति

24. रेबीज को रोकने के लिए कुत्ते के काटने के बाद दिया जाने वाला मानव सीराः

A. निष्क्रिय टीकाकरण

B. टॉक्साइड

C. सक्रिय टीकाकरण

D. इम्यूनो मॉड्यूलेशन

25. इस हार्मोन की उत्तेजना के कारण गर्भावस्था में लिनिया निग्रा होता है:

A. मानव कोरियोनिक गोनाडोट्रोपिन

B. प्रोजेस्टेरोन

C. मानव अपरा लेक्टोजन

D. मेलानोसाइट उत्तेजक हार्मोन

26. अबाधित बर्थ केनाल के माध्यम से संकुचन के पूरी तरह या आंशिक रूप में अनुपस्थित होने के कारण एक भ्रूण को बाहर निकालने के लिए गर्भाशय की विफलता को ________ कहा जाता है।

A. गर्भाशय का पीछे हटना

B. आगे बढ़ा हुआ गर्भाशय

C. गर्भाशय टेटनी

D. गर्भाशय की जड़ता

27. जब सूजन वाले हिस्से में दबाव डाला जाता है, जो निशान दबाव के निकलने के उपरांत भी बना रहे, वह कहलाता है ________।

A. रिफ्रैक्ट्री ओडेमा B. वीपिंग ओडेमा

C. डिपेंडेंट ओडेमा D. पिटिंग ओडेमा

28. निम्नलिखित में से कौन-सी घटना का, फीकल इम्पैक्शन (मलीय विकार) को निकालते समय वेगल नर्व स्टिमुलेशन में, एक नर्स को निरीक्षण करना पड़ता है?

A. हृदय की धड़कन में असामान्य तेजी (हृदक्षिपता)

B. दर्द

C. शरीर का उच्च तापमान

D. मंदनाड़ी (मंदस्पंदन)

29. निम्नलिखित में से कौन-सी क्रिया करने से नर्स सहारे का आधार बढ़ा सकती है?

A. थोड़ा पीछे की ओर झुकना

B. पैरों को अधिक दूर फैलाना

C. पेट की मांसपेशियों को तानना

D. घुटनें टेकना

30. जैव चिकित्सा अपशिष्ट अलगाव की श्रेणी 1 के अंतर्गत क्या आता है?

A. माइक्रोबायोलॉजिकल और बायोटेक्निकल अपशिष्ट

B. पशु अपशिष्ट

C. मानव शरीरगत अपशिष्ट

D. निष्कासित दवाएं

31. मोबाइल फोन नंबर को याद रखने के लिए, व्यक्ति इसे छोटी सार्थक इकाइयों में बनाता है। याद करने की इस तकनीक को क्या कहते हैं?

A. रिहर्सल (पूर्वाभ्यास) B. रिट्रीवल (पुनःप्राप्ति)

C. रिलर्निंग (पुनरधिगम) D. चंकिंग (ठस)

32. किस प्रकार की बुद्धिमत्ता है जिसमें व्यक्तियों को अपने शरीर की गतिविधियों को नियंत्रित करने और वस्तुओं को कुशलता से संभालने की क्षमता होती है?

A. संगीत-लयबद्ध बुद्धि (म्यूजिकल रिदमिक इन्टेलजन्स)

B. दृश्य-स्पस्टी बुद्धि (विजुअल स्पास्टिक इन्टेलजन्स)

C. शरीर-परिग्रह बुद्धि (बॉडी किनएस्थेटिक इन्टेलजन्स)

D. मौखिक-भाषिक बुद्धि (वर्बल लिंगुअल इन्टेलजन्स)

33. गर्भवती महिला के निम्नलिखित आकलन निष्कर्षों में से कौन-सा यह निर्धारित करता है कि वह प्रसव के दूसरे चरण में है?

A. झिल्ली का टूटना

B. गर्भाशय ग्रीवा पूरी तरह से चौड़ा होना

C. स्पष्ट योनि द्रव का बाहर निकलना

D. नियमित संकुचन

34. निम्न में से कौन-सा गर्भावस्था के दौरान प्रोटीनमेह और ऐंठन के साथ होनेवाले उच्च रक्तचाप का एक प्रकार है?

A. गर्भकालीन उच्च रक्तचाप

B. गर्भाक्षेप

C. जीर्ण हाइपरटेंशन

D. अग्रिम गर्भाक्षेप

35. एक माँ जो मध्यम योनि रक्तस्राव का अनुभव कर रही है, जो अचानक से होने वाले अपरा का संकेत है, उसके लिए तत्काल इलाज क्या है?

A. सेवन और आउटपुट की सख्त निगरानी

B. भ्रूण का प्रसव होना

C. प्रसव के समय तक जमावट के अध्ययन की साप्ताहिक निगरानी

D. गर्भावस्था की शेष अवधि में संपूर्णतः विश्राम करना

36. हाइपरटोनिक गर्भाशय संकुचन, जो आवृत्ति, अवधि और तीव्रता में अनियमित हैं, वाली प्रसव में एक महिला की देखभाल करते समय कौन-सी नर्सिंग कार्रवाई एक प्राथमिकता है?

A. गर्भवती महिला को एमनियोटॉमी के लिए तैयार करना

B. दर्द से राहत के उपाय प्रदान करें

C. हर 30 मिनट में अंग संचालन में सहायता करें

D. ऑक्सीटॉसिन वृद्धि प्रदान करें

37. बीटा थैलेसीमिया में आयरन केलेंशन थेरेपी के लिए कौन-सी दवा कारगर है?

A. डेफेरोक्सामिन B. ट्राइमेथोप्रिम

C. इम्युनोग्लोबुलिन D. डेक्स्ट्रोमेथोर्फन

38. सीलिएक रोग वाले बच्चे के आहार में किस खाद्य पदार्थ को शामिल करने की सलाह दी जाती है?

A. गेहूँ B. राई

C. जौ D. चावल

39. निम्नलिखित में से कौन ड्रेसलर सिंड्रोम से संबंधित नहीं है?

A. स्राव और बुखार के साथ पेरिकार्डिटिस द्वारा लक्षणित

B. एक एमआई के बाद बुखार 2 से 3 दिनों में विकसित होता है

C. प्रतिजन एंटीबॉडी प्रतिक्रिया के कारण होता है

D. कॉर्टिकोस्टेरॉइड थेरेपी का उपयोग उपचार के लिए किया जाता है

40. तीव्र गुर्दे की विफलता के पश्चवृक्क कारण की पहचान करें?

A. तीव्र ग्लोमेरुलोनेफ्राइटिस

B. पुरस्थ ग्रंथि में अतिवृद्धि

C. हृदयगति का रुकना

D. एंटी-हाइपरटेंसिव दवाएं

41. एक विशिष्ट अवधि के दौरान परिभाषित जनसंख्या में होने वाले नए मामलों की संख्या का प्रकार क्या है?

A. बिंदु प्रसार B. अवधि का प्रसार

C. घटना D. दर

42. इनमें से कौन गर्भनिरोधक है, जो गर्भाशय ग्रीवा श्लेष्मा के गाढ़ेपन का कारण बनता है और अंडाशय से डिंब की रिहाई को रोकता है?

A. माला डी B. कॉपर टी

C. लिप्स लूप D. डायाफ्राम

43. फिंगर-टू-फिंगर परीक्षण निम्न न्यूरोलॉजिकल कार्यों में से किसका मूल्यांकन करने के लिए किया जाता है?

A. सेरिब्रल B. मोटर

C. अनुमस्तिष्कीय D. संवेदी

44. नर्सिंग प्रशासन में निर्देशन में निम्नलिखित में से कौन-सी गतिविधियाँ शामिल हैं?

A. अधीनस्थों के लिए परस्पर संबंधित गतिविधियाँ

B. अधीनस्थों को प्रशिक्षित करना

C. अधीनस्थों के लिए कार्यों पर निर्णय लेना

D. अधीनस्थों का मार्गदर्शन और पर्यवेक्षण करना

45. नर्सिंग प्रोटोकॉल क्या है?

A. मरीजों की देखभाल के संबंध में नर्सों के लिए दिशानिर्देश

B. किसी विशेष नर्सिंग गतिविधि के लिए चरण-दर-चरण मार्गदर्शिका

C. चिकित्सक द्वारा दी गयी कुछ प्रक्रियाओं को निष्पादित करने का नर्सों को अधिकार

D. नर्सों के प्रदर्शन में सुधार के लिए गाइड

46. निम्नलिखित में से कौन-से तर्कों के आधार पर शरीरक्रियात्मक बाधाएँ उल्लेखित है?

(*a*) दृष्टि दोष (*b*) अत्यधिक शोर

(*c*) अत्यधिक रोशनी (*d*) श्रवण दोष

A. (*a*) और (*d*) B. (*b*) और (*c*)

C. (*a*) और (*c*) D. (*d*) और (*c*)

47. जो मरीज सदमे में है उसके लिए सर्वोत्तम स्थिति कौन-सी होती है?

A. फाउलर की स्थिति
B. चित लेटने की स्थिति
C. अधोगामी सिर रखने की स्थिति
D. बाएं की ओर लेटने की स्थिति

48. इन्सुलिन देने का सर्वोत्तम तरीका कौन-सा है?

A. त्वचा के अंदर
B. त्वचा के नीचे
C. पेशियों के अंदर
D. नस के अंदर

49. किस पोषकों (विटामिन) के अभाव से वर्निक की मस्तिष्क की बीमारी (वर्निक एन्सेफालोपैथी) होती है?

A. राइबोफ्लाविन
B. थायामिन
C. पिरिडॉक्सिन
D. नायसिन

50. निम्नलिखित विकल्पों में से कौन-से एक एमिनो एसिड का उपयोग थॉयरॉइड हॉर्मोन संश्लेषण के लिए किया जाता है?

A. ग्लाइसिन
B. एलानीन
C. फिनाइलएलानीन
D. ग्लुटामिन

51. महाधमनी संपीडन को कम करने के लिए हृदयविकार से पीड़ित गर्भवती माता को कौन-सी स्थिति योग्य होती है?

A. चित लेटना
B. पेट के बल लेटना
C. पार्श्व भाग पे लेटना
D. फाउलर स्थिति

52. भृकुटि के क्षेत्र में अग्रगामी शिशुकरोटि (एंटीरियर फोंटनेल) के सामने वाले क्षेत्र को क्या कहते हैं?

A. खोपड़ी का अग्रभाग (सिन्कीपुट)
B. शिखर (वर्टेक्स)
C. मेंटम
D. पश्चकपाल (ऑक्सिपुट)

53. निम्नलिखित कौन-सी स्थिति में शिशु चिपचिपे लाल रंग के जेली की तरह मलनिःसारण करता है?

A. अँतरोंका द्रव का अवशोषन
B. हर्निया
C. क्रोहन रोग
D. तीव्र उदर

54. स्वास्थ्य कर्मचारी के लिए हेपटाइटिस बी के टीके की मात्रा कितनी होनी चाहिए?

A. 1, 6
B. 1, 7
C. 1, 5
D. 1, 8

55. किडनी खराब हुए एक मरीज का परिचारिका ख्याल रख रही है। कौन-से अम्ल की मात्रा के संतुलन का ध्यान परिचारिका को रखना चाहिए?

A. श्वसन प्रणाली की अम्लमयता
B. श्वसन प्रणाली की क्षारमयता
C. पचन प्रणाली की अम्लमयता
D. पचन प्रणाली की क्षारमयता

56. कौन-सी क्रेनियल नस की चिकित्सा के लिए वॉच टिक टेस्ट, रिंने टेस्ट किये जाते हैं?

A. क्रेनियल नस XI
B. क्रेनियल नस VI
C. क्रेनियल नस III
D. क्रेनियल नस VIII

57. हाइपोथायरायडिज्म के मरीज को परिचारिका डिस्चार्ज के समय सलाह दे रही है। निम्नलिखित हुए विधानों में से कौन-सी सलाह गलत साबित होगी?

A. ठन्डे तापमान का संपर्क वर्जित है।
B. ज्यादा फाइबर और कम कैलोरीयुक्त आहार लीजिये।
C. जब मान सामान्य हो जाए तब चिकित्सकीय पथ्या-पथ्य रोक दीजिये।
D. डॉक्टर से लगातार चिकित्सा करवाएँ।

58. दूषित पानी पीने की वजह से निम्नलिखित विकल्पों में से कौन-सा रोग होता है?

A. आंत्र ज्वर
B. विषमज्वर
C. यकृतशोध (हेपेटाइटिस) बी
D. गलझिल्ली का प्रदाह (डिफ्थीरिया)

59. निम्नलिखित में से अवसाद (डिप्रेशन) से घिरे हुए मरीज के लिए चिकित्सा मूल्यांकन में कौन-सा घटक महत्वपूर्ण है?

A. वैवाहिक और पारिवारिक स्थिति
B. पोषण स्थिति
C. आत्महत्या की कल्पना
D. अशांत निद्रा

60. प्रतिस्थापन सहमति का मतलब क्या है?

A. जब मरीज खुद सहमति देने के लिए सक्षम नहीं है तब किसी अधिकृत व्यक्ति की दी हुई सहमति
B. जब मरीज की उपचार लेने की इच्छा नहीं है तब उसके परिजनों की दी हुई सहमति
C. मरीज जब राज बंदी हो तब पुलिस की दी हुई सहमति
D. मरीज के पति या पत्नी ने प्रवेश के लिए दी हुई सहमति

61. प्राइमिग्रेविडे में प्रसव के पहले चरण की औसत अवधि क्या है?

A. 2 घंटे B. 6 घंटे
C. 8 घंटे D. 12 घंटे

62. कौन-सी दवा प्रसवोत्तर माँ में स्तनपान दमन का कारण बनती है?

A. ब्रोमोक्रिप्टीन B. ऑक्सीटोसिन
C. मेटोक्लोप्रामिड D. सलपिराइड

63. झिल्ली के सामान्य टूटने के लिए किस उपकरण का उपयोग किया जाता है?

A. कोचर के संदेश (फॉर्सेप्स)
B. कीलैंड के संदेश
C. खुरचनी (क्यूरेट)
D. डिंब संदेश

64. व्यक्तियों या समूहों के एक स्तर से दूसरे में जाने की प्रक्रिया को क्या कहा जाता है?

A. सामाजिक बदलाव
B. सामाजिक स्तरीकरण
C. सामाजिक गतिशीलता
D. सामाजिक संगठन

65. खसरे के अलगाव के लिए अनुशंसित अवधि है :

A. रोग की शुरुआत के 3 सप्ताह बाद
B. जुकाम चरण की शुरुआत से लेकर दाने के तीसरे दिन तक
C. जुकाम चरण की शुरुआत से लेकर दाने के 7वें दिन तक
D. जुकाम चरण की शुरुआत से लेकर दाने के 10वें दिन तक

66. चिकित्सा शिक्षा और सहायक जन शक्ति के लिए स्वास्थ्य और परिवार नियोजन मंत्रालय के तहत भारत सरकार द्वारा 1974 में नियुक्त की गई समिति को .... के रूप में जाना जाता है :

A. श्रीवास्तव समिति B. चड्ढा समिति
C. मुदलियार समिति D. मुखर्जी समिति

67. पौसीबैसिलिरी कुष्ठ रोग से पीड़ित व्यक्ति को :

A. 1 से 5 त्वचा के घाव जिसमें कोई तंत्रिका शामिल नहीं है
B. एकल तंत्रिका शामिल होने के साथ 1 से 5 त्वचा के घाव
C. एकल तंत्रिका शामिल होने के साथ 5 से अधिक घाव
D. कई तंत्रिका शामिल होने के साथ 5 से अधिक घाव

68. एमटीपी एक्ट एक एकल चिकित्सक द्वारा गर्भावस्था को समाप्त करने की सिफारिश करता है जब गर्भावस्था .... से अधिक नहीं होती हैं :

A. 20 सप्ताह B. 12 सप्ताह
C. 16 सप्ताह D. 14 सप्ताह

69. निम्नलिखित में से कौन एक बाध्यकारी व्यवहार वाले मरीज के लिए सबसे उपयुक्त नर्सिंग देखभाल है?

A. मरीज के कंपल्सिव कृत्यों के लिए सीमा निर्धारित करें
B. मरीज की गतिविधियों पर ध्यान न दें
C. मरीज के गैर-अनुष्ठानिक व्यवहार के लिए सकारात्मक सुदृढीकरण प्रदान करें
D. मरीज को विभिन्न इकाई गतिविधियों में शामिल करें

70. आत्म-जागरूकता बढ़ाने के लिए निम्न में से किस उपकरण का उपयोग किया जाता है?

A. अंतर्दृष्टि और उपचार रवैया प्रश्नावली

B. जोहारी खिड़की

C. आइजैंक व्यक्तित्व तालिका

D. रोरर्स्च इंकब्लोट परीक्षण

71. लंबे समय तक इस्तेमाल के बाद दवाओं की कुल या आंशिक समाप्ति के बाद विकसित होने वाली स्थिति को .... कहा जाता है।

A. निर्भरता सिंड्रोम

B. समाप्ति की स्थिति

C. तीव्र मादकता

D. खराब इनपुट नियंत्रण

72. अल्जाइमर मनोभ्रंश से पीड़ित एक 78 वर्षीय रोगी को मनोरोग वार्ड में भर्ती किया गया है। रोगी की मनोदशा में बदलाव के लिए निम्नलिखित में से कौन-सा नर्सिंग देखभाल उचित है?

A. भोजन और कपड़ों में बहुत अधिक विकल्प देना

B. नियत दिनचर्या के साथ शांत वातावरण रखें

C. लगातार कुछ गतिविधि में संलग्न रहें

D. संगीत चिकित्सा प्रदान करें

73. एक प्रकार की परामर्श (काउंसलिंग) जिसमें काउंसलर आश्वस्तता और सूचना देने जैसी तकनीकों का उपयोग करता है :

A. संकलनात्मक परामर्श

B. निदेशात्मक परामर्श

C. गैर-निदेशात्मक परामर्श

D. अनौपचारिक परामर्श

74. अल्पसंवातन (हाइपोवेंटिलेशन) क्या है?

A. उदर की मांसपेशियों के चिह्नित प्रयोग द्वारा दीर्घ श्वसन।

B. श्वसन की बढ़ी हुई दर और दीर्घता।

C. अनियमित मंद, अल्प श्वसन।

D. कार्बन डाइऑक्साइड का उच्च आंशिक दबाव।

75. निम्न प्रवाह प्रणाली के अंतर्गत्, ऑक्सीजन प्रबंधन प्रणाली की निम्नलिखित विधियों में से कौन-सी विधि आती है?

A. श्वासनली छेदन मुखच्छद (ट्रैकियोस्टोमी मास्क)

B. वायु-प्रवाह नियंत्रण नलिका मुखच्छद (वेंचुरी मास्क)

C. ऑक्सीजन हुड

D. सामान्य मुखच्छद

76. एक अधिमानित शैली में बालों में कंघी/ब्रश करने के लिए रोगी को प्रोत्साहित करने के लिए दर्पण प्रदान करने का औचित्य .... है।

A. विश्राम और रोगी के आराम को बढ़ावा देना

B. सूक्ष्मजीवों के संचरण की रोकथाम करना

C. पार-संक्रमण की रोकथाम करना

D. रोगी में आत्मसम्मान को बढ़ावा देना

77. रक्त या शरीर के तरल पदार्थों के रिसाब के संबंध में, गलत कथन की पहचान करें :

A. प्रयोज्य (डिस्पोजेबल) दस्ताने और एप्रन उतार दें, और रिसाव को नग्न हाथों से स्वच्छ करें।

B. प्रभावित क्षेत्र पर गीले-धरातल की चेतावनी से संबंधित एक संकेतक रखें।

C. पत्र तौलिए का प्रयोग करके तरल पदार्थ अवशोषित करें, और एक स्थान पर एक पीले नैदानिक अपशिष्ट थैले में डाल दें।

D. साबुन के गर्म पानी और एक निर्दिष्ट पोंछे का उपयोग करके धरातल को स्वच्छ करें।

78. एक खाने का विकार जिसमें अत्यधिक खाना और उसके बाद अवसाद और अपराधबोध, स्व-प्रेरित उल्टी और शुद्धि, और पीड़ादायक या निगलने में कठिनाई होती है, उसे क्या कहा जाता है?

A. निगलने में कठिनाई (डिस्फेजिया)

B. कुपोषण

C. श्वासावरोध

D. अति भक्षण (बुलिमिया नर्वोसा)

79. निम्नलिखित में से कौन-सा आवश्यक अमीनो अम्ल है जो हमारे शरीर में संश्लेषित नहीं होता है?

A. हिस्टिडीन

B. टाइरोसिन

C. आर्जिनिन

D. प्रोलीन

80. एक अणु के अंदर ज्यामितीय या संरचनात्मक परिवर्तनों को उत्प्रेरित करने वाला एंजाइम कौन-सा है?

A. हाइड्रोलेसे B. लाइसेस
C. आइसोमिरेजेज D. लिगासेस

81. कूपर का स्नायु, जिसे प्रायः मूत्राशय की निलंबन प्रक्रियाओं में प्रयोग किया जाता है, ... के रूप में भी जाना जाता है :

A. लैकुनर स्नायु
B. वंक्षण स्नायु
C. आइएक्टिनियल स्नायु
D. त्रिक मेरुदंडीय स्नायु (सैक्रोस्पाइनस लिगामेंट)

82. कूपिक और पीत पिंड प्रावस्था (ल्यूटियल फेज) मासिक चक्र की किस प्रावस्था का विभाजन हैं?

A. डिम्बग्रंथि प्रावस्था
B. गर्भाशय प्रावस्था
C. प्रजननशील प्रावस्था
D. स्राव प्रावस्था

83. गर्भावस्था के उस प्रकार का नाम बताएँ जहाँ भ्रूण का प्रत्यारोपण डिंबवाही नलिका (फेलोपियन ट्यूब) में होता है, और नलिका के तीव्र फैलाव के साथ पीड़ा उत्पन्न करता है :

A. दाढ़ गर्भावस्था
B. मृत जन्म
C. एकाधिक गर्भावस्था
D. अस्थानिक गर्भावस्था

84. पीयूष ग्रंथि (पिट्यूटरी) में पीतपिंडीकर हॉर्मोन (ल्यूटिनाइजिंग हॉर्मोन) (LH) और कूप-उद्दीपक हॉर्मोन (फॉलिकिल स्टीमुलेटिंग हॉर्मोन/FSH), दोनों .... द्वारा एक साथ नियंत्रित होते हैं।

A. वाह्यक उद्दीपक (कॉर्टिकोट्रॉपिन)–स्रावी हॉर्मोन
B. अधश्चेतकीय (हाइपोथैलेमिक) जनन-ग्रंथि प्रेरक (गोनाडोट्रॉपिन)–स्रावी हॉर्मोन
C. अवटु ग्रंथि प्रेरक (थाइरोट्रॉपिन)–स्रावी हॉर्मोन
D. वृद्धि हॉर्मोन–स्रावी हॉर्मोन

85. प्रतिरक्षी (एंटीबॉडीज) के उत्पादन के स्थान पर सक्रिय प्रतिरक्षा कोशिकाओं द्वारा प्रत्यक्षतः मध्यस्थता वाली प्रतिजन (एंटीजन) विशिष्ट प्रतिरक्षा प्रतिक्रियाओं को क्या कहा जाता है?

A. कोशिकीय प्रतिरक्षा प्रतिक्रियाएँ
B. शरीर द्रव विषयक (ह्यूमोरल) प्रतिरक्षा प्रतिक्रियाएँ
C. प्रतिरक्षी (एंटीबॉडी) निर्भर प्रतिक्रियाएँ
D. प्रतिजन (एंटीजेन) निर्भर प्रतिक्रियाएँ

86. प्रतिरक्षी (एंटीबॉडीज) के उत्पादन को .... कहा जाता है।

A. कोशिकीय प्रतिरक्षा प्रतिक्रिया
B. शरीर द्रव विषयक (ह्यूमोरल) प्रतिरक्षा प्रतिक्रिया
C. प्रतिरक्षी (एंटीबॉडी) निर्भर प्रतिक्रिया
D. प्रतिजन (एंटीजेन) निर्भर प्रतिक्रिया

87. परिचर्या (नर्सिंग) का विस्तार जो रोकथाम पर केंद्रित है और एक समुदाय के अंदर व्यक्तियों और परिवारों की ओर निर्देशित किया जाता है, क्या कहलाता है?

A. स्वस्थ नीति परिचर्या
B. सूचना विज्ञान संबंधी परिचर्या
C. दाई परिचर्या
D. समुदाय आधारित परिचर्या

88. 7 से 11 वर्ष की आयु के लिए पियाजे की संज्ञानात्मक विकास की अवस्था किसकी अवधि है?

A. संवेदीप्रेरक की (सेंसरीमोटर)
B. पूर्व संचालन की (प्री ऑपरेशनल)
C. मूर्त संक्रियात्मक की (कंक्रीट ऑपरेशन)
D. अमूर्त संक्रियात्मक की (फॉर्मल ऑपरेशनल)

89. जब एक छोटे बच्चे का शरीर बारंबार, उग्र रूप से बाँहों या कंधों द्वारा विचलित होता है, तो इस स्थिति को .... कहा जाता है।

A. डी क्वेर्वें संलक्षण
B. विचलित शिशु संलक्षण
C. मनचूसेन संलक्षण
D. मार्फन संलक्षण

90. पोषण के उस प्रकार का नाम बताएँ जिसके द्वारा पेट में प्रविष्ट की गई एक नलिका के माध्यम से सीधे पोषण दिया जाता है।

A. नलिका पोषण (ट्यूब फीडिंग)

B. नासिका पोषण (गैवेज फीडिंग)

C. जठरछिद्रीकरण पोषण (गैस्ट्रोस्टॉमी फीडिंग)

D. मौखिक पोषण (ओरल फीडिंग)

91. वह कौन-सा उपकरण एक सुखद लपेटन (स्नग रैप) है जो शिरोवल्क (स्कैल्प) शिरोवेधन (वेनीपंक्चर) करते समय, नासाजठर नलिका (नेसोगैस्ट्रिक ट्यूब) को प्रविष्ट कराते हुए, या केवल सिर या गर्दन को सम्मिलित करने वाली अन्य प्रक्रियाओं को करने के लिए प्रभावी होता है?

A. पुराशव सदृश आबंधअवस्था (ममी रिस्ट्रेंट्स)

B. लौंग सदृश गाँठदार आबंधअवस्था (क्लोव हिच रिस्ट्रेंट्स)

C. वक्ष-कटि पट्टिका आबंधअवस्था (जैकेट रिस्ट्रेंट्स)

D. लाभदायी कोहनी आबंधअवस्था (कमर्शल एल्बो रिस्ट्रेंट्स)

92. अलगाव की प्रतिक्रिया की तीन विशिष्ट अवस्थाएँ विरोध, निराशा और .... निर्धारित की गई हैं।

A. चिंता B. इंकार

C. समझौता D. क्रोध

93. तापमान, नाड़ी-स्पंदन, श्वसन और रक्तचाप सहित संकेत, जो प्रत्येक चिकित्सीय भेंट के समय लिए जाते हैं, ... कहलाते हैं।

A. महत्वपूर्ण संकेत B. सामान्य संकेत

C. विशेष संकेत D. असामान्य संकेत

94. विडाल परीक्षण का प्रयोग .... का निदान करने के लिए किया जाता है।

A. कुष्ठ रोग (लेप्रोसी)

B. पोलियो (पोलियोमेलाइटिस)

C. रेबीज

D. आंत्र ज्वर (टाइफॉइड)

95. कौन-सा कपाट (वॉल्व) जो दाएँ अलिंद और दाएँ निलय के बीच रक्त प्रवाह को नियंत्रित करता है?

A. हृदय कपाट (माइट्रल वॉल्व)

B. त्रिक पर्दी कपाट (ट्राइक्युसपिड वॉल्व)

C. फुफ्फुसीय कपाट (पल्मोनरी वॉल्व)

D. महाधमनी कपाट (एओर्टिक वॉल्व)

96. एक स्थिति जो पतले, अवतल किनारों पर उभरे हुए, चम्मच सदृश दिखने वाले नखों का कारण बनती हे, क्या कहलाती है?

A. अँगुली-ना पीड़ा (पैरेनाइकिया)

B. दर्वी नख (कोइलोनाइकिया)

C. नील रोग (साइयनोसिस)

D. अँगुली मुग्दरण (क्लबिंग)

97. जलने के मामले में, वाह्य त्वचा की भागीदारी को .... अंतर्गत वर्गीकृत किया गया है।

A. चतुर्थ कोटि B. तृतीया कोटि

C. द्वितीय कोटि D. प्रथम कोटि

98. घाव भरने के बाद, क्षत चिह्न ऊतक का निर्माण .... द्वारा किया जाता है।

A. वृहत्भक्षक कोशिका (मैक्रोफेज)

B. उदासीनरागी (न्यूट्रोफिल्स)

C. श्लेषजन (कोलेजेन) और रेशकोरक (फाइब्रोब्लास्ट्स)

D. अस्थिकोरक (ऑस्टियोब्लास्ट्स)

99. जिस क्षेत्र के दूरस्थ अंग को विच्छेदित कर दिया गया है, वहाँ जिस हल्के से गंभीर पीड़ा का अनुभव किया जाता है, उसे .... कहा जाता है।

A. अन्यत्रानुभूत पीड़ा (रेफर्ड पेन)

B. प्रसारित पीड़ा (रेडिएटिंग पेन)

C. संधि पीड़ा (आर्थैल्जिया)

D. आभासी आंगिक पीड़ा

100. उपापचयी क्षारमयता (मेटाबोलिक एल्कलोसिस) ...... में देखी जाती है।

A. वृक्क विफलता

B. मधुमेही कीटोअम्लमयता

C. अम्लत्वनाशक (एंटीसिड्स) का अधिक सेवन

D. अतिसार

उत्तरमाला

1	2	3	4	5	6	7	8	9	10
C	C	D	A	D	A	A	A	D	D
11	**12**	**13**	**14**	**15**	**16**	**17**	**18**	**19**	**20**
A	B	C	A	B	A	C	C	D	D
21	**22**	**23**	**24**	**25**	**26**	**27**	**28**	**29**	**30**
B	A	A	A	D	D	D	D	B	C
31	**32**	**33**	**34**	**35**	**36**	**37**	**38**	**39**	**40**
D	C	B	B	B	B	A	D	B	B
41	**42**	**43**	**44**	**45**	**46**	**47**	**48**	**49**	**50**
C	A	C	D	C	A	C	B	B	C
51	**52**	**53**	**54**	**55**	**56**	**57**	**58**	**59**	**60**
C	A	A	A	C	D	C	A	C	A
61	**62**	**63**	**64**	**65**	**66**	**67**	**68**	**69**	**70**
D	A	A	C	B	A	B	B	D	B
71	**72**	**73**	**74**	**75**	**76**	**77**	**78**	**79**	**80**
B	B	A	C	D	D	A	D	A	C
81	**82**	**83**	**84**	**85**	**86**	**87**	**88**	**89**	**90**
C	A	D	B	A	B	D	C	B	B
91	**92**	**93**	**94**	**95**	**96**	**97**	**98**	**99**	**100**
A	B	A	D	B	B	D	C	D	C

प्रैक्टिस सेट 5

1. दिए गए कथनों में से सही कथन की पहचान कीजिए।

1. बौनापन (Cretinism) जन्म के समय कम सक्रिय थायरॉइड फॅक्शन का एक कारक है, जिसे जन्मजात हाइपोथायरायडिज्म कहा जाता है।
2. बोन्कियल अस्थमा एक गम्भीर वैश्विक स्वास्थ्य समस्या है, सभी उम्र के 5% से 100% व्यक्ति इस दीर्घकालिक वायुमार्ग विकार से पीड़ित है।
3. डेलीरियम एक असामान्य मानसिक स्थिति है, यह कोई बीमारी नहीं है, पर इस शब्द का इस्तेमाल अक्सर किसी भी भ्रम का वर्णन करने के लिए किया जाता है।

कूट :

A. केवल 2 B. केवल 2 एवं 3
C. केवल 1 एवं 2 D. 1, 2 एवं 3 सभी

2. प्रश्न में दिए गए विकल्पों में से गलत विकल्प की पहचान कीजिए।

A. ह्यूमन कोरियोनिक ग्रापिड (HCG) हार्मोन रक्त परीक्षण को गर्भावस्था परीक्षण के रूप में भी जाना जाता है।
B. पेप्टिक अल्सर एक विकार है जिसमें पेट की परत या छोटी आंत के पहले खण्ड में एक दर्दनाक घाव या अल्सर होता है।
C. कैल्सीटोनिन पैराफोलिक कोशिकाओं या थायरॉयड ग्रन्थि को C कोशिकाओं द्वारा स्रावित होता है।
D. फ्लोरेन्स नाइटिंगल को आधुनिक नर्सिंग आन्दोलन का जन्मदाता माना जाता है।

3. निम्नलिखित में से सही की पहचान कीजिए।

1. बच्चो में उम्र के अनुसार विकास के कई चिह्न होते हैं जोकि बच्चे की उपयुक्त वृद्धि (Growth) को दिखाते हैं।
2. माता से बच्चों को मिला गाढ़ा पीला प्रथम स्तन द्रव (Colostrum) बहुत महत्वपूर्ण होता है जो कि बच्चे की आंत के लिए 'Paint' का काम करता है।

कूट :

A. केवल 1 B. केवल 2
C. 1 एवं 2 दोनों D. न तो 1 एवं न ही 3

4. एक सी.ओ.पी.डी. के रोगी, जिसको 'सेकेन्डरी पाली सायथिमिया' हुआ है के नर्सिंग की देखभाल में क्या निदान होगा?

A. खून के बहने से द्रव्य की कमी देखना
B. खून का थक्का बनने से ऊतक में खून का बहाव देखना
C. साँस फूलने से कार्य करने की अक्षमता
D. प्रतिरोधक क्षमता कम होने से संक्रमण का खतरा रहना।

5. व्यक्तिपरक और विषयपरक मरीज जानकारी का समूह जिस पर देखभाल की योजना को आधार बनाया जाता है उसे .... कहा जाता है।

A. आंकलन B. नर्सिंग निदान
C. कार्यान्वयन D. मूल्यांकन

6. चयनित स्थिति में चयनित नर्सिंग कार्य को करने के लिए एक सक्षम व्यक्ति को अधिकार या जिम्मेदारी हस्तांतरित करना .... कहलाता है।

A. पूतिनिधान B. मूल्यांकन
C. आंकलन D. योजना

7. मरीज का स्वास्थ्य इतिहास और शारीरिक परीक्षण नर्स को प्राथमिक रूप से .... के लिए जानकारी प्रदान करता है।

A. एक चिकित्सा समस्या का निदान करने
B. मरीज के लक्षणों की जाँच करने
C. व्यक्तिपरक और विषयपरक मरीज डेटा वर्गीकृत करने
D. नर्सिंग निदान और सहयोगी समस्याओं की पहचान करने

8. एक विशेष निदान या स्वास्थ्य स्थिति वाले मरीजों के लिए एक विशिष्ट समय अवधि के दौरान देखभाल और वांछित परिणामों को निर्दिष्ट करने वाली इंटरप्रोफेशनल देखभाल योजनाओं को .... कहा जाता है।

A. नैदानिक मार्ग
B. ट्राइएज
C. क्रिटिकल केयर तरीके
D. देखभाल की योजना

9. वह प्रक्रिया जिसके द्वारा दर्द के संकेतों को परिधि से रीढ़ की हड्डी और फिर मस्तिष्क तक पहुँचाया जाता है, ... कहलाती है।

A. सेंसिटाइजेशन B. ट्रांसमिशन
C. ट्रांसडक्शन D. मोड्युलेशन

10. एक अस्पताल या अन्य स्वास्थ्य देखभाल सुविधा में देखभाल की प्रक्रिया के दौरान एक मरीज में होने वाला संक्रमण, जो प्रवेश के समय मौजूद या विकसित नहीं हुआ था उसे .... कहा जाता है।

A. संक्रमण
B. क्रॉस संक्रमण
C. स्वास्थ्य देखभाल से जुड़े संक्रमण
D. पुनः संक्रमण

11. एक ऐसी स्थिति जिसमें संक्रमण के प्रारंभिक स्थल से पूरे शरीर के क्षेत्रों में संक्रमण फैल गया है उसे .... कहा जाता है।

A. स्थानीयकृत संक्रमण
B. प्रणालीगत संक्रमण
C. फैला हुआ संक्रमण
D. अस्पताल से उत्पन्न संक्रमण

12. जब पोषण एक ट्यूब या कैथेटर के माध्यम से मौखिक गुहा के बाहर के जीआई ट्रैक्ट में पहुंचाया जाता है तो उसे .... कहा जाता है।

A. आंत्रेतर पोषण
B. आंत्र पोषण
C. कुल आंत्रेतर पोषण
D. उपरोक्त सभी

13. आहार में आवश्यक फैटी एसिड की कमी रूखी और शुष्क त्वचा से जुड़ी होती है जिसे .... के रूप में जाना जाता है।

A. फ्रैनोडर्मा B. स्क्लेरोडर्मा
C. सोरियासिस D. उपरोक्त सभी

14. हीमोग्लोबिन के प्रत्येक ग्राम में कितने मिलीग्राम आयरन होता है।

A. 2 मिलीग्राम B. 2.34 मिलीग्राम
C. 3 मिलीग्राम D. 3.34 मिलीग्राम

15. निम्नलिखित में से किस ग्रंथि में अंतःस्रावी और बहिःस्रावी दोनों प्रकार के कार्य होते हैं।

A. अग्न्याशय B. यकृत
C. थाइरॉयड ग्रंथि D. पीनियल ग्रंथि

16. बेहोश शिशुओं की प्रतिक्रिया की जाँच के लिए निम्न में से क्या नहीं करना चाहिए।

A. नाम पुकारे B. धीरे से टैप करें

C. बच्चे को हिलाना D. पैर के तलवे को झटके

17. बच्चे को दर्द का अनुभव होने से पहले या सर्जरी से पहले एनाल्जेसिया का प्रशासन ताकि संवेदी सक्रियण और परिधीय और केंद्रीय तंत्रिका तंत्र के दर्द मार्गों में परिवर्तन को नियंत्रित किया जा सके .... कहा जाता है।

A. मल्टीमॉडल एनाल्जेसिया

B. संतुलित एनाल्जेसिया

C. प्रीमेप्टिव एनाल्जेसिया

D. क्षेत्रीय एनेस्थीसिया

18. जब बच्चे को एक जानलेवा बीमारी का निदान किया जाता है, लेकिन माता-पिता ऐसा व्यवहार करते हैं जैसे कि विकार मौजूद नहीं है या बच्चे के लिए अधिक क्षतिपूर्ति प्राप्त करने का प्रयास करते हैं उसे .... कहा जाता है।

A. सौदेबाजी B. अस्वीकार

C. क्रमिक स्वीकृति D. इन्कार

19. मनुष्य या पशुओं के निदान, उपचार या टीकाकरण या अनुसंधान गतिविधियों के दौरान उत्पन्न होने वाले किसी भी अपशिष्ट को .... कहा जाता है।

A. चिकित्सकीय अपशिष्ट

B. अस्पताल अपशिष्ट

C. बायोमेडिकल अपशिष्ट

D. संक्रामक अपशिष्ट

20. त्वचा का संक्रमण जो गहरे डर्मिस और चमड़े के नीचे के ऊतकों में फैलता है और बिना नुकीले किनारों के गहरे, लाल एरिथेमा का कारण बनता है जो ऊतक स्थान के माध्यम से व्यापक रूप से फैलता है उसे .... कहा जाता है।

A. त्वचा-रक्तिमा B. पुरपुरा

C. सेलुलिटिस D. उपरोक्त सभी

21. युग्मनज बनाने से पहले दो अति विशिष्ट कोशिकाओं, नर में शुक्राणु और मादा में स्त्रीबीज के परिपक्व होने की प्रक्रिया कहलाती है।

A. शुक्राणुजनन

B. ओजेनेनसिस (अंडजनन)

C. युग्मकजनन

D. निषेचन

22. गर्भावस्था के प्रारंभिक भाग में गर्भधारण के सप्ताहों की गणना के लिए, ... से गणना की जाती है।

A. पहले मासिक धर्म का पहला दिन

B. अंतिम मासिक धर्म का पहला दिन

C. पहले मासिक धर्म का अंतिम दिन

D. अंतिम मासिक धर्म का अंतिम दिन

23. जिह्वा की सूजन को .... के रूप में जाना जाता है।

A. मसूढ़ों में सूजन (जिंजिवाइटिस)

B. ग्लोसाइटिस (जिह्वा-शोध)

C. मुख से दुर्गंध (हैलिटोसिस)

D. नेत्र-कोण (कैंथस)

24. 'टॉपिंग और टेलिंग' का क्या अर्थ है?

A. शिशु का चेहरा और नीचे का शरीर धोना।

B. एप्रन और दस्ताने हटा कर हाथ धोना।

C. परिचर्या देखभाल अभिलेख में अभिलिखित करना।

D. एप्रन पहनना, हाथ धोना और हस्ताने पहनना।

25. एंजाइम्स में एक कृत्रिम समूह के रूप में कार्य करने वाला खनिज क्या है?

A. सोडियम B. पोटैशियम

C. तांबा D. लीथियम

26. मस्तिष्क की उस आंतरिक संरचना का नाम बताएँ, जो सभी पश्च पीयूषिका (न्यूरोहाइपोफिसिस) हॉर्मोन उत्पादन का स्रोत है।

A. पार्श्व नीली (वेंट्रिकल)

B. चेतक (थैलामस)

C. अधश्चेतक (हाइपोथैलामस)

D. अनुमस्तिष्क (सेरिबेलम)

27. पूर्वावस्था (प्रोफेज), मध्यावस्था (मेटाफेज), पश्चावस्था (एनाफेज) और अंत्यावस्था (टीलोफेज) .... के चरण हैं।

A. सूत्री विभाजन B. अनुवाद
C. अर्धसूत्री विभाजन D. प्रतिलेखन

28. गर्दन के आकस्मिक विस्तार के साथ, बाँहें अभिवर्तित होती हैं और ऊपर की ओर बढ़ती हैं ओर बाँहें C (सी) का आकार बनाती हैं, यह .... में देखा जाता है।

A. गैलेंट प्रतिवर्त B. मोरो प्रतिवर्त
C. बाबिंस्की प्रतिवर्त D. प्लांट प्रतिवर्त

29. रोगी को शारीरिक और मानसिक, दोनों प्रकार से तैयार करना .... अवधि के दौरान किया जाता है।

A. अंतःशल्य-चिकित्सा
B. पूर्वशल्य-चिकित्सा
C. शल्य-चिकित्सा पश्चात्
D. ऊष्मायन

30. मादक द्रव्यों के सेवन में सम्मिलित किन दवाओं के समूह के अंतर्गत हाइड्रोकार्बन, ब्यूटाइल नाइट्रेट आते हैं?

A. नशीले पदार्थ
B. स्टीरॉइड्स
C. उत्तेजक
D. अभिश्वसन योग (इनहेलेंट)

31. प्रसवोत्तर अवधि गर्भनाल की निकासी के बाद आरंभ होती है और लगभग .... तक रहती है।

A. 3 सप्ताह B. 4 सप्ताह
C. 5 सप्ताह D. 6 सप्ताह

32. एक व्यवस्थित जाँच जो प्रश्नों के उत्तर देने या समस्याओं को हल करने के लिए अनुशासित विधियों का प्रयोग करती है, क्या कहलाती है?

A. अनुसंधान B. ज्ञान
C. शिक्षा D. प्रयोग

33. एक नीला रंग जो अपर्याप्त ऑक्सीजन की वजह से त्वचा और श्लेष्मा झिल्ली में दिखाई देता है उसे क्या कहा जाता है?

A. डिसप्निया B. हाइपरकेपनिया
C. ब्रेडीप्निया D. सायनोसिस

34. एक प्रणाली जो विभिन्न प्रकार के जोड़ों के साथ सहारा प्रदान करती है जो गतिविधियों की एक विस्तृत शृंखला को सक्षम करती है वो क्या है?

A. रीढ़ और डिस्क B. कंकाल
C. परिधीय तंत्रिका तंत्र D. केंद्रीय तंत्रिका तंत्र

35. एक खाने का विकार जिसमें बहुत खाने के बाद अवसाद और अपराध बोध, स्व-प्रेरित उल्टी और शुद्धिकरण होता है उसे क्या कहते हैं?

A. निगलने में कठिनाई
B. बुलिमिया नर्वोसा
C. एनोरेक्सिया नर्वोसा
D. अधिक खाने का विकार

36. किस उम्र में जब हथेली का स्पर्श होता है तो एक बच्चा उंगलियों को पकड़ लेता है?

A. 4 सप्ताह B. 4 महीने
C. 6 महीने D. 9 महीने

37. जलवाष्प के रूप में फेफड़ों से निकलने वाली हवा की मात्रा लगभग कितनी होती है?

A. 100 मिलीलीटर B. 500 मिलीलीटर
C. 1000 मिलीलीटर D. 1500 मिलीलीटर

38. रोगी की मृत्यु की स्थिति की पुष्टि निम्नलिखित नैदानिक संकेतों में से किससे संबंधित नहीं है?

A. नाड़ी का कोई प्रमाण नहीं
B. पुतलियों का स्थिर तथा पतला होना
C. श्वसन या रक्तचाप का कोई प्रमाण नहीं
D. अंगों की हलचल

39. विटामिन बी12 और फोलिक एसिड की कमी से क्या होता है?

A. लोहे की कमी से एनीमिया
B. मेगालोब्लास्टिक एनीमिया
C. रक्त की लाल कोशिकाओं की कमी
D. थैलेसीमिया

40. किसी व्यक्ति की सीधे और स्मृति के उपयोग द्वारा अपनी स्वयं की मानसिक स्थिति के आत्म-अवलोकन की एक विधि को क्या कहते हैं?

A. आत्मनिरीक्षण B. प्रेक्षण
C. प्रयोगात्मक D. नैदानिक

41. वांछित प्रतिक्रिया के बाद सुदृढीकरण के प्रकार को पहचानें, जो एक सुखद उत्तेजना पेश करके प्रतिक्रिया की संभावना को बढ़ाता है:

A. निरंतर सुदृढीकरण
B. आंशिक सुदृढीकरण
C. सकारात्मक सुदृढीकरण
D. नकारात्मक सुदृढीकरण

42. एक रक्षा तंत्र जिसमें इच्छाओं या मूल लक्ष्यों को दूसरों द्वारा प्रतिस्थापित किया जाता है उसे क्या कहते हैं?

A. प्रक्षेपण
B. विस्थापन
C. उच्च बनाने की क्रिया
D. प्रतिस्थापन

43. उस चरण का नाम दें, जब अंडाशय में रोम बढ़ते हैं और एक परिपक्व अंडा बनाते हैं।

A. फॉलिक्यूलर चरण B. ओव्यूलेशन
C. ल्यूटियमी चरण D. मासिक धर्म

44. एंडोमेट्रियल चक्र में उस चरण का नाम बताइए, जो सर्पिल धमनियों के फटने से लेकर इस्केमिया तक पहुंचता है, रक्त को गर्भाशय में छोड़ता है, और एंडोमेट्रियल अस्तर का घिसाव होना शुरू होता है :

A. प्रोलिफेरेटिव चरण B. स्रावी चरण
C. इस्केमिक चरण D. मासिक धर्म चरण

45. ऊपरी महिला जननांग पथ और आस-पास की संरचनाओं की एक शोथज (सूजन-संबंधी) स्थिति को क्या कहा जाता है?

A. हेपेटाइटिस
B. श्रोणि सूजन संबंधी बीमारी
C. उपदंश
D. गोनोरिया

46. महिलाओं के लिए उस प्रक्रिया को क्या कहा जाता है जिसे गर्भपात के बाद, या गर्भावस्था के लिए असंबंधित एक अंतराल प्रक्रिया के रूप में, प्रसवोत्तर किया जाता है?

A. डिंबप्रणालीय बांधना B. पुरुष नसबंदी
C. बंध्याकरण D. गर्भपात

47. गर्भनिरोधक द्वारा असुरक्षित यौन संबंध के 1 वर्ष के बाद किसी बच्चे को गर्भ धारण करने में असमर्थता, या पूरे नौ महीने गर्भधारण करने में असमर्थता को किस रूप में जाना जाता है?

A. रजोरोध B. कष्टार्तव
C. बांझपन D. एंडोमेट्रियोसिस

48. आवर्तक लक्षणों की एक विस्तृत शृंखला, जो मासिक धर्म क्रम के अंतिम चरण या मासिक धर्म के अंतिम अर्ध के दौरान होती है और मासिक धर्म की शुरुआत के साथ हल होती है, उसे किस रूप में जाना जाता है?

A. प्रागार्तव
B. रजोरोध
C. कष्टार्तव
D. अक्रियाशील गर्भाशय रक्तस्राव

49. एस्ट्रोंजेन के स्तर में कमी के साथ जुड़े शारीरिक बदलावों का सामना करने वाली महिलाओं में अनियमित मासिक धर्म चक्र, नींद में व्यवधान, मूड में गड़बड़ी, योनि की चिकनाई में कमी, थकान, योनि अपक्षय और अवसाद को .... के दौरान देखा जा सकता है।

A. रजोदर्शन B. रजोनिवृत्ति
C. मातृत्व D. प्रसव

50. जब बच्चे का वजन 3 या 5 प्रतिशत से कम होता है, तो समय के साथ वजन बढ़ने में विफलता या वृद्धि की दर में परिवर्तन जो दो प्रमुख शततमकों को पार कर जाता है उसे निम्न के रूप में क्या संदर्भित किया जाता है?

A. पनपने में असफलता
B. गर्भावधि उम्र के लिए छोटा
C. शारीरिक विकास में देरी
D. कंकाल डिसप्लेसिया (असामान्य विकास या असामान्य संरचना)

51. या तो एक या अधिक कपाल सीवन के प्रमुख या मामूली समयपूर्व संलयन को क्या कहा जाता है?

A. माइक्रोसेफली
B. क्रेनियोसिनोस्टोसिस
C. मैक्रोसेफली
D. हायड्रोसेफालस

52. मूल्यांकन के द्वारा, किसी भी विकासात्मक क्षेत्र के लिए विकासात्मक भागफल (DQ) निर्दिष्ट किया जा सकता है। इसकी गणना इस प्रकार की जाती है?

A. एक निश्चित स्तर पर औसत आयु + एक निश्चित स्तर पर प्राप्त आयु × 100
B. एक निश्चित स्तर पर औसत आयु – एक निश्चित स्तर पर प्राप्त आयु × 100
C. एक निश्चित स्तर पर औसत आयु बटा में एक निश्चित स्तर पर प्राप्त आयु × 100
D. एक निश्चित स्तर पर औसत आंयु बटा में एक निश्चित स्तर पर प्राप्त आयु

53. मानकीकृत गर्भकालीन दरों के आधार पर वजन, लंबाई, या सिर परिधि के मामले में 10वें शततमक से नीचे भ्रूण की वृद्धि को .... कहा जाता है।

A. अंतर – गर्भाशय वृद्धि अवरोध
B. विलंबित विकास
C. बौनापन
D. छोटा कद

54. वह घटना क्या कहलाती है जहां नवजात शिशु का जन्मजात वजन 4,000 ग्राम से अधिक हो?

A. माइक्रोसोमिया B. मैक्रोसोमिया
C. मैक्रोसेफली D. माइक्रोसेफली

55. उस स्थिति का नाम बताइए, जिसमें रक्तस्राव आमतौर पर मस्तिष्क के सबइपेन्डिमल जर्मिनल मैट्रिक्स क्षेत्र में होता है, निलय प्रणाली में विस्तार के साथ।

A. पेरीवेंट्रिक्युलर रक्तस्राव
B. समयपूर्वता का रेटिनोपैथी
C. ल्युकोमैलेसिया
D. नेक्रोटिजिंग एन्टरोकॉलिटिस

56. जब ऑक्सीजन की डिलीवरी चयापचय की मांग को पूरा करने के लिए अपर्याप्त है, तो होने वाली स्थिति को क्या कहा जाता है?

A. दबाव B. एसिडोसिस
C. आगे को बढ़ाव D. दम घुटना

57. गाउट में, क्रिस्टल का संचय जोड़ों में होता है, जो निम्न में से बने होते हैं :

A. कैल्शियम B. यूरिक एसिड
C. अमोनिया D. मैग्नीशियम

58. एंटीडायरेक्टिक हार्मोन की कमी के फलस्वरूप क्या होता है?

A. मधुमेह मेलिटस B. मधुमेह इंसीपीड्स
C. कीटोएसिडोसिस D. पेलेग्रा

59. सिस्टोमेट्रोग्राम को .... का कार्य मूल्यांकन करने के लिए किया जाता है।

A. फेफड़ों B. मूत्राशय
C. पित्ताशय D. पौरुष ग्रंथि

60. निम्नलिखित में से कौन महामारी विज्ञान के त्रैमासिक में निर्धारक नहीं है?

A. वातावरण B. मेजबान
C. एजेंट D. समय

61. जीवाणु संक्रमण के कारण निम्नलिखित में से कौन-सी बीमारी होती है?

A. जर्मन खसरा
B. मेनिंगोकोक्सल मेनिन्जाइटिस
C. इंफ्लुएंजा
D. खसरा

62. तीन या चार लगातार सहज गर्भपात के इतिहास को क्या कहा जाता है?

A. अभ्यस्त गर्भपात B. संभावित गर्भपात
C. विफल गर्भपात D. अधूरा गर्भपात

63. बुखारवाला ताप, परेशान नींद और मूड की गड़बड़ी को .... की अवधि के दौरान देखा जाता है।

A. गर्भावधि मधुमेह B. रजोदर्शन
C. ओव्युलेशन D. रजोनिवृत्ति

64. गर्भावस्था के पहले जैव रासायनिक मार्कर को क्या कहा जाता है?

A. एस्ट्रोजन

B. ह्यूमन कोरिओनिक गोनाडोट्रोपिन

C. प्रोजेस्टेरोन

D. प्रोलैक्टिन

65. गर्भावस्था के दौरान जो परिवर्तन नहीं होता है उसे क्या कहा जाता है?

A. प्लाज्मा की मात्रा में वृद्धि

B. निचले अन्ननलिका स्फिन्कटर में टोन में वृद्धि

C. कम हेमेटोक्रिट

D. रक्तस्राव

66. प्रसव में, प्लेसेंटा का पृथक्करण और निष्कासन किसके अंतर्गत आता है?

A. पहला चरण B. दूसरे चरण

C. तीसरा चरण D. चौथा चरण

67. प्रसव के दौरान योनि के खुलने पर भ्रूण का सिर दिखाई देने को क्या कहा जाता है?

A. हेगर का चिन्ह B. क्राउनिंग

C. चाडविक का चिह्न D. हाइपरमेसिस

68. कमांड के एक पदानुक्रमित लाइन में, जो हर संगठन में गैर-प्रोग्राम निर्णय लेने के लिए जिम्मेदार है, उसे क्या कहा जाता है?

A. स्टाफ नर्स

B. सहायक नर्सिंग अधिकारी

C. उप नर्सिंग अधिकारी

D. मुख्य नर्सिंग अधिकारी

69. निम्न में से कौन सा युग्म सही नहीं है?

A. Na^{+}—तन्त्रिकीय आवेग के लिए आवश्यक ऊर्जा स्थानान्तरण

B. Fe^{++}—शारीरिक वृद्धि, हीमोग्लोबिन सायटोक्रोम निर्माण में सहायक

C. Ca^{++}—हड्डियों व दाँतों के निर्माण में आवश्यक तथा पेशीय, संकुचन में महत्वपूर्ण

D. Zn^{++}—जीवद्रव्य का मुख्य (पूल) तत्व

70. एन्जाइमों के विषय में कौन-सा कथन सत्य है?

A. सभी एन्जाइम प्रोटीन होते हैं

B. सभी एन्जाइम एक प्रोटीन भाग तथा एक अ-प्रोटीनी प्रोस्थेटिक समूह के बने होते हैं

C. केवल ग्रन्थिल कोशिकाओं में एन्जाइम होते हैं

D. सभी एन्जाइम अभिक्रिया को केवल एक दिशा में ही उत्प्रेरित करते हैं

71. पादप कोशिका की कोशिका भित्ति का सबसे मुख्य पदार्थ सेल्यूलोस बना होता है–

A. ग्लूकोज अणुओं की अशाखित शृंखलाओं का β 1, 4 ग्लाइकोसाइडिक बंधों में जुड़ी रहती हैं

B. ग्लूकोज अणुओं की शाखित शृंखलाओं का जिसमें सीधी शृंखला में β 1, 4 ग्लाइकोसाइडिक बंध होते हैं तथा शाखा के स्थान पर α 1, 6 ग्लाइकोसाइडिक बंध होते हैं

C. ग्लुकोस अणुओं की अशाखित शृंखला का जिसमें α 1, 6 ग्लाइकोसाइडिक बंध होते हैं

D. ग्लुकोस अणुओं की शाखित शृंखला का जिसमें शाखाओं के स्थान पर α 1, 6 ग्लाइकोसाइडिक बंध होते हैं

72. फॉस्फोग्लिसेरॉइड सदैव बने होते हैं :

A. ग्लिसरॉल अणु से एस्टरीकृत एक असंतृप्त वसा अम्ल जिससे फॉस्फेट समूह भी संयोजित रहता है

B. ग्लिसरॉल अणु से एस्टरीकृत एक संतृप्त या असंतृप्त वसा अम्ल जिससे फॉस्फेट समूह भी संयोजित रहता है

C. फॉस्फेट समूह से एस्टरीकृत एक संतृप्त या असंतृप्त वसा अम्ल जिससे एक ग्लिसरॉल अणु भी संयोजित रहता है

D. ग्लिसरॉल अणु से एस्टरीकृत एक संतृप्त वसा अम्ल जिससे फॉस्फेट समूह भी संयोजित रहता है

73. एन्जाइम निरोधन के लिए कौन-सा वक्तव्य सत्य है?

A. प्रतिस्पर्धी निरोधन तब दिखायी पड़ता है जब सबस्ट्रेट एक एन्जाइम से निरोधक प्रोटीन से जुड़ने के लिए प्रतिस्पर्धा करता है।

B. प्रतिस्पर्धी निरोधन तब दिखायी पड़ता है जब सबस्ट्रेट व निरोधक, एन्जाइम की सक्रिय स्थलों से जुड़ने के लिए प्रतिस्पर्धा करते हैं।

C. बड़ी मात्रा में सबस्ट्रेट को मिलाकर एन्जाइम के अप्रतिस्पर्धी निरोधन को कम किया जा सकता है।

D. अप्रतिस्पर्धी निरोधक प्रायः एन्जाइमों से अपरिवर्तनीय रूप से जुड़ते हैं।

74. ग्लाइकोजन α-D-ग्लूकोज इकाइयों से बना शाखित शृंखला बहुलक होता है जिसमें C1–C4 शृंखला ग्लाइकोसाइडी बंध द्वारा बनती है जबकि C1–C6 शाखन ग्लाइकोसाइडी बंध द्वारा होता है। ग्लाइकोजन की संरचना के समान संरचना वाला यौगिक है ....।

A. ऐमिलोस B. ऐमिलोपेक्टिन

C. सेलुलोस D. ग्लूकोज

75. शल्य आपूर्ति रोधी (Surgical aspesis) में कौन-सी technique उपयोग में आती है?

A. Clean technique B. Sterile technique

C. Smith technique D. Barrier technique

76. एक व्यक्ति को कोई दवाई लेते ही अचानक खुजली, शरीर पर दाने, घबराहट, उल्टी की शिकायत हुई इसका कारण है?

A. Type I Hypersensitivity reaction

B. Type II Hypersensitivity reaction

C. Type III Hypersensitivity reaction

D. Type IV Hypersensitivity reaction

77. एक मरीज को एंटीबायोटिक्स देने के बाद कुछ ही मिनट में ज्यादा घबराहट हो जाती है इसका कारण है :

A. Immediate effect of drug

B. Wrong selection of drug

C. Anaphylactic Reaction

D. Improper way of administration

78. निम्नलिखित में से कौन-सा युग्म सुमेलित है?

A. घेंघा रोग—आयोडीन की कमी

B. पेलेग्रा रोग—विटामिन 'सी' की कमी

C. वर्णान्धता रोग—विटामिन 'ए' की कमी

D. स्कर्वी रोग—विटामिन 'D' की कमी

79. क्वाशरकोर एवं मैरेस्मस रोग में क्या अन्तर है?

A. क्वाशरकोर प्रोटीन की कमी से होने वाला रोग है जबकि मैरेस्मस रोग प्रोटीन, वसा एवं कार्बोहाइड्रेट की अल्पता से होता है

B. क्वाशरकोर से मृत्यु हो जाती है जबकि मैरेस्मस से नहीं होती है

C. क्वाशरकोर का चिकित्सीय उपचार सम्भव है लेकिन मैरेस्मस का नहीं

D. इनमें से कोई नहीं

80. सुमेलित कीजिए–

सूची-I	सूची-II
(*a*) गोनोरिया (Gonorrhoea)	1. आनुवंशिक रोग
(*b*) एल्केप्टोनूरिया (Alkaptonuria)	2. विषाणुजनित रोग
(*c*) धमनी काठिन्य (Arteriosclerosis)	3. हृदय रोग
(*d*) मस्तिष्क शोथ (Meningitis)	4. लैंगिक रोग

कूट :

	(*a*)	(*b*)	(*c*)	(*d*)
A.	4	1	3	2
B.	4	3	1	2
C.	4	3	2	1
D.	2	4	3	1

81. निम्न कथनों पर विचार कीजिए–

1. जिन क्षेत्रों में मक्का एक प्रमुख आहार के रूप में प्रयुक्त होता है, पैलेग्रा इन क्षेत्रों में पाया जाने वाला सामान्य रोग है।
2. जिन क्षेत्रों में पॉलिश चावल मुख्य भोजन के रूप में प्रयोग में लाया जाता है वहाँ बेरी-बेरी रोग सामान्य रूप से पाया जाता है।

उपरोक्त कथनों में से कौन-सा/से कथन सत्य है/हैं?

A. केवल 1

B. केवल 2

C. 1 एवं 2 दोनों

D. इनमें से कोई नहीं

82. Angina pectoris का कारण है

A. हृदय की पेशियों का मुलायम होना

B. हृदय की पेशियों का सख्त होना

C. हृदय की पेशियों को पर्याप्त O_2 न मिलना

D. हृदय की पेशियों में अत्यधिक तनाव होना

83. यदि Body से Fluid व Electrolyte दोनों का नुकसान हो तो यह कहलाता है?

A. Istonic Fluid loss

B. Hypotonic fluid loss

C. Hypertonic fluid loss

D. उपरोक्त में से नहीं

84. Supplementary Action of protein से अभिप्राय है?

A. दों शाकाहारी पदार्थ, आपस में एक दूसरे के प्रोटीन की कमी को पूरा करते हैं।

B. प्रोटीन एन्जाइम का कार्य करते हैं।

C. मांसाहारी व शाकाहारी पदार्थ मिलकर पूर्ण प्रोटीन बनाते हैं।

D. प्रोटीन शरीर बनाने का कार्य भी करती है।

85. मलेरिया के लिये Chemoprophylaxis के बारे में सही है?

A. Treatment, malaria zone छोड़ने के 6 week बाद तक देते हैं

B. 300 mg की 2 tablet, week में एक बार

C. Treatment यात्रा से 7 दिन पहले से शुरू करते हैं

D. उपरोक्त सभी

86. Breast milk के बारे में सही नहीं है?

A. दूध चूसने से जबड़ों व दांतों के निर्माण में सहायक

B. हाइपोकैल्सिमिया से बचाव

C. हाइपोमैग्निसियम से बचाव

D. आयरन का प्रचूर स्रोत

87. Distal colon में उपश्लेष्मीय व पेशीय स्तर में तन्त्रिका गैन्गलिऑन कोशिकाओं की अनुपस्थिति के कारण क्रमाकुंचन गतियों के अभाव के परिणामस्वरूप होने वाला Intestinal obstruction है

A. Intussusception

B. Hirschprungs diseases

C. Omphalocele

D. Volvulus

88. यदि माँ Rh Positive है, व शिशु Rh Negative है तो जन्म के पश्चात् एन्टीइम्यूनोग्लोब्यूलीन देना आवश्यक है

A. जन्म के तुरन्त बाद

B. 7 घण्टे के अन्दर-अन्दर

C. 24 घण्टे के अन्दर-अन्दर

D. 72 घण्टे के अन्दर-अन्दर

89. मानसिक रोगी जिसमें परिवार के साथ रहने हेतु पर्याप्त सुधार हो चुका है। लेकिन उनके परिवारजन उन्हें अस्वीकार कर देते हैं, इन्हें रखा जाता है

A. Quarter way homes

B. Foster Homes में

C. Community homes में

D. उपरोक्त में से कोई नहीं

90. Schizophrenia के रोगी में नर्सिंग कार्य नहीं है

A. मरीज को EPS के बारे में न बतायें

B. मरीज को ECT के बारे में बतायें

C. मरीज के भ्रम में कमी लाना

D. मरीज के पोषण का ध्यान रखना

91. नर्स किनमें समूह थैरेपी (Group therapy) का आयोजन कर सकती है?

A. Mentally retarded children

B. Epileptic patient

C. Parents of psychiatric children

D. उपरोक्त सभी

92. मनोरोग विज्ञान नर्सिंग का सिद्धांत नहीं है

A. मरीज को आश्वासन देना, चाहे झूठे हों

B. मरीज के नकारात्मक पहलुओं पर गौर करना

C. मरीज से उसकी समस्या पर विस्तृत चर्चा

D. उपरोक्त सभी

93. एक औरत में प्राथमिक बांझपन है। इसकी दोनों फेलोपियन ट्यूब में अवरोध है तथा इसके पति को ओलिगोस्पर्मिया है तो बच्चे की प्राप्ति के लिए सर्वोत्तम उपचार है

A. गोद लेना B. इन विट्रो फर्टिलाइजेशन
C. ट्यूबोप्लास्टी D. इनमें से कोई नहीं

94. एक गर्भवती महिला को मिर्गी के दौरे आ रहे हों तो सबसे पहले

A. I.V. Phenotin देंगे
B. Calmpose देंगे
C. Airways clear (साफ करेंगे)
D. उपरोक्त सभी करेंगे

95. सूची-I एवं सूची-II को सही सुमेलित कीजिए।

सूची-I (सिन्ड्रोम)	**सूची-II (कारण)**
(*a*) कुशिंग सिन्ड्रोम	1. एड्रीनल बल्कुट सेलुकोकाटिकाइट का अतिलवण
(*b*) टर्नर सिन्ड्रोम	2. 18वें गुणसूत्र की अधिकता
(*c*) डाउन सिन्ड्रोम	3. लिंग गुणसूत्र की कमी
(*d*) एडवर्ड सिन्ड्रोम	4. एक गुणसूत्र की अधिकता

कूट :

	(*a*)	(*b*)	(*c*)	(*d*)
A.	4	2	1	3
B.	1	3	4	2
C.	3	1	2	4
D.	2	4	3	1

96. ORS घोल के प्रमुख घटक एवं उनकी मात्रा का सही मिलान कीजिए।

सूची-I (घटक)	**सूची-II (मात्रा ग्राम में gm)**
(*a*) सोडियम क्लोराइड	1. 2.5 gm
(*b*) सोडियम बाईकार्बोनेट	2. 20 gm
(*c*) ग्लुकोज	3. 3.5 gm
(*d*) पोटैशियम क्लोराइड	4. 1.5 gm

कूट :

	(*a*)	(*b*)	(*c*)	(*d*)
A.	1	2	3	4
B.	3	2	1	4
C.	2	4	1	3
D.	3	1	2	4

97. निम्नलिखित में से कौन-सा कथन सही है।

1. जब संक्रमण का स्रोत पोषद का शरीर ही होता है, तो इस प्रकार के संक्रमण को ''अंतर्जात संक्रमण'' कहा जाता है।
2. प्रतिगमन वलय एक कटक है जो मोटे खण्ड की निचली सीमा पर बनती है जहाँ यह गर्भाशय में निचले खण्ड से मिलती है।

कूट :

A. केवल 1 B. केवल 2
C. 1 एवं 2 दोनों D. न तो 1 एवं न ही 2

98. निम्नलिखित में से कौन-सा कथन सही है।

1. प्रसवोत्तर देखभाल में माता की देखभाल के साथ-साथ नवजात शिशु की प्रगति और स्वास्थ्य का आकलन भी शामिल होता है।
2. गर्भनिरोधक के रूप में ताँबे के उपकरणों का उपयोग करने का लाभ निरोधक प्रभावशीलता में वृद्धि होता है।

कूट :

A. केवल 1 B. केवल 2
C. 1 एवं 2 दोनों D. न तो 1 एवं न ही 2

99. निम्नलिखित परिघटना के कारण कोई चुम्बक किसी चुम्बकीय पदार्थ से बने छड़ (जो चुम्बकित नहीं है) के दोनों सिरों को अपनी ओर आकर्षित करता है :

A. चुम्बकीय क्षेत्र (Electric Field)
B. चुम्बकीय प्रेरण (Magnetic Induction)
C. ध्रुवण (Polarisation)
D. इनमें से कोई नहीं

100. प्रतिक्लोर (antichlor) एक ऐसा यौगिक है जो :

A. क्लोरीन को हाइड्रोजन क्लोराइड में बदलता है।
B. विरंजक चूर्ण (Bleaching Powder) से सरलतापूर्वक क्लोरीन निर्मुक्त करता है।
C. रंजकों और पेन्टों के विनिर्माण में उत्प्रेरक के रूप में कार्य करता है।
D. अन्य हैलोजनों को सरलतापूर्वक अवशोषित करता है।

उत्तरमाला

1	2	3	4	5	6	7	8	9	10
D	A	C	B	A	A	D	A	B	C
11	**12**	**13**	**14**	**15**	**16**	**17**	**18**	**19**	**20**
C	B	A	D	A	C	C	D	C	C
21	**22**	**23**	**24**	**25**	**26**	**27**	**28**	**29**	**30**
D	B	B	A	C	C	A	B	B	D
31	**32**	**33**	**34**	**35**	**36**	**37**	**38**	**39**	**40**
D	A	D	B	B	A	B	D	B	A
41	**42**	**43**	**44**	**45**	**46**	**47**	**48**	**49**	**50**
C	D	A	D	B	C	C	A	B	A
51	**52**	**53**	**54**	**55**	**56**	**57**	**58**	**59**	**60**
B	C	A	B	A	D	B	B	B	D
61	**62**	**63**	**64**	**65**	**66**	**67**	**68**	**69**	**70**
B	A	D	B	B	C	B	D	D	A
71	**72**	**73**	**74**	**75**	**76**	**77**	**78**	**79**	**80**
A	B	B	B	B	A	C	A	A	A
81	**82**	**83**	**84**	**85**	**86**	**87**	**88**	**89**	**90**
C	C	A	A	D	D	A	D	A	A
91	**92**	**93**	**94**	**95**	**96**	**97**	**98**	**99**	**100**
D	D	B	C	B	D	C	C	B	A

प्रैक्टिस सेट 6

1. निम्नलिखित में से कौन-सा कथन सत्य है?

1. जनसंख्या पिरामिड (आयु-लिंग पिरामिड) एक त्रिकोण आकार की संरचना है, जो किसी विशेष देश के व्यक्तियों की आयु संरचना एवं लिंग के अनुपात को दर्शाती है।
2. थायरोटोक्सीकोसिल ऐसी स्थिति है जब थायराइड हार्मोन का उत्पादन ज्यादा मात्रा में होने लगता है।
3. नॉन-पिटिंग एडिमा एक प्रकार का सूजन है जो आमतौर पर थायरॉयड या लसीका तंत्र में किसी समस्या के कारण होता है।

कूटः

A. केवल 1 एवं 2 B. केवल 2
C. केवल 2 एवं 3 D. 1,2 एवं 3 सभी

2. निम्नलिखित में से कौन-सा कथन सत्य है?

1. वार्फेरिन मुँह से ली जाने वाली थक्का रोधी दवा है, गर्भावस्था में इसे लेने से रक्तस्राव का खतरा हो सकता है।
2. क्लोफाजिमाइन का उपयोग कुष्ठ रोग के एक रूप (जिसे हेन्सन रोग के रूप में भी जाना जाता है) के इलाज के लिए किया जाता है, जिसे लेप्रोमेट्स कुष्ठ रोग कहा जाता है।

कूटः

A. केवल 1 B. केवल 2
C. 1 एवं 2 दोनों D. न तो 1 एवं न ही 2

3. निम्नलिखित में से कौन-सी गर्भाशय असंगति है जिसके परिणामस्वरूप अपक्व शिशु का जन्म होता है?

A. तीव्र उण्डुकपुच्छ शोध
B. ग्रीवा-ग्रैव अक्षमता
C. गंभीर अरक्तता
D. मधुमेह

4. निम्नलिखित में से कौन-सा कथन चिकित्सा अभिलेख को संरक्षित करने की विधि बताता है?

I. कीट आक्रमण से सुरक्षा
II. अभिलेख कक्ष में अग्नि से सुरक्षा उपाय

A. केवल I B. केवल II
C. I तथा II दोनों D. न ही I न ही II

5. निम्नलिखित में से कौन-सा कथन महिलाओं की स्वास्थ्य तथा पोषण संबंधी स्थिति को बताता है?

I. महिलाओं का स्वास्थ्य न केवल उनकी जैविक अभिव्यक्ति है बल्कि महिलाओं के जीवन के सामाजिक-राजनीतिक, आर्थिक तथा धार्मिक संदर्भों का भी परावर्तन है।
II. महिलाओं की सामाजिक स्थिति की उपलब्धि में स्वास्थ्य एक महत्वपूर्ण संकेतक है जिनका स्वास्थ्य काफी हद तक सामाजिक अधिवृत्ति से निर्धारित होता है।

A. केवल I B. न ही I न ही II
C. केवल II D. I तथा II दोनों

6. निम्नलिखित में से कौन-सा कथन गर्भाशय के आंशिक प्रत्यावर्तन का पूर्वगामी कारण बताता है?

I. गर्भाशय का भ्रंश

II. गर्भाशय तंतु पेशी अर्बुद

A. केवल II
B. न ही I न ही II
C. केवल I
D. I तथा II दोनों

7. निम्नलिखित में से कौन-सी वह विधि नहीं है जिसका उपयोग माता-पिता बच्चों को उनके भाषण को बेहतर बनाने में मदद करने के लिए करते हैं?

A. बच्चों को वयस्कों के सामने बोलने के लिए प्रोत्साहित करें जिससे उन्हें पता चल जाएगा कि उनका भाषण सही है या नहीं

B. सुनिश्चित करें कि बच्चों का भाषण सही हो ताकि उनके पास अनुकरण करने के लिए एक अच्छा आदर्श हो

C. अच्छी भाषा वाली पुस्तकों तथा टेलीविजन शो चुनें, ताकि बच्चे पढ़ते समय या टेलीविजन देखते समय सही भाषण सुन सकें

D. भाषण संबंधी त्रुटियों को सुधारते समय असभ्य बनें

8. निम्नलिखित में से कौन-सा कथन शिशुओं के अपक्व जन्म का कारण बताता है?

I. सगर्भता में मातृज रोग

II. गर्भाशय संबंधी असंगतियाँ

A. केवल II
B. न ही I न ही II
C. केवल I
D. I तथा II दोनों

9. निम्नलिखित में से कौन-सी आंत्रेतर मार्ग के माध्यम से औषधि प्रशासन की एक विधि नहीं है?

A. अंतस्त्वक
B. प्रतिष्ठापन
C. अंतःपेशी
D. अधिदृढ़तानिका

10. निम्नलिखित में से कौन-सा मिसोप्रोस्टोल का उपयोग नहीं है?

A. गर्भपात को प्रेरित करने के लिए इसे मिफेप्रिस्टोन (600 मिलीग्राम मौखिक रूप से) के साथ योनि योनिवर्ती के रूप में दिया जाता है।

B. प्रसव दृढ़ता प्रारंभन के लिए

C. प्रसव दृढ़ता वेदना उत्पन्न करने से पूर्व ग्रीवा को सख्त करने तथा ग्रीवा-ग्रैव के परिपक्वन के लिए

D. प्रसवोत्तर रक्तस्राव को नियंत्रित करने के लिए

11. सामुदायिक स्वास्थ्य समस्याओं के समाधान में समानता का सिद्धांत निम्नलिखित में से किसको संदर्भित करता है?

A. केवल बहुसंख्यक आबादी की स्वास्थ्य आवश्यकताओं पर ध्यान केन्द्रित करने को

B. विभिन्न जनसंख्या समूहों की भिन्न-भिन्न आवश्यकताओं के आधार पर स्वास्थ्य संसाधनों का वितरण करने को

C. समुदाय के सभी सदस्यों को समान संसाधन उपलब्ध कराने को

D. सबसे धनी समुदाय के सदस्यों के लिए स्वास्थ्य देखभाल को प्राथमिकता देने को

12. प्रसवोत्तर थ्रोम्बोफ्लिबिटिस के विकास का सबसे अधिक संकेत निम्न से मिलता है :

A. सामान्यीकृत शरीर दर्द से

B. अचानक बुखार और ठंड लगने से

C. एक पैर में सूजन और दर्द से

D. मूत्र उत्पादन में कमी से

13. निम्नलिखित में से कौन-सा नवजात शिशुओं और छोटे बच्चों के लिए प्रभावी होम विजिट का प्रमुख तत्व नहीं है?

A. परिवार को अनुरूप शिक्षा और सहायता प्रदान करना

B. परिवार के साथ भरोसेमंद संबंध स्थापित करना

C. स्वास्थ्य देखभाल नियुक्तियों के लिए परिवहन प्रदान करना

D. बच्चे के स्वास्थ्य और विकास का व्यापक मूल्यांकन करना

14. निम्नलिखित में से कौन-सा सामुदायिक स्वास्थ्य नर्सिंग में होम विजिट का प्राथमिक उद्देश्य नहीं है?

A. संभावित स्वास्थ्य समस्याओं की शीघ्र पहचान और हस्तक्षेप प्रदान करना

B. तीव्र देखभाल सेवाएँ प्रदान करना

C. स्वस्थ व्यवहार और रोग की रोकथाम को बढ़ावा देना

D. परिवारों को सहायता और शिक्षा प्रदान करना

15. माता-पिता को बचपन के पोषण के बारे में शिक्षित करने में, एक नर्स को क्या प्राथमिकता देनी चाहिए?

A. विभिन्न विकासात्मक चरणों में बच्चे की पोषण संबंधी आवश्यकताओं को समझना।

B. पोषक तत्वों के संतुलन पर विचार किए बिना केवल कैलोरी सेवन पर ध्यान केंद्रित करना।

C. प्राकृतिक खाद्य स्रोतों की तुलना में पूरकों की सिफारिश करना।

D. बच्चे की स्वास्थ्य स्थिति की परवाह किए बिना एक निश्चित आहार का पालन करने की आवश्यकता।

16. एक सामुदायिक स्वास्थ्य नर्स के लिए विविध आबादी तक स्वास्थ्य जानकारी संप्रेषित करने के लिए कौन-सी विधि सबसे प्रभावी है?

A. विशेषज्ञता प्रदर्शित करने के लिए जटिल चिकित्सा शब्दावली का उपयोग करना।

B. सभी स्वास्थ्य संचार के लिए पूरी तरह से लिखित सामग्री पर निर्भर रहना।

C. संचार पद्धति को समुदाय की सांस्कृतिक, भाषाई और साक्षरता आवश्यकताओं के अनुरूप बनाना।

D. समुदाय की भाषाई विविधता की परवाह किए बिना एक ही भाषा में जानकारी प्रदान करना।

17. स्वास्थ्य देखभाल प्रबंधन के संदर्भ में, प्रभावी रिकॉर्ड-कीपिंग रोगी सुरक्षा में कैसे योगदान देती है?

A. गोपनीयता उल्लंघनों को कम करने के लिए रोगी की जानकारी साझा करने को सीमित करके।

B. रोगी के स्वास्थ्य रिकॉर्ड के बजाय केवल प्रशासनिक रिकॉर्ड पर ध्यान केंद्रित करके।

C. एक जटिल प्रारूप में रिकॉर्ड बनाए रखकर जिसे केवल वरिष्ठ चिकित्सा कर्मचारी ही समझ सकते हैं।

D. व्यापक रोगी डेटा प्रदान करके, सटीक निदान और उपचार में सहायता करके।

18. कौन-सा कथन स्कूलों में स्वच्छता शिक्षा के महत्व का सबसे अच्छा वर्णन करता है?

A. स्कूलों में स्वच्छता शिक्षा समग्र सार्वजनिक स्वास्थ्य में बहुत कम योगदान देती है।

B. यह आजीवन स्वस्थ आदतें डालने और बीमारी के प्रसार को रोकने में महत्वपूर्ण भूमिका निभाता है।

C. केवल शैक्षणिक प्रदर्शन पर ध्यान देना चाहिए, स्वच्छता पर नहीं।

D. यह अनावश्यक है क्योंकि बच्चे घर पर स्वच्छता के तरीके सीखते हैं।

19. बच्चों के किसकी रक्षा के लिए बाल चिकित्सा नर्सिंग देखभाल में गोपनीयता महत्वपूर्ण है?

A. सभी निर्णय लेने की प्रक्रियाओं में भाग लेने का अधिकार

B. वयस्क चिकित्सा देखभाल सेवाओं तक पहुंच का अधिकार

C. सभी चिकित्सा उपचारों को अस्वीकार करने की स्वतंत्रता

D. उनकी व्यक्तिगत जानकारी की गोपनीयता और सुरक्षा का अधिकार

20. किस प्रकार के टीकाकरण में प्रतिरक्षा प्रतिक्रिया को उत्तेजित करने के लिए मारे गए या कमजोर रोगजनक को शामिल करना शामिल है?

A. सक्रिय प्रतिरक्षण

B. हर्ड प्रतिरक्षण

C. निष्क्रिय प्रतिरक्षण

D. प्राकृतिक प्रतिरक्षण

21. सामुदायिक स्वास्थ्य नर्सिंग में, स्वास्थ्य का एक सामाजिक निर्धारक है:

A. व्यक्तिगत जीवनशैली विकल्प

B. रोगों के प्रति आनुवंशिक प्रवृत्ति

C. पर्यावरण में माइक्रोबियल एजेंट

D. स्वास्थ्य सेवाओं तक पहुँच

22. निम्नलिखित में से कौन-सा/से पेल्विक फ्लोर की गहरी मांसपेशियाँ में से एक नहीं है/हैं?

I. प्यूबोकोक्सीजस मांसपेशी

II. बुल्बो कैवर्नस मांसपेशी

III. अनुप्रस्थ पेरिनियल मांसपेशी

A. केवल II और III B. केवल II

C. केवल I और II D. केवल III

23. श्री. आनंद एक मानसिक रूप से बीमार व्यक्ति हैं और चिकित्सा अधिकारी प्रभारी के रूप में तुरंत भर्ती होने की आवश्यकता है। उनकी स्थिति में निम्नलिखित कथनों में से कौन सही है?

(*a*) उन्हें 72 घंटे के भीतर मजिस्ट्रेट के समक्ष पेश किया जाना चाहिए।

(*b*) मजिस्ट्रेट को श्री आनंद से अस्पताल में मिलना चाहिए और 72 घंटे के भीतर उसे जांचना चाहिए।

(*c*) मजिस्ट्रेट आपातकाल के मामले में रिसेप्शन आदेश प्रदान कर सकता है

(*d*) मजिस्ट्रेट 72 घंटे की अवधि बढ़ाने के लिए योग्य है

A. (*a*), (*b*), (*c*) B. (*b*), (*c*), (*d*)

C. (*a*), (*b*), (*d*) D. (*a*), (*c*), (*d*)

24. निम्नलिखित कथनों से डेटा संग्रह के तरीकों को प्राथमिकता के आधार पर व्यवस्थित करें?

(*a*) मस्तिष्क को इंद्रियां जैसे दृष्टि, गंध, सुनवाई और स्पर्श का उपयोग करके देखें।

(*b*) संबंधित प्रश्न पूछकर डेटा प्राप्त करने के लिए मरीज का साक्षात्कार करें।

(*c*) रोगी की जांच करें और प्रयोगशाला के तरीकों के माध्यम से शरीर के सभी प्रमुख प्रणालियों के कामकाज की समीक्षा करें।

(*d*) शारीरिक परीक्षा में निरीक्षण, स्पर्श, प्रहार, श्रवण का उपयोग।

A. (*a*), (*b*), (*c*), (*d*) B. (*b*), (*a*), (*c*), (*d*)

C. (*b*), (*a*), (*d*), (*c*) D. (*a*), (*d*), (*c*), (*b*)

25. नीचे दिए गए निर्देशों को पढ़िए और बताइए की यह किस आरेख या ग्राफ को इंगित करता है:

(*a*) आरेख के दौरान बार की चौड़ाई एक समान होती है।

(*b*) बार्स या तो ऊर्ध्वाधर या क्षैतिज हो सकते हैं।

(*c*) बार्स के बीच का अंतर एक समान होता है।

A. बार आरेख B. पाई आरेख

C. हिस्टोग्राम D. आवृत्ति बहुभुज

26. जन्मजात अविकसित रक्तहीनता के लक्षणों में शामिल हैं:

(*a*) रक्तचित्तिता (*b*) पेटेचिया

(*c*) न्यूट्रोपेनिया (*d*) थैलेसीमिया

A. (*a*), (*b*), (*c*) B. (*b*), (*c*), (*d*)

C. (*a*), (*c*), (*d*) D. (*a*), (*b*), (*c*), (*d*)

27. निम्नलिखित में से गलत कथन कौन-सा है?

A. नवजात शिशुओं में पल्स दर तेजी से होती है

B. महिलाओं की तुलना में पुरुषों में अधिक पल्स होती है

C. व्यायाम पल्स दर को बढ़ाता है

D. भोजन के अंतर्ग्रहण से नाड़ी दर में मामूली वृद्धि होती है

28. ऑक्सीजन और पोषक तत्वों के ऊतकों की जरूरतों को पूरा करने के लिए पर्याप्त रक्त की पूर्ति या पंप करने के लिए बाएं निलय असक्षम है:

A. डिकम्पेन्सेटेड दिल विफलता

B. कोंजेस्टिव दिल विफलता

C. बाएं निलय की विफलता

D. दाएं निलय की विफलता

29. गले के तेज सूजन रोगी को पोषण संबंधी प्रबंधन में शामिल हैं:

(*a*) तरल या नरम आहार के लिए सलाह देना

(*b*) हाइड्रेशन के लिए IV तरल पदार्थों का प्रबंध करना

(*c*) ठंडे पदार्थों और आइसक्रीम से बचने के लिए सलाह देना

(*d*) अधिक तरल पदार्थों को पीने के लिए सलाह देना

A. (*a*), (*b*), (*c*) B. (*b*), (*c*), (*d*)

C. (*a*), (*c*), (*d*) D. (*a*), (*b*), (*c*), (*d*)

30. कोरोटकोफ ध्वनि का कौन-सा डायस्टॉलिक दबाव के रूप में परिभाषित किया गया?

A. दबाव स्तर जिस पर पहले बेहोशी, लगातार दोहन की आवाजें सुनाई जाती हैं

B. कफ अपस्फीति के समय जब स्वस्थ ध्वनियों के बड़बड़ाहट सुनाए जाते हैं

C. उस समय एक आकस्मिक रूप से अलग हल्की आवाज सुनाई जाती है

D. दबाव स्तर, जब नियमित रूप से रक्तचाप की ध्वनि सुनाई देती है और जिसके बाद सभी ध्वनि लुप्त हो जाती है

31. अवसादरोधक औषधि के दुष्प्रभाव में शामिल हैं:

(*a*) मुँह का शुष्क होना, पेशाब का बार-बार आना एवं कब्ज होना

(*b*) मिर्गी का दौरा पड़ना तथा मांसपेशियों के झटके के साथ खिंचाव आना

(*c*) त्वचा पर लाल दाने एवं पीलिया रोग का होना

(*d*) नींद और ऑर्थोस्टेटिक हाइपोटेंशन का होना

A. (*a*), (*b*), (*c*) B. (*b*), (*c*), (*d*)

C. (*a*), (*b*), (*d*) D. (*a*), (*b*), (*c*), (*d*)

32. एक स्वास्थ्य टीम के सदस्य के रूप में पुरुष स्वास्थ्य कार्यकर्ताओं के निम्न कार्य हैं, सिवाय इसके:

A. उप-केंद्र का सर्वेक्षण कराएं और सभी परिवारों के रिकॉर्ड बनाए रखें

B. माताओं और बच्चों को पोषण सलाह और टीकाकरण प्रदान करें

C. सभी महत्वपूर्ण घटनाओं की जानकारी बनाए रखें

D. स्वास्थ्य शिक्षा गतिविधियों को बढ़ावा देना

33. एक गर्भवती महिला प्रसूति से 7 दिन पहले अस्पताल आती है, उसका हीमोग्लोबिन 8 ग्राम/डीएल से कम है, उसके लिए सबसे उपयुक्त इलाज क्या होगा?

A. मुँह द्वारा ली जाने वाली आयरन की गोलियाँ

B. इंजेक्शन द्वारा दिया जा सकने वाला आयरन नियमन

C. माँ को स्वच्छ (डीवॉर्म) करना

D. रक्त चढ़ाना

34. दवाओं के लिए तीव्रग्राहिता (एनाफीलेक्सिस) का इलाज किसके द्वारा किया जाता है?

A. ऑक्सीजन की दवा देकर

B. नीबूलाईजेशन

C. एड्रेनालाईन इंजेक्शन द्वारा

D. नसों में तरल पदार्थ डालकर

35. प्रसव का दूसरा चरण निम्न में से किसका चरण होता है?

A. गर्भाशय ग्रीवा के फैलने का

B. गर्भाशय के संकुचन और त्याग का

C. अपरा वितरण का

D. भ्रूण के निष्कासन का

36. निम्नलिखित में से _______ को छोड़कर, बाकी सभी वेक्सिन, बैक्टीरिया या वायरस को मारकर बनायी जाती हैं?

A. हैजा B. BCG

C. काली खाँसी D. टिटनस

37. यदि एक व्यक्ति को एन्टीसाइकोटिक दवाई दी जा रही है, उसमें अचानक मांसपेशी में अकड़न, बुखार, चेतना में कमी, कंपकपाहट, सांस लेने में तकलीफ लक्षण होते हैं, तो निदान है?

A. एलर्जी

B. न्यूरोलेप्टिक मैलगनेन्ट सिन्ड्रोम

C. E.P.S.

D. उपरोक्त में से कोई नहीं

38. एक वयस्क रोगी के ear में drop डालनी हो तो side lying position के पश्चात् auditory canal को सीधा करने के लिए Pinna को खीचेंगे।

A. Upward & forward

B. Upward & backward

C. Downward & backward

D. Downward & forward

39. Hyper parathyroidism का उपचार है:

A. दवाइयां

B. कैल्सियम ग्लुकोनेट

C. सभी चारों ग्रन्थियों को हटाना

D. सभी ग्रन्थियों को हटाना + कटे हुए उत्तक को बांह में स्थापित करना

40. Hypertension के कारण Kidney में होने वाला परिवर्तन कहलाता है:

A. नेफ्रोपटोसिस
B. पॉलीसिस्टिक किडनी
C. नेफ्रोस्केलोरीयोसिस
D. हाइड्रोनेफ्रोसिस

41. किडनी में सबसे अधिक पायी जाने वाली जन्मजात विकृति है?

A. किडनी में ट्यूमर होना
B. किडनी में सिस्ट मिलन
C. Renal pelvis का दो होना
D. उपरोक्त में से कोई नहीं

42. एम्नियोटिक तरल में मीकोनियम (meconium) का होना तय करता है:

A. Rh Incompatibility को
B. IUGR को
C. Foetal distress को
D. Death को

43. पानी का Bacteriological standard है?

A. पानी के 95% sample में कोई coliform organisms नहीं होना चाहिए।
B. प्रत्येक 100 ml में कोई ई. कोलाई नहीं होना चाहिए
C. प्रत्येक 100 ml में 10 से अधिक कोलीफॉर्म नहीं होना चाहिए
D. उपरोक्त सभी

44. एन्टीजन का वो भाग जो एन्टीबॉडी बनाता है, कहलाता है?

A. Epitopes B. Hepatan
C. Clone D. Paratop

45. Schizophrenia के रोगी में नर्सिंग कार्य नहीं है:

A. मरीज को EPS के बारे में न बतायें
B. मरीज को ECT के बारे में बतायें
C. मरीज के भ्रम में कमी लाना
D. मरीज के पोषण का ध्यान रखना

46. यदि एक रोगी को लिथियम दवाई दी जा रही है तो Nurse को मरीज के diet के बारे में ध्यान रखना है:

A. पानी की मात्रा अधिक देनी
B. हाइपोनेट्रीमिया को रोकना
C. प्रोटीन व कार्बोहाइड्रेट की अच्छी मात्रा
D. उपरोक्त सभी

47. जब स्तनपान की कमी को पूर्ण करने के लिए स्तनपान के तुरन्त बाद ही अतिरिक्त दूध दिया जाता है तो यह कहलाता है:

A. Supplementary feeding
B. Complementary feeding
C. Extra feeding
D. Necessary feeding

48. जब हाथ की हथेली शिशु के गाल के सम्पर्क में लाई जाती है तो शिशु अपना सिर उसी ओर माता का स्तनाग्र ढूँढ़ने के लिए मोड़ लेता है यह कहलाता है:

A. Sucking reflex B. Rooting reflex
C. Landau reflex D. Moro reflex

49. यदि एक Tetralogy of fallot से ग्रसित बच्चा हो और इसमें dyspnea की शिकायत हो तो प्रबंधन है:

A. Anemia को सही करना
B. Knee chest position
C. Humidified oxygen
D. उपरोक्त सभी

50. Rh असंगति की जोखिम का पता लगाने हेतु करेंगे?

A. ABO ब्लड ग्रुप परीक्षण व रिसस का प्रकार लेंगे
B. Rh-Negative में एन्टीबॉडी परीक्षण करेंगे
C. एन्टीबॉडी की मात्रा का पता लगायेंगे
D. उपरोक्त सभी

51. निम्नलिखित में से कौन-सी धमनी प्राथमिक रूप से हृदय की अग्रवर्ती भित्ति को पोषित करती है?

A. परिवेष्टक धमनी
B. आंतरिक स्तन धमनी
C. बायीं अग्रवर्ती अवरोही धमनी
D. दायीं हृद धमनी

52. मास्लों की आवश्यकता अनुक्रम उन नर्सों के लिए उपयोगी है जो सतत रोगी की नर्सिंग आवश्यकताओं को अग्रता देती है। सर्वाधिक आधारभूत अथवा प्रथम स्तर आवश्यकता में समाहित है:

A. सम्मान तथा स्वमान
B. स्व-यथार्थ बनाना
C. प्यार तथा सम्पत्ति
D. हवा, पानी तथा भोजन

53. एक मरीज जिसे वेन्ट्रोपेरिटोनियल शन्ट (VP Shunt) लगाया गया है वह चिड़चिड़ापन, सिरदर्द, धुंधली रोशनी, शरीर दर्द और चौड़ी नाड़ी दबाव के लक्षणों के साथ आता है। परिचारिका को क्या शंका होनी चाहिए?

A. मस्तिष्क ट्यूमर
B. मस्तिष्क के अन्दर का उच्च दबाव
C. बेहोशी
D. निद्रा का व्यतिक्रम

54. एक नर्स 'गर्भावस्था के दौरान उच्च रक्तचाप' के मरीज का रक्तचाप _______ की आशा करती है।

A. खड़े और बैठे रहने पर 150/100 mmHg होने
B. बढ़ा होने और सिरदर्द होने
C. सामान्य से ऊपर होने और प्रत्येक नाप अलग-अलग होने
D. 30/15 mmHg सामान्य से ऊपर होने, जो दो बार 6 घंटे के अन्तराल पर लिया गया हो

55. पेरीटोनियल डायलिसिस करते वक्त डायलेसेट पेट में डालते समय क्या करना चाहिए जिससे रोगी आरामपूर्वक रहे?

A. डायलेसेट के बहाव को बढ़ाना
B. बिस्तर सिर के तरह उठाना
C. रोगी को करवट बदलाना
D. द्रव्य को लगाने के पहले ठंडा करना

56. एक सी.ओ.पी.डी. के रोगी जिसको 'सेकेन्डरी पालीसायथिमिया' हुआ है। नर्सिंग की देखभाल में क्या निदान होगा?

A. खून के बहने से द्रव्य की कमी देखना
B. खून का थक्का बनने से ऊतक में खून का बहाव देखना
C. साँस फूलने से कार्य करने की अक्षमता
D. प्रतिरोध क्षमता कम होने से संक्रमण का खतरा

57. एक रोगी का सही रक्तचाप कैसे नापा जा सकता है?

A. एक कफ जो बाँह के ऊपरी एक-तिहाई भाग को ढक सके
B. कफ 4" एन्टिक्यूबिटल स्पेस के ऊपर रख करके
C. ऐसा कफ जो बाँह के दो-तिहाई भाग को ढक सके
D. 'कोरोटकॉफ ध्वनि' की पहचान करके और सिस्टोलिक रीडिंग को पहले ध्वनि के 10 mmHg के बाद लेना

58. एक रोगी को ओपेन हार्ट सर्जरी के बाद 102°F (38.8°C) बुखार हो जाता है। नर्स चिकित्सक को बताती है क्योंकि बढ़ा हुआ तापमान दर्शाता है:

A. कार्डियाक आउटपुट का बढ़ना
B. मस्तिष्क में सृजन
C. खून रिसाव की प्रारंभिक पहचान
D. संभवतः डायफोरिसिस एवं चिलिंग

59. एक शिशु में म्यूकस की वजह से साँस फूलने पर, नर्स का पहला कार्य क्या होगा?

A. सावधानीपूर्वक शिशु के पीठ को ठोकना
B. वक्ष को दबाना एवं कार्डियोपल्मोनरी रिससिटेशन देना
C. पैर को पकड़कर शिशु को उठाना
D. कोर सदस्यों को बुलाना

60. विद्युत-आपेक्षी (Electroconvulsive) चिकित्सा का तात्कालिक दुष्प्रभाव क्या है?

A. अस्थायी रूप से स्मृति की हानि और भ्रम
B. अस्थिभंग और अव्यवस्थित हड्डियां
C. दिल का दौरा (Myocardial infarcation) और पूर्ण हृदरोध (cardiac arrest)
D. स्थायी रूप से स्मृति हानि और मस्तिष्क क्षति

61. प्रसव के दौरान बच्चे के निकलने वाले हिस्से के सामने आंतरिक ओ.एस. (OS) के ऊपर स्थित भ्रूण की रक्त वाहिका को क्या कहा जाता है?

A. कॉर्ड प्रोलैप्स B. कॉर्ड प्रेजेंटेशन

C. अकल्ट कॉर्ड प्रोलैप्स D. वासा प्रेविया

62. निम्नलिखित में से कौन-सा नर्सिंग निदान में संक्रमण के लिए जोखिम का एक उदाहरण है?

A. वेलनेस नर्सिंग डायग्नोसिस (Wellness Nursing Diagnosis)

B. डायग्नोस्टिक नर्सिंग डायग्नोसिस (Diagnostic Nursing Diagnosis)

C. रिस्क नर्सिंग डायग्नोसिस (Risk Nursing Diagnosis)

D. एक्चूअल नर्सिंग डायग्नोसिस (Actual Nursing Diagnosis)

63. एक नैदानिक इकाई जहाँ गर्भपात की प्रक्रिया शुरू हो चुकी है, लेकिन ऐसी स्थिति में प्रगति नहीं हुई है जिससे रिकवरी असंभव हो सके:

A. त्वरित गर्भपात B. संभावित गर्भपात

C. अपरिहार्य गर्भपात D. विफल गर्भपात

64. निम्नलिखित में से गलत विकल्प की पहचान करें।

A. स्वास्थ्य एक अवस्था है और एकीकृत होने वाला एक प्रक्रिया है

B. अनुकूली प्रतिक्रिया वह है जो मानव तंत्र के लक्ष्यों के संदर्भ में समग्र रूप से योगदान नहीं देते हैं

C. अनुकूलन स्तर तीन विभिन्न स्तरों पर वर्णित जीवन प्रक्रियाओं की स्थिति का प्रतिनिधित्व करता है: एकीकृत, प्रतिपूरक और समझौता

D. नर्सिंग का लक्ष्य व्यक्तियों और समूहों के लिए अनुकूलन को बढ़ावा देना है

65. सिद्धांत जो नर्सिंग व्यवसाय की एक विस्तृत शृंखला के लिए और बुनियादी नर्सिंग घटनाओं को समझने के लिए एक एकीकृत ध्यान प्रदान करने का इरादा रखता है: क्लाइंट, पर्यावरण, स्वास्थ्य और नर्सिंग:

A. रॉय के नर्सिंग के सिद्धांत

B. न्यूमैन के नर्सिंग के सिद्धांत

C. नाइटिंग्रेल के नर्सिंग के सिद्धांत

D. नर्सिंग के स्कूडर थ्योरी

66. नर्सिंग शोध का प्राथमिक कार्य है:

A. रोगी देखभाल के लक्ष्यों को निर्धारित करने और प्राप्त करने के लिए निर्देशित दूसरों के कार्यों के लिए जिम्मेदारियों को उत्तेजित करना

B. नर्सिंग अभ्यास के वैज्ञानिक आधार में योगदान करने के लिए

C. व्यक्तिगत रोगियों की स्वास्थ्य देखभाल और जरूरतों को पूरा करने के लिए, उनके परिवार और अन्य महत्वपूर्ण

D. किसी दिए गए रोगी की व्यक्तिगत नर्सिंग देखभाल के लिए पूरी जिम्मेदारी स्वीकार करने के लिए

67. उद्दीपक के प्रतिक्रिया स्वरूप वर्तमान ऐंटीबॉडी के स्तर में वृद्धि होना कहलाता है?

A. तीव्रग्राहिकता विषयक प्रतिक्रिया

B. आनुवंशिक प्रतिक्रिया

C. एक्ग्लिटिनेशन रिएक्शन

D. शीघ्र प्रतिक्रिया

68. निम्नलिखित में से कौन-सा कथन असत्य है?

A. शिशु के विकास के लिए खेल महत्वपूर्ण है।

B. नवजात अक्सर उन अभिव्यक्तियों की नकल करते हैं जिन्हें वह देखता है।

C. झुनझुना नवजात शिशुओं के लिए सर्वश्रेष्ठ खिलौना है।

D. 8 महीनों में बच्चे स्टैकिंग खिलौनों का आनन्द लेते हैं।

69. वह चरण जिसमें अंडाशय के कूप की परत कोशिकाओं को प्रोजेस्टेरोन और एस्ट्रोजेन का उत्पादन करने के लिए कॉर्पस लिट्यूम को विकसित करने के लिए हार्मोन को लेते हुए प्रेरित किया जाता है:

A. मासिक धर्म चरण B. प्रजनन चरण

C. स्रावी D. पुटकीय चरण

70. व्यावहारिक नर्सिंग कार्यक्रमों के दौरान विकसित किए गए हैं:

A. उन्नीसवीं सदी की पहली छमाही
B. बीसवीं सदी की पहली छमाही
C. उन्नीसवीं सदी की दूसरे छमाही
D. बीसवीं सदी की दूसरे छमाही

71. सूची-I एवं सूची-II का सही मिलान कीजिए।

सूची-I (शरीर रचना विज्ञान)	सूची-II (संबंधित तथ्य)
(*a*) शरीर में पेशियों की संख्या	1. 120 दिन
(*b*) RBC का जीवनकाल	2. 8 प्रतिशत
(*c*) शरीर में रक्त कुल शरीर के वजन का होता है	3. 3-6 मिनट
(*d*) रक्त का स्कंदन काल	4. 639

कूटः

	(*a*)	(*b*)	(*c*)	(*d*)
A.	4	1	2	3
B.	1	2	3	4
C.	2	3	4	1
D.	3	2	1	4

72. निम्नलिखित में से कौन-सा कथन सत्य है?

1. एन्जिना पेक्टोरिस में छाती में दर्द होता है जो कि हृदय की मध्य भित्ति (Myocardium) में रक्त की आपूर्ति (Supply) कम होने से होती है।
2. पल्मानरी फंक्शन परीक्षण (PFT) में श्वसन संबंधी बीमारियों के बारे में पता लगाया जाता है।

कूटः

A. केवल 1 B. केवल 2
C. 1 एवं 2 दोनों D. न तो 1 एवं न ही 2

73. दिए गए कथनों में से सही कथन की पहचान कीजिए।

1. ब्रोन्कियल ग्रेविडेरम् एक असामान्य मानसिक स्थिति है यह कोई बीमारी नहीं है, पर इस शब्द का इस्तेमाल अक्सर किसी भी भ्रम का वर्णन करने के लिए किया जाता है।
2. टीका, जैविक पदार्थ है जो किसी बीमारी विशेष के खिलाफ प्रतिरक्षा प्रदान करता है।

कूटः

A. केवल 1 B. केवल 2
C. 1 एवं 2 दोनों D. न तो 1 एवं न ही 2

74. सूची-I एवं सूची-II को सही सुमेलित कीजिए।

सूची-I (चिकित्सीय उपकरण)	सूची-II (संबंधित परीक्षण)
(*a*) Endoscopies	1. मलाशय एवं गुदा मार्ग का परीक्षण
(*b*) Bronchoscopy	2. बड़ी आंतों के निचले भागों का परीक्षण
(*c*) Proctoscopy	3. किसी भी गुहा (Blind end) का चिकित्सीय जाँच
(*d*) Sigmoidoscopy	4. श्वसनी परीक्षण होता है

कूटः

	(*a*)	(*b*)	(*c*)	(*d*)
A.	1	2	3	4
B.	4	2	1	3
C.	2	4	1	3
D.	3	4	1	2

75. निम्न में से कौन-सा कथन विटामिन D के लिए सही नहीं है?

A. यह कैल्सीफेरॉल होता है जो आँत्र में कैल्सियम एवं फॉस्फोरस के अवशोषण को नियंत्रित करता है
B. यह आरगोस्टेरॉल होता है
C. विटामिन डी, दाँतों एवं हड्डियों की वृद्धि हेतु आवश्यक है
D. इसकी कमी से कीलोसिस रोग हो जाता है

76. एन्जाइम, विटामिन तथा हारमोनों को जैव रसायनों की एक श्रेणी में वर्गीकृत किया जा सकता है क्योंकि ये सभी–

A. प्रोटीन हैं
B. आक्सीडेटिव उपापचय को बढ़ाते हैं
C. उपापचय को नियन्त्रित करते हैं
D. किसी जीव के शरीर में संश्लेषित होते हैं।

77. मक्खन वायु से उद्भासित होने से खराब हो जाती है, जबकि अन्य वसाएँ अपरिवर्तित रहती हैं, इसका कारण है–

A. यह असंतृप्त वसा होती है
B. यह संतृप्त वसा होती है
C. इसमें हाइड्रोजन परमाणु अधिक होते हैं
D. जीवाणुओं द्वारा मक्खन का रासायनिक संगठन परिवर्तित होकर दुर्गन्धमय हो जाता है

78. Testis का सामान्य मार्ग से अतिरिक्त और कहीं पाया जाना कहलाता है:

A. Ectopic testis
B. Incomplete Descended Testis
C. Cryptorchidism
D. उपरोक्त सभी

79. जब Aneurysm में धमनी की पूरी परिधि सम्मिलित हो तो कहलाता है?

A. सेक्यूलर एन्यूरिज्म B. फ्यूजीफोर्म एन्यूरिज्म
C. डिसेक्टिंग एन्यूरिज्म D. उपरोक्त में से नहीं

80. नेत्र में Accomodation से अभिप्राय है?

A. नेत्र का विभिन्न दूरियों पर स्थित वस्तुओं को देखने के लिए समायोजित होना
B. नेत्र की कार्यक्षमता
C. नेत्रों का खराब होना
D. नेत्रों से कम दिखाई देना

81. किसी नेत्र के रोग में द्वितीयक रूप से cataract विकसित हो तो कहलाता है?

A. Primary cataract
B. Senile catract
C. Complicated cataract
D. Infective cataract

82. Weber test किसके लिए किया जाता है?

A. Air conduction के लिए
B. Bone conduction के लिए
C. Air व Bone conduction की तुलना के लिए
D. उपरोक्त सभी

83. मानव में रोग फैलाने वाले आर्थोपोडा का अध्ययन कहलाता है?

A. Medical insect
B. Medical biology
C. Medical entomology
D. Medical Arthropods

84. आर्थोपोडा के नियंत्रण के लिये Sterile male technique कहलाती है?

A. पर्यावरण नियंत्रण B. रासायनिक नियंत्रण
C. जैविक नियंत्रण D. जेनेटिक नियंत्रण

85. एक School Hostel में एक लड़के को Chicken pox हो गया है तो सबसे सही कदम है?

A. सभी लड़कों का टीकाकरण करना
B. लड़के को आइसोलेशन में रखेंगे
C. लड़के को वापस घर भेज देंगे
D. उपरोक्त सभी

86. Emergency में एक रोगी आया जिसमें कोई Heart Sound Audible नहीं है, Carotid Pulse Palpaple नहीं है व कोई Respiration नहीं है तो सर्वप्रथम करेंगे:

A. Cardiac massage
B. Removing any Secretion in mouth
C. O_2 pumping
D. I.V. Drip

87. Hyperemsis gravidum होती है:

A. गर्भवस्था में होने वाली सामान्य उल्टियाँ
B. गर्भावस्था में डायबिटिस के कारण होने वाली उल्टियाँ
C. गर्भावस्था में होने वाली अत्यधिक उल्टियाँ
D. सभी प्रकार की उल्टियाँ

88. हीमोलाइटिक बीमारी का सबसे गम्भीर प्रकार है:

A. हाइड्रोप्स फिटेलिस
B. जन्मजात हिमोलाइटिक ऐनीमिया
C. नवजात शिशु में जन्मजात पीलिया
D. उपरोक्त सभी

89. Meningo Myolocele के Nusring Care के बारे में सत्य नहीं है:

A. स्तन पान जारी रखना है
B. Fluid and Electrolyte Balance रखना
C. Application of Ice Pack
D. Advice Genetic Counselling

90. व्यवहार चिकित्सा का प्रकार, जिसमें मरीज को बार-बार उसी वस्तु से सामना कराया जाता है, जो उसमें भय उत्पन्न करती है, कहलाता है:

A. Modelling
B. Flooding
C. Milieu therapy
D. उपरोक्त में से कोई नहीं

91. नर्स को मानसिक रोगी के साथ Communication के समय उपयोग करना चाहिए?

A. Freud method B. Erikson method
C. Ladder method D. Sullivan method

92. यदि एक रोगी को लिथियम दवाई दी जा रही है तो Nurse को मरीज के diet के बारे में ध्यान रखना है:

A. पानी की मात्रा अधिक देनी
B. हाइपोनेट्रीमिया को रोकना
C. प्रोटीन व कार्बोहाइड्रेट की अच्छी मात्रा
D. उपरोक्त सभी

93. किसी व्यक्ति का अचानक, बिना किसी पूर्व सूचना के घर छोड़कर भाग जाना, साथ ही साथ अपने जीवन की पुरानी घटनाओं को याद करने में असमर्थ रहना एवं अपनी नई पहचान के साथ जीवन की शुरूआत करना रोग है:

A. Multiple personality
B. Dissociative fugue
C. Schizophrenia
D. O.C.D.

94. उपचारात्मक तकनीक जिसमें मरीज अपनी दमित भावनाओं के बारे में खुलकर बात करता है एवं अपने दुखद अचेतन अनुभवों से मुक्ति पाता है:

A. हिप्नोसिस B. एबरिएक्शन
C. साइकोएनालाइसिस D. व्यवहार चिकित्सा

95. नर्सिंग प्रक्रिया का भाग है:

A. मरीज की समस्या की पहचान करना
B. मरीज की समस्या समाधान हेतु योजना बनाना
C. योजना का क्रियान्वयन करना
D. उपरोक्त सभी

96. Hypochondriasis नामक मनोरोग का नर्सिंग प्रबंधन नहीं है:

A. मरीज के प्रति सहानुभूतिपूर्वक व्यवहार
B. मरीज के Lab investigation की जांच
C. मरीज के विस्तृत रूप से बीमारी के लक्षणों पर चर्चा
D. उपरोक्त में से कोई नहीं

97. यदि किसी व्यक्ति में कोई विचार स्थायी, अनैच्छिक रूप से बार-बार आता है व इस विचार के परिणामस्वरूप वह अतार्किक रूप से किसी क्रिया को बार-बार करता है, तो व्यक्ति रोग से ग्रसित है?

A. Mania
B. Obessive compulsive disorder (DCN)
C. Schizophrenia
D. Depression

98. जब गर्भस्थ शिशु मृत हो जाता है और गर्भाशय में ही रुक जाता है तो कहलाता है:

A. Incomplete Abortion
B. Inevitable Abortion
C. Septic Abortion
D. Missed Abortion

99. संक्रमिक गर्भपात (Septic Abortion) में विषैला आघात का मुख्य कारण है:

A. प्रोटीयस
B. ई. कोलाई व कोलेस्ट्रेडियम वेल्वाई
C. स्ट्रेप्टोकोकस
D. स्यूडोमोनास

100. यदि गर्भपात शुरू हो चुका है पर गड़बड़ी इतनी कम है कि गर्भावस्था को पूर्ण अवधि तक निरंतर रखा जा सकता है। यह कहलाता है:

A. Threatened Abortion
B. Incomplete Abortion
C. Inevitable Abortion
D. उपरोक्त में से कोई नहीं

उत्तरमाला

1	2	3	4	5	6	7	8	9	10
D	C	B	C	D	D	D	D	B	C
11	12	13	14	15	16	17	18	19	20
B	C	C	B	A	C	D	B	D	A
21	22	23	24	25	26	27	28	29	30
D	A	C	C	A	A	B	C	C	C
31	32	33	34	35	36	37	38	39	40
A	B	D	C	D	B	B	B	D	A
41	42	43	44	45	46	47	48	49	50
C	C	D	A	A	D	B	B	D	D
51	52	53	54	55	56	57	58	59	60
C	D	B	D	C	B	C	A	C	A
61	62	63	64	65	66	67	68	69	70
D	C	B	B	B	B	B	C	C	B
71	72	73	74	75	76	77	78	79	80
A	C	B	D	D	C	D	A	B	A
81	82	83	84	85	86	87	88	89	90
C	C	C	C	B	B	C	A	C	B
91	92	93	94	95	96	97	98	99	100
C	D	B	B	D	C	B	D	B	A

प्रैक्टिस सेट 7

1. निम्नलिखित में से कौन-सा घर-आधारित प्रसवोत्तर देखभाल के लिए अनुशंसित अभ्यास नहीं है?
A. मौखिक पोलियो वैक्सीन का घरेलू प्रशासन
B. नवजात पीलिया का आकलन
C. दैनिक पेरिनियल स्वच्छता
D. नियमित एपीसीओटॉमी निरीक्षण

2. शिशु की बढ़ती पोषण और विकास संबंधी आवश्यकताओं को पूरा करने के लिए किस उम्र में आहार में ठोस पदार्थ शामिल करना चाहिए?
A. लगभग 6 महीने   B. लगभग 12 महीने
C. लगभग 15 महीने   D. लगभग 2 महीने

3. इम्युनोग्लोबुलिन, जिसे एंटीबॉडी भी कहा जाता है, निम्नलिखित में से किसके द्वारा निर्मित होते हैं?
A. मस्तूल कोशिकाएँ
B. टी लिम्फोसाइट्स
C. प्लेटलेट्स
D. बी लिम्फोसाइट्स

4. सामुदायिक स्वास्थ्य टीमों में व्यावसायिक चिकित्सक मुख्य रूप से व्यक्तियों की मदद करते हैं:
A. पुरानी चिकित्सीय स्थितियों का इलाज करके
B. दवाएँ लिखकर और प्रशासित करके
C. दैनिक गतिविधियों को करने की उनकी क्षमता में सुधार करके
D. केवल व्यावसायिक चोटों से उबर के

5. स्वास्थ्य देखभाल प्रबंधन में, साक्ष्य-आधारित अभ्यास (ईबीपी) महत्वपूर्ण है क्योंकि यह:
A. सर्वोत्तम उपलब्ध शोध जानकारी के साथ नैदानिक अनुभव को एकीकृत करता है
B. पूरी तरह से ऐतिहासिक प्रथाओं पर निर्भर करता है
C. नैदानिक निर्णय लेने में वर्तमान अनुसंधान के उपयोग को हतोत्साहित करता है
D. केवल नर्सों पर लागू होता है, डॉक्टरों पर नहीं

6. प्रसव के दौरान मेकोनियम-रंजित एमनियोटिक द्रव की उपस्थिति निम्नलिखित में से किसमें सबसे अधिक चिंताजनक है?
A. बहुभ्रूण गर्भधरण (Multifetal pregnancies)
B. अपरिपक्व प्रसूति
C. ब्रिच प्रेजेंटेशन
D. पोस्ट-टर्म गर्भधारण

7. सामान्य योनि प्रसव के दौरान फटने के जोखिम को कम करने के लिए पेरिनेम को सहारा देने के लिए इस्तेमाल की जाने वाली तकनीक को _______ के रूप में जाना जाता है।
A. एपिसियोटोमी
B. फंडल दबाव
C. मैकरॉबर्ट्स मैन्यूवर
D. रिटगेन का मैन्यूवर

8. थर्मोलैबाइल सामग्रियों के लिए कौन-सी स्टरलाइजेशन विधि सबसे उपयुक्त है?

A. आयोनाइजिंग विकिरण

B. एथिलीन ऑक्साइड स्टरलाइजेशन

C. भाप ऑटोक्लेविंग

D. ड्राई हीट स्टरलाइजेशन

9. निम्नलिखित में से कौन-सी एक्यूट नर्सिंग केयर सेटिंग की विशेषता है?

A. प्राकृति वातावरण का परिवार के साथ साझा किया जाना

B. ग्राहक के मूल्यों के आधार पर पारस्परिक रूप से तय किए गए हस्तक्षेपों के साथ स्वायत्त अभ्यास

C. बीमारी के साथ विरोधाभास और देखभाल का उद्देश्य बीमारी को खत्म करना

D. परिवार की सामग्री में देखा गया ग्राहक

10. _______ वृषण के बगल में कुंडलित नलिका है जहां शुक्राणु परिपक्व होते हैं और थोड़े समय के लिए संग्रहीत हो सकते हैं।

A. वास डेफरेंस

B. अंडकोश

C. सेमीनिफरस टयूब्स

D. अधिवृषण

11. स्वास्थ्य देखभाल रिकॉर्ड में ICD-10 जैसी कोडिंग प्रणालियों का उपयोग मुख्य रूप से निम्न कार्य करता है:

A. रोगियों के लिए चिकित्सा शब्दावली को सरल बनाने में कार्य करता है।

B. स्वास्थ्य सेवा प्रदाताओं की व्यक्तिगत राय रिकॉर्ड करता है।

C. रोगी रिकॉर्ड में विस्तृत विवरण प्रदान करता है।

D. चिकित्सा प्रक्रियाओं और निदानों का मानकीकृत कोड में अनुवाद करता है।

12. पोषण पर बाल स्वास्थ्य शिक्षा का ध्यान निम्न में से किस पर केंद्रित होना चाहिए?

A. पहले कुछ मीहनों में गाय का दूध पेश करने पर

B. फार्मूला दूध के विशेष उपयोग पर

C. वृद्धि और विकास के लिए संतुलित आहार के लाभ पर

D. तरल पदार्थ का सेवन प्रतिबंधित करने पर

13. गर्भवती महिला में गंभीर एनीमिया होने पर निम्नलिखित में से कौन-सी कार्रवाई की जाती है/हैं?

1. महिला को आइएफए गोलियों की दोहरी खुराक देना शुरू करना।
2. दूसरी तिमाही से ही एल्बेंडाजोल देना शुरू करना
3. उसे एफआरयू में डिलीवरी के लिए सलाह देना
4. यदि बीपी > 160/110 mmHg है, तो निफेडिपिन लेना शुरू करना

A. 1, 2, 3 एवं 4　　B. केवल 2 एवं 4

C. केवल 1, 3 एवं 4　　D. केवल 1, 2 एवं 3

14. जन्मजात प्रतिरक्षा प्रणाली की एक प्रमुख विशेषता निम्न में से क्या है?

A. धीमी प्रतिक्रिया समय

B. सामान्य और गैर-विशिष्ट रक्षा तंत्र

C. प्रत्येक रोगजनक के लिए विशिष्टता

D. पिछले संक्रमणों को याद रखने की क्षमता

15. निम्नलिखित में से कौन सामुदायिक स्वास्थ्य नर्सिंग के जिला नर्सिंग स्टेज के मुद्दे हैं?

1. अप्रवासियों की संख्या में वृद्धि
2. शहर की मलिन बस्तियों में भीड़भाड़ का बढ़ना
3. अपर्याप्त स्वच्छता प्रथाएँ
4. औद्योगिक क्रांति में वृद्धि

A. केवल 1, 2 एवं 3　　B. केवल 2 एवं 4

C. केवल 1, 3 एवं 4　　D. केवल 1 एवं 3

16. सरकार की कौन-सी योजना गर्भवती महिलाओं को हर महीने के 9वें दिन एक विशेषज्ञ/चिकित्सा अधिकारी द्वारा एक निश्चित दिन, निःशुल्क सुनिश्चित और गुणवत्तापूर्ण प्रसवपूर्ण जांच प्रदान करती है?

A. सुरक्षित मातृत्व आश्वासन (सुमन)

B. जननी सुरक्षा योजना (जेएसवाई)

C. प्रधानमंत्री सुरक्षित मातृत्व अभियान (पीएमएसएमए)

D. जननी शिशु सुरक्षा कार्यक्रम (जेएसएसके)

17. प्रसव के दौरान होने वाले परिवर्तनों में निम्न में से किसे छोड़कर शेष सभी परिवर्तन शामिल हैं?

A. दूसरे सप्ताह के अंत तक गर्भाशय एक श्रोणीय अंग (Pelvic organ) बन जाता है।

B. अंतर्गर्भाशयकला का पुनर्जनन 7वें दिन से शुरू होता है और 16वें दिन तक पूरी तरह से प्रत्यावतित (Restore) हो जाता है।

C. गर्भाशय ग्रीवा का बाहरी भाग 6 सप्ताह में वापस अप्रसवा अवस्था में आ जाता है।

D. 6 सप्ताह के अंत में गर्भाशय का आकार लगभग गैर-गर्भवती अवस्था के समान हो जाता है।

18. यदि नर्सिंग क्रिया किसी रोग की प्रगति को उसकी प्रारंभिक अवस्था में ही पकड़ लेती है और जटिलताओं को रोक देती है, तो इसे क्या कहा जाता है?

A. प्राथमिक निवारण

B. द्वितीयक निवारण

C. आदिम निवारण

D. तृतीयक निवारण

19. गर्भावस्था के दौरान या गर्भावस्था की समाप्ति के 42 दिनों के भीतर महिलाओं की मृत्यु, जिसमें गर्भावस्था की अवधि और स्थल पर ध्यान नहीं दिया जाता है, वह है:

A. मातृ मृत्यु दर B. नवजात मृत्यु दर

C. मातृ नवजात दर D. मातृ प्रजनन दर

20. प्रसव के तरंत बाद नवजात शिशु की देखभाल करते समय निम्नलिखित में से कौन सबसे प्राथमिकता वाला नर्सिंग हस्तक्षेप है?

A. ब्लड शुगर की जाँच करें

B. प्रारंभिक स्नान कराएं

C. विटामिन K का इंजेक्शन दें

D. बच्चे को सुखाना

21. नर्सिंग कर्मियों के निरंतर सुधार के उद्देश्य से की जाने वाली गतिविधियों को कहा जाता है:

A. निरोधक B. कर्मचारी विकास

C. पर्यवेक्षण D. जनसंपर्क

22. मासिक धर्म चक्र के दौरान निम्नलिखित में से किस एक को छोड़कर अन्य सभी परिवर्तन होते हैं?

A. प्रकली प्रावस्था में एस्ट्रोजन का स्तर बढ़ जाता है और स्रावी प्रावस्था में प्रोजेस्टेरोन का स्तर बढ़ जाता है।

B. प्रकली प्रावस्था में एफएसएच (FSH) स्तर बढ़ जाता है और स्रावी प्रावस्था में एलएच (LH) स्तर बढ़ जाता है।

C. पुटिका प्रावस्था में गर्भाशय ग्रीवा का बलगम पतला और पानी जैसा होता है और पीतपिंड प्रावस्था में गाढ़ा और चिपचिपा होता है।

D. फर्न के पेड़ का पैटर्न और स्पिनबार्किट की उपस्थिति पीतपिंड प्रावस्था में देखी जाती है।

23. यदि नर्सिंग प्रयास बच्चों को हानिकारक जीवनशैली अपनाने से हतोत्साहित करने के लिए निर्देशित हैं, तो इसे _______ कहा जाता है।

A. प्राथमिक रोकथाम

B. द्वितीयक रोकथाम

C. आदिकालिक रोकथाम

D. तृतीयक रोकथाम

24. अन्तर्राष्ट्रीय नर्स परिषद् के संबंध में कौन-सा कथन सही नहीं है?

A. यह सभी के लिए नर्सिंग देखभाल की गुणवत्ता सुनिश्चित करता है।

B. यह नर्सिंग ज्ञान के प्रगति में सहायता करता है।

C. यह सुयोग्य व संतुष्ट नर्सिंग कार्यबल बनाना सुनिश्चित करता है।

D. विश्व में ठोस स्वास्थ्य नीति बनाने में इसका योगदान नहीं के बराबर है।

25. एक नर्स यह निर्धारित करती है कि रोगी के लिए एक फ्रैक्चर बेडपैन का उपयोग किया जाना चाहिए जो _______।

A. रीढ़ की हड्डी में चोट लगी है

B. बेडरेस्ट पर है

C. मनोभ्रंश है

D. मोटापे से ग्रस्त है

26. नर्स को स्टेथोस्कोप के डायफ्राम का उपयोग निम्नलिखित में से किसका ऐस्कल्टेट करने के लिए करना चाहिए?

A. हृदय में मर्मरध्वनि B. जुगुलर वेनस ह्यूम्स
C. आंत की आवाज D. कैरोटिड ब्रूट्स

27. नर्स एक मरीज को एक प्रोत्साहन स्पाइरोमीटर का उपयोग करना सिखाती है। कौन-सा रोगी परिणाम इस निष्कर्ष का समर्थन करेगा कि प्रोत्साहन स्पाइरोमीटर का उपयोग प्रभावी था?

A. पूरक ऑक्सीजन का उपयोग कम हो जाएगा
B. श्वसन की मात्रा बढ़ाई जाएगी
C. थूक निकल जाना
D. खांसी उत्तेजित होगी

28. नर्स एक पोस्टऑपरेटिव वयस्क रोगी का आकलन कर रही है। निम्नलिखित में से कौन-सा नर्स को व्यक्तिपरक डेटा के रूप में दस्तावेज करना चाहिए?

A. महत्वपूर्ण संकेत
B. प्रयोगशाला परीक्षण परिणाम
C. रोगी का दर्द का विवरण
D. इलेक्ट्रोकार्डियोग्राफिक (ECG) तरंग

29. अस्पताल में मरीज की मृत्यु के बाद नर्स की सबसे महत्वपूर्ण कानूनी जिम्मेदारी ______ होती है।

A. एक शव परीक्षण की सहमति प्राप्त करना
B. कोरोनर या मेडिकल परीक्षक को सूचित करना
C. शव को उचित रूप से लेबल करना
D. यह सुनिश्चित करना कि उपस्थित चिकित्सक मृत्यु प्रमाण-पत्र जारी करता है

30. नर्स मोनिका एक पुरुष रोगी की देखभाल कर रही है, जो वास्तविकता में कोई आधार नहीं के साथ गलत संवेदी धारणा का अनुभव करते हैं, इस धारणा को जाना जाता है:

A. डेलूशन B. भ्रम
C. मतिभ्रम D. अवसाद

31. गर्भावस्था के दौरान, गर्भाशय ग्रीवा में रक्त के प्रवाह में वृद्धि के परिणामस्वरूप गर्भाशय ग्रीवा का रंग नीला-बैंगनी हो जाता है जिसे ______ कहा जाता है।

A. हेगर का चिह्न
B. लैडिन का चिह्न
C. चैडविक का चिह्न
D. मैकडोनाल्ड का चिह्न

32. कशेरुक दंड के संलयन की विफलता से उत्पन्न होने वाली जन्मजात विकृति को क्या कहा जाता है?

A. अमस्तिष्कता B. द्वि-मेरुता
C. जलशीर्ष D. लघुशिरस्कता

33. सूची-I को सूची-II से सुमेलित कीजिए तथा नीचे दिए गए कूट से सही उत्तर चुनिए:

सूची-I (संक्रामक रोग)	**सूची-II (उद्भवन काल)**
(*a*) हैजा	1. 2-7 दिन
(*b*) गलाघोंटू	2. 1-2 दिन
(*c*) खसरा	3. 14-18 दिन
(*d*) गलसुआ	4. 10-14 दिन

कूटः

	(*a*)	(*b*)	(*c*)	(*d*)
A.	1	3	4	2
B.	2	4	1	3
C.	4	1	3	2
D.	2	1	4	3

34. सूची-I को सूची-II से सुमेलित कीजिए तथा नीचे दिए गए कूट से सही उत्तर चुनिए:

सूची-I	**सूची-II**
(*a*) एन्ड्रोइड श्रोणि	1. ट्रांसवर्सली ओवल
(*b*) गायनीकोइड श्रोणि	2. त्रिकोना
(*c*) एंथ्रोपोइड श्रोणि	3. गोल
(*d*) प्लेटीपेलाइड श्रोणि	4. एंटेरियर पोस्टेरियर ओवल

कूटः

	(*a*)	(*b*)	(*c*)	(*d*)
A.	1	4	3	2
B.	2	3	4	1
C.	2	3	1	4
D.	1	2	3	4

35. आई.एम.एन.सी.आई. के वर्गीकरण में गुलाबी रंग का कोड है– क्या करने की जरूरत है?

A. कुछ करने से कोई लाभ नहीं है।

B. अस्पताल भेजने या भर्ती करने की जरूरत है।

C. विशेष इलाज आरंभ करने को इंगित करता है।

D. घरेलू इलाज पर जोर।

36. सूची-I को सूची-II से सुमेलित कीजिए तथा नीचे दिए गए कूट से सही उत्तर चुनिए:

सूची-I	**सूची-II**
(*a*) स्ट्रेटम ल्यूसिडम	1. त्वचा क्षेत्र जहाँ तेजी से कोशिका विभाजन होता है
(*b*) स्ट्रेटम कोर्नियम	2. त्वचा के डर्मिस परत के गहरे क्षेत्र
(*c*) स्ट्रेटम बसेल	3. मृत कोशिकाओं की परत
(*d*) रेटिक्यूलर परत डर्मिस की	4. पारगमन कोशिकाएं जिसमें केराटिन हो

कूटः

	(*a*)	(*b*)	(*c*)	(*d*)
A.	3	2	1	4
B.	4	2	3	1
C.	4	3	1	2
D.	2	4	3	1

37. निम्नलिखित में से कौन-से नर्सिंग निदान में संक्रमण के लिए जोखिम का एक उदाहरण है?

A. वेलनेस नर्सिंग डायग्नोसिस

B. डायग्नोस्टिक नर्सिंग डायग्नोसिस

C. रिस्क नर्सिंग डायग्नोसिस

D. एक्चुअल नर्सिंग डायग्नोसिस

38. मानसिक स्वास्थ्य चिकित्सा का मानक _____ द्वारा प्रकाशित किया जाता है।

A. अमरीकन नर्सेस एसोसिएशन

B. इंडियन नर्सिंग काउंसिल

C. स्टेट नर्सिंग काउंसिल

D. ट्रेन्ड नर्सेस एसोसिएशन ऑफ इंडिया

39. प्रसवपीड़ा में पीड़ा का कारण निम्नलिखित सभी कारक है, सिवाय कि:

A. संकुचन के दौरान मायोमेट्रियल इस्किमिया

B. अप्रभावी सिडेशन

C. फैलाव के दौरान सरवाइकल स्ट्रेचिंग

D. फंडस के ऊपर पेरिटोनियल स्ट्रेचिंग

40. यदि प्रसव के 30 मिनट के भीतर नाल को प्रसूत नहीं किया जाता है, तो इसे निम्न द्वारा हटाया जा सकता है:

A. नियंत्रित कर्षण B. मैनुअल विधि

C. सर्जरी D. उपरोक्त में से कोई नहीं

41. एक नवजात शिशु की प्रसूति होती है और इसमें स्राव दिखाई देता है, इसमें निम्न सक्शन की विधि का अनुसरण किया जाता है:

A. पहले नाक उसके बाद मुंह

B. पहले मुंह उसके बाद नाक

C. मुंह के अंदर गहरा गले तक

D. बच्चे को उल्टा पकड़ें और साफ करें

42. समय पूर्व नवजात, एक शिशु है जो निम्न पर जन्म लेता है:

A. 37 सप्ताह से कम पूर्ण किये हुए गर्भधारण

B. 38 सप्ताह से कम पूर्ण किये हुए गर्भधारण

C. 39 सप्ताह से कम पूर्ण किये हुए गर्भधारण

D. 40 सप्ताह से कम पूर्ण किये हुए गर्भधारण

43. प्राथमिक चिकित्सा प्रदान करते समय, निम्नलिखित सभी व्यक्तियों को खाने या पीने के लिए कुछ भी प्रदान न करें, सिवाय कि:

A. गंभीर रूप से घायल व्यक्ति

B. निद्राग्रस्त व्यक्ति

C. बेहोश हुआ व्यक्ति

D. दस्त और बुखार जिसकी वजह से निर्जलीकरण है

44. डॉ. मेरले मिशेल द्वारा कौन-सा सिद्धांत विकसित किया गया था?

A. बीमारी की अनिश्चितता का सिद्धांत

B. आवश्यकता के सिद्धांत का पदानुक्रम

C. सामाजिक संज्ञानात्मक सिद्धांत

D. कार्य संतुष्टि का सिद्धांत

45. प्रसवपूर्व देखभाल के उद्देश्य निम्नलिखित सभी हैं, सिवाय:

A. माता के स्वास्थ्य को बढ़ावा देने और उसकी रक्षा करने के लिए
B. किशोर गर्भावस्था को रोकने के लिए
C. शिशु गर्भावस्था को रोकने के लिए
D. माता के साथ आने वाले पाँच के नीचे की देखभाल करना

46. नर्स को सौंपे गए रोगी का निदान दाएं तरफ के ह्रदय की विफलता है। इसका आकलन करते समय निम्नलिखित में से किस स्थिति की अपेक्षा नर्स कर सकती है।

A. पेरिफेरल इडिमा
B. मूत्र उत्पादन में कमी
C. सांस लेने में कठिनाई
D. दौरे की गतिविधि

47. हॉर्मोन जारी करते अंतर्गर्भाशयी उपकरणों का कार्य विधि है:

A. अन्तःयोनि में कोशिकीय प्रतिक्रिया को बढ़ाता है
B. ग्रीवा म्यूकस की चिपचिपाहट बढ़ाता है
C. शुक्राणु की गतिशीलता और क्षमता बढ़ाता है
D. प्रत्यारोपण के लिए अनुकूल वातावरण बनाता है

48. नर्स चिकित्सक को रोगी की आरोग्य प्राप्ति में विचलन के बारे में यह समझकर सूचित करती है कि कुछ उपचारात्मक क्रियाएं आवश्यक हैं, यह _____ का एक उदाहरण है।

A. जटिल स्तर की महत्वपूर्ण सोच
B. प्रतिबद्धता स्तर की महत्वपूर्ण सोच
C. बुनियादी स्तर की महत्वपूर्ण सोच
D. उन्नत स्तर की महत्वपूर्ण सोच

49. गर्भावस्था के दौरान उदर (Abdomen) के निचले भाग में बनी सफेद रेखाएँ कहलाती है:

A. प्रेग्नेंसी मास्क B. लीनिया निग्रा
C. स्टेय ग्रेविडेरम D. इनमें से कोई नहीं

50. आवश्यक नवजात देखभाल के मुख्य घटक निम्नलिखित हैं, सिवाय:

A. हाईपोक्सिया के साथ पैदा हुए नए का पुनर्जीवन
B. हाइपोथर्मिया की रोकथाम
C. संक्रमण की रोकथाम
D. व्यवहार संबंधी समस्याओं की रोकथाम

51. नर्स इस बात से अवगत है कि गर्भावस्था के अनुकूलन में श्रोणि क्षेत्र में रक्त की आपूर्ति बढ़ जाती है जिसके परिणामस्वरूप योनि म्यूकोसा के बैंगनी रंग का मलिनीकरण होता है जिसे _____ के रूप में जाना जाता है:

A. लाडिन का संकेत B. हेगर का संकेत
C. गुडेल का संकेत D. चैडविक का संकेत

52. चयनित स्थिति में चयनित नर्सिंग कार्य को करने के लिए एक सक्षम व्यक्ति को अधिकार या जिम्मेदारी हस्तांतरित करना _____ कहलाता है।

A. प्रतिनिधान B. मूल्यांकन
C. आंकलन D. योजना

53. एक डिस्चार्ज के चार्ट और फाइलों से प्रदान की गई नर्सिंग देखभाल के मूल्यांकन की प्रक्रिया को _____ कहा जाता है।

A. समवर्ती ऑडिट B. नैदानिक ऑडिट
C. पूर्वव्यापी ऑडिट D. गुणवत्ता ऑडिट

54. नर्स-रोगी असाइनमेंट का उद्देश्य है:

A. मरीजों को सर्वोत्तम और सुरक्षित देखभाल प्रदान करने के लिए
B. मरीजों के बिल कम करने के लिए
C. अस्पताल में रहने को कम करने के लिए
D. उपर्युक्त सभी

55. गर्भनाल (प्लेसेंटा) का अंतःस्रावी कार्य होता है और यह कई हार्मोन पैदा करता है। निम्नलिखित में से कौन गर्भावस्था के पश्च चरण में उत्पन्न होता है?

A. प्रोजेस्टोजन
B. एस्ट्रोजन
C. रिलैक्सिन
D. ह्यूमन कोरिओनिक गोनाडोट्रोपिन

56. एक नर्स एक मरीज के कक्ष में यह ज्ञात करने के लिए प्रवेश करती है कि मरीज में स्पंद तथा श्वसन क्रिया नहीं है। सहायता के लिए आवाज लगाने के बाद, नर्स की प्रथम प्रतिक्रिया होनी चाहिए:

A. परिधीय IV चालू करना
B. स्पर्शीय वक्ष मसाज प्रारंभ करना
C. वायुमार्ग स्थापित करना
D. आपातकाल कार्ट प्राप्त करना

57. एक नर्स फिजिशियन को सहयोग की तैयार करते हुए किसी मरीज की त्वचा को वुड लाइट के साथ परीक्षण करने के लिए निम्न में से क्या करेगी?

A. एक सूचित सहमति प्राप्त करेगी
B. मरीज को बतलाएगी की प्रक्रिया पीड़ा रहित है
C. साइट वाली त्वचा की शेव करेगी
D. एक स्थानीय ऐनेस्थेसिया तैयार करेगी

58. एक नर्स DVT वाले रोगी की देखभाल कर रही है। उसे इस बात से अवगत होना चाहिए कि शिरापरक अंतःशल्य लगी होनी चाहिए:

A. हृदय में B. फेफड़ों में
C. यकृत में D. वृक्क में

59. नर्स एक ऐसे रोगी की देखभाल कर रही है जिसे सांस लेने में कठिनाई हो रही है। रोगी बिस्तर पर लेटा है और पहले से नाक प्रवेशनी की माध्यम से ऑक्सीजन थेरेपी प्राप्त कर रहा है। निम्नलिखित में से कौन-सा हस्तक्षेप नर्स की प्राथमिकता है?

A. ऑक्सीजन का प्रवाह बढ़ाएँ
B. फाउलर की स्थिति में रोगी की सहायता करें
C. फुफ्फुसीय स्राव को हटाने को बढ़ावा देना
D. फाउलर की स्थिति में रोगी की सहायता करना नर्स की प्राथमिकता है

60. जब हमारे शरीर के भीतर शारीरिक संतुलन, जिसे होमोस्टैसिस कहा जाता है, गड़बड़ा जाता हैं, एस समय जो ड्राइव सक्रिय हो जाता है उसे क्या कहते हैं?

A. सामाजिक ड्राइव B. शारीरिक ड्राइव
C. व्यक्तिगत ड्राइव D. अचेतावस्था ड्राइव

61. एचआईवी या अन्य यौन संचारित संक्रमण के निदान वाले रोगियों की कौन-सी जांच की जानी चाहिए?

A. हेपेटाइटिस B. क्लैमाइडिया
C. उपदंश D. गोनोरिया

62. उस परीक्षण का नाम बताइए, जहां एक स्लाइड पर 10% पोटैशियम हाइड्रॉक्साइड की एक बूंद के साथ स्राव मिलाया जाता है, जो एक विशेष बासी मछली जैसी गंध पैदा करता है।

A. नॉन-ट्रेपोनेमल परीक्षण
B. ट्रेपोनेमल परीक्षण
C. रैपिड प्लाज्मा रिएगिन
D. व्हिफ (Whiff) परीक्षण

63. यूनिवर्सल टीकाकरण कार्यक्रम 1985 में शुरू किया गया था, उस समय कितने रोगों के खिलाफ टीकाकरण पर ध्यान केंद्रित किया गया था?

A. छह B. पांच
C. दो D. एक

64. निम्नलिखित में से कौन बढ़ा हुआ फुफ्फुसीय रक्त प्रवाह द्वारा इंगित नहीं है जो बाएं से दाएं शंटिंग करता है?

A. आलिंद सेप्टल दोष (एएसडी)
B. वेंट्रिकुलर सेप्टल दोष (बीएसडी)
C. पेटेंट डक्टस आर्टेरियोसस (पीडीए)
D. फैलोट की टेट्रालॉजी (टीओएफ)

65. फेफड़े की अपरिपक्वता और वायुकोशीय सर्फेक्टेंट की कमी के कारण होने वाले श्वास विकार को क्या कहा जाता है?

A. इस्केमिक हाइपोक्सिया
B. नवजात शिशु के क्षणिक क्षिप्रहृदयता
C. श्वसन संकट सिंड्रोम
D. सायनोसिस

66. जलने के मामले में, एपिडर्मिस की भागीदारी ______ के तहत आती है।

A. प्रथम श्रेणी B. दूसरी श्रेणी
C. तीसरा श्रेणी D. चतुर्थ श्रेणी

67. निम्नलिखित में से कौन-सा स्वास्थ्य के लिए महत्वपूर्ण संकेतक नहीं है?

A. मृत्यु दर संकेतक B. रुग्णता संकेतक
C. विकलांगता संकेतक D. स्वास्थ्य नीति संकेतक

68. प्रायोगिक अध्ययन के तहत निम्नलिखित में से कौन-सा आता है?

A. पार अनुभागीय अध्ययन
B. केस रिपोर्ट और केस श्रृंखला
C. सहसंबंध/पारिस्थितिक अध्ययन
D. नैदानिक परीक्षण

69. यदि संशोधित कुप्पुस्वामी पैमाने (यदि एक परिवार को एक उच्च मध्यम वर्गीय परिवार कहा जाता है) का उपयोग करके सामाजिक आर्थिक स्थिति को मापा जाता है, तो स्कोर को _____ की सीमा में होना चाहिए।

A. 30–32 B. 26–29
C. 16–25 D. 11–15

70. ट्रेपोनेमल का परीक्षण _____ का निदान करने के लिए किया जाता है।

A. एड्स B. उपदंश
C. गोनोरिया D. क्लॅमिडीयसिस

71. एक शोध प्रक्रिया में, सबसे पहला और महत्वपूर्ण कदम होता है _____ का चयन करना और ठीक से परिभाषित करना।

A. अनुसंधान प्रश्न
B. परिकल्पना परीक्षण
C. अनुसंधान की विधियां
D. सांख्यिकीय विश्लेषण

72. वर्निक कोर्साकॉफ सह-लक्षण (सिंड्रोम) _____ की कीम के कारण होता है।

A. थायमिन B. राइबोफ्लेविन
C. बायोटिन D. फॉलिक अम्ल

73. एक गैर-कार्बोहाइड्रेट स्रोत से ग्लूकोज के संश्लेषण की प्रक्रिया को क्या कहा जाता है?

A. ग्लाइकोजेनेसस B. ग्लुकोनियोजेनेसिस
C. ग्लाइकोजेनोलिसिस D. लाइपोजेनेसिस

74. मैक्स वर्दाइमर और उनके सहयोगियों ने मनोविज्ञान के एक विद्यालय की स्थापना की, उसका नाम क्या है?

A. संरचनावाद
B. समग्राकृति मनोविज्ञान
C. व्यावहारिकता
D. आचरण

75. स्मृति (मेमरी) का एक प्रकार, जो संवेदी स्वर विस्तार से प्राप्त जानकारी को लगभग 30 सेकंड तक रखता है, उसे क्या कहा जाता है?

A. अल्पकालिक स्मृति (मेमरी)
B. दीर्घकालीन स्मृति (मेमरी)
C. शब्द वैज्ञानित स्मृति (मेमरी)
D. प्रासंगिक स्मृति (मेमरी)

76. पाँचवीं त्रिक कशेरुका के पश्च परत (लैमिना) का अधूरा संलयन जो त्रिक नलिका तक उपागम प्रदान करता है और जो मेरुपुच्छ संज्ञाहरण के लिए चिकित्सकीय रूप से महत्वपूर्ण है, उस आकृति का नाम बताएँ।

A. त्रिक प्रोत्तुंग (सैकरल प्रोमॉन्टरी)
B. चार जोड़ी अग्र रंध्र
C. पश्च त्रिक रंध्र
D. त्रिक अंतराल

77. एक पॉलीयूरिथेन योनि थैली एक किनारे (रिम) से जुड़ी रहती है जो आंशिक रूप से योनि-मुख (वल्वा) को आवृत रखती है, किस नाम से जानी जाती है?

A. कॉपर टी
B. रबर-क्षीर (लेटेक्स)
C. महिला कॉन्डोम
D. सूक्ष्म दंडयुक्त गर्भरोधक (नॉरप्लांट)

78. अंगों को रक्त की आपूर्ति करने वाली वाहिकाओं को _____ के रूप में जाना जाता है।

A. आंत्रीय वाहिकाओं
B. पार्श्विका वाहिकाओं
C. पश्चउदरावरणीय (रेट्रोपेरिटोनियल) वाहिकाओं
D. गैर-आंत्रीय वाहिकाओं

79. जो रासायनिक यौगिक (खनिज) पानी में रखे जाने पर आयन्स में विखंडित हो जाते हैं, क्या कहलाते हैं?

A. अंतःकोशिकीय द्रव
B. वाह्यकोशिकीय द्रव
C. विद्युत उपघट्य (इलेक्ट्रोलाइट्स)
D. इनमें से कोई नहीं

80. यक्ष्मा (ट्यूबरक्युलोसिस) _______ के कारण होता है।

A. जीवाणु (बैक्टीरिया). B. विषाणु (वाइरस)
C. परजीवी (पैरासाइट) D. फफूंद (फंगस)

81. प्रकाश के प्रति संवदेनशीलता को _______ कहा जाता है।

A. अति पिपासा (पॉलीडिप्सिया)
B. प्रकाश भीति (फोटोफोबिया)
C. वायु भीति (एयरोफोबिया)
D. अति क्षुधा (पॉलीफेजिया)

82. 'समाजशास्त्र' शब्द का आविष्कार किस फ्रांसिसी दार्शनिक द्वारा किया गया था?

A. ऑगस्ट कॉम्टे B. अरस्तू (एरिस्टॉटल)
C. वॉन वीज D. सिमल

83. उस महान यूनानी दार्शनिक का नाम बताएँ जिसने टिप्पणी की थी कि मनुष्य एक सामाजिक प्राणी है?

A. ऑगस्ट कॉम्टे B. अरस्तू (एरिस्टॉटल)
C. वॉन वीज D. सिमल

84. घर में निर्मित मौखिक पुनर्जलीकरण विलयन (ORS) 1 लीटर सुरक्षित पानी, 1/2 चम्मच (3.5 g) लवण और ______ शर्करा का उपयोग करके तैयार किया जा सकता है।

A. 1 बड़ा चम्मच (10 g)
B. 2 बड़ा चम्मच (20 g)
C. 3 बड़ा चम्मच (30 g)
D. 4 बड़ा चम्मच (40 g)

85. स्व-देखभाल कमी परिचर्या सिद्धांत ______ द्वारा प्रस्तावित किया गया था।

A. मार्गरेट ए. न्यूमैन B. डोरोथिया ई. ओरेम
C. मार्था ई. रोजर्स D. रोजमैरी रिज़ो पार्स

86. निम्नलिखित में से, कौन-सा विकल्प ग्राहक जनसांख्यिकीय तत्वों के अंतर्गत नहीं आएगा:

A. जाति और जातीयता
B. परिश्रवण (ऑस्कुलेशन)
C. जन्म तिथि
D. लिंग

87. जब एक नर्स मरीज के लिए शारीरिक परीक्षा कर रही है, वह मरीज की गड़बड़ी को देखती है। नर्स ने नर्सिंग डायग्नोस्टिक प्रक्रिया का इस्तेमाल किया वह है:

A. डेटा व्याख्या B. डेटा क्लस्टरिंग
C. संकल्पना मैपिंग D. डेटा संग्रहण

88. पेशेवर नर्सिंग का अनिवार्य तत्व, जिसमें चिकित्सा आदेशों के बिना स्वतंत्र नर्सिंग हस्तक्षेप की शुरुआत शामिल है:

A. वकालत B. स्वराज्य
C. नजरबंदी D. अधीनता

89. प्रसव प्रेरण के मतभेद में निम्नलिखित शामिल हैं, ______ को छोड़कर।

A. प्लेसेंटा प्रैविआ
B. भ्रूण मैक्रोसोमिया
C. कॉर्ड प्रस्तुति
D. सेफालोपल्विक असमानता

90. निम्लिखित में कौन "मद्यपान की चिकित्सीय जटिलता" की लम्बी अवधि का प्रभाव है?

A. डेलिरियम ट्रीमेन्स
B. कोरसेकोफ का साइकोसिस
C. डिप्रेशन
D. पेरेनोइया

91. विलिस-इकबोम सिन्ड्रोम को जाना जाता है:

A. धाट सिन्ड्रोम
B. गनसेर सिन्ड्रोम
C. क्लियन-लेविन सिन्ड्रोम
D. रेस्टलेस लेग्स सिन्ड्रोम

92. रक्तस्राव का संपीडन होने पर, कैरोटीड धमनी तुरंत उन्मुख होता है:

A. गंध पहचानने की शक्ति का लोप
B. अंधापन
C. आघात
D. उल्टी

93. निम्नलिखित में से कौन-सी तकनीक गैर-चिकित्सीय संचार के उदाहरण हैं?

A. सलाह देना
B. ध्यान केंद्रित करना
C. रिस्टेटिंग
D. पैराफ्रेजिंग

94. मनोचिकित्सा समूह जिसमें समूह के सभी सदस्य, एक ही समय में समूह में शामिल होते हैं और एक परिभाषित सदस्यता होती है, उन्हें ______ समूह कहा जाता है।

A. बंद B. खुला
C. समरूप D. विजातीय

95. खिलाने वाली ट्यूब को कृत्रिम छिद्र के द्वारा सीधा पेट की दीवार के साथ पेट में रखा जाता है, को कहा जाता है ______।

A. नेजोगैस्ट्रिक नली
B. नेजोडुओडेनल नली
C. गैस्ट्रोस्टॉमी नली
D. जेजुनोस्टोमी

96. जिन लोगों के यांत्रिक वाल्व लगे हैं उन्हें आजीवन इन दवाओं की आवश्यकता होती है:

A. बुखार की दवा
B. दर्दनाशक
C. थक्का-रोधी
D. एंटीबायोटिक्स

97. कोरियोकार्सिनोमा में, इस हार्मोन का स्तर ऊँचा होता है:

A. मानव कोरियोनिक सोमैटोमेमोट्रोपिन
B. मानव कोरियोनिक गोनेडोट्रॉफिन
C. ह्यूमन पेपिलोमा वायरस
D. मानव ल्युकोसाइट एंटीजन

98. मासिक धर्म से जुड़े दर्द को चिकित्सा परिभाषा में ______ कहा जाता है।

A. डिस्यूरिया
B. डिस्फेजिया
C. डिस्टोसिया
D. डिस्मेनोरिया

99. निम्नलिखित में से कौन-सा कथन सत्य है?

1. कॉर्निया आँख का पारदर्शी अग्र भाग है जो परितारिका एवं पुतली को ढकता है।
2. सफेद फास्फोरस कमरे के तापमान पर सल्फर, तांबा एवं जस्ता की तुलना में अधिक प्रतिक्रियाशील होता है।
3. अम्लीय वर्षा में मुख्यतः नाइट्रिक एसिड और सल्फ्यूरिक एसिड होता है।
4. पशु कोशिकाओं में कोशिका भित्ति का अभाव होता है, जो आमतौर पर पौधों की कोशिकाओं में पाई जाने वाली विशेषता है।

कूटः

A. केवल 2 एवं 3 B. केवल 1 एवं 2
C. 2, 3 एवं 4 D. उपरोक्त सभी

100. सुमेलित कीजिए।

सूची-I (वाहक)	**सूची-II (रोग)**
(*a*) सी.सी. मक्खी	1. पीत-ज्वर
(*b*) एडीस मच्छर	2. निद्रा रोग
(*c*) जलीय घोंघा	3. विल हेरजिया
(*d*) सेण्ड-मक्खी	4. कालाजार

कूटः

	(*a*)	(*b*)	(*c*)	(*d*)
A.	2	1	3	4
B.	3	1	4	2
C.	1	2	3	4
D.	4	2	3	1

उत्तरमाला

1	2	3	4	5	6	7	8	9	10
A	A	D	C	A	D	D	C	C	D
11	**12**	**13**	**14**	**15**	**16**	**17**	**18**	**19**	**20**
D	C	D	B	A	C	C	B	A	D
21	**22**	**23**	**24**	**25**	**26**	**27**	**28**	**29**	**30**
B	D	C	D	A	C	B	C	C	C
31	**32**	**33**	**34**	**35**	**36**	**37**	**38**	**39**	**40**
C	B	D	B	B	C	C	A	B	B
41	**42**	**43**	**44**	**45**	**46**	**47**	**48**	**49**	**50**
B	A	D	A	B	A	B	C	C	D
51	**52**	**53**	**54**	**55**	**56**	**57**	**58**	**59**	**60**
D	A	C	A	C	C	B	B	B	B
61	**62**	**63**	**64**	**65**	**66**	**67**	**68**	**69**	**70**
C	D	A	D	C	A	D	D	C	B
71	**72**	**73**	**74**	**75**	**76**	**77**	**78**	**79**	**80**
A	A	B	B	A	D	C	A	C	A
81	**82**	**83**	**84**	**85**	**86**	**87**	**88**	**89**	**90**
B	A	B	D	B	B	B	B	B	B
91	**92**	**93**	**94**	**95**	**96**	**97**	**98**	**99**	**100**
D	C	A	A	C	C	B	D	D	A

प्रैक्टिस सेट 8

1. निम्नलिखित में से कौन-सा पैराथाइरॉइड ग्रंथि द्वारा स्रावित हार्मोन का कार्य नहीं है?

A. पीटीएच स्राव ऑस्टियोक्लास्ट को उत्तेजित करके हड्डियों से कैल्शियम को मुक्त करता है।

B. पीटीएच स्टेरॉयड हार्मोन कैल्सीट्रियोल का उत्पादन शुरू करता है।

C. पीटीएच हड्डियों के जमाव में शामिल कोशिकाएं ऑस्टियोब्लास्ट को भी रोकता है, जिससे रक्त में कैल्शियम की कमी हो जाती है।

D. पीटीएच मूत्र निस्पंद से गुर्दे की नलिकाओं में कैल्शियम (और मैग्नीशियम) के पुनर्अवशोषण को कम कर देता है।

2. निम्नलिखित में से कौन-सा कोशिका के धमनी छोर पर हाइड्रोस्टैटिक दबाव और ऑन्कोटिक दबाव के बीच बातचीत का सबसे अच्छा वर्णन करता है?

A. हाइड्रोस्टैटिक दबाव तरल पदार्थ और विलेय को केशिका में खींचता है

B. ऑन्कोटिक दबाव तरल पदार्थ को इंटरस्टिशियल डिब्बे में धकेलता है

C. हाइड्रोस्टैटिक दबाव तरल पदार्थों को धकेलता है और विलयन को इंटरस्टिशियल डिब्बे में बाहर निकालता है

D. ऑन्कोटिक दबाव तरल संतुलन बनाए रखने के लिए हाइड्रोस्टैटिक दबाव को बढ़ाता है

3. निम्नलिखित में से कौन-सा कथन अंतःस्रावी तंत्र में हार्मोन असंतुलन के सामान्य कारण का सबसे सटीक वर्णन करता है?

A. एक आनुवांशिक विकार केवल अत्यधिक हार्मोन उत्पादन की ओर ले जाता है।

B. अंतःस्रावी अर्बुद हमेशा हार्मोन की कमी का कारण बनते हैं और कैंसरजन्य होते हैं।

C. प्रतिक्रिया प्रणाली में व्यवधान हार्मोन के स्तर के अनुचित विनियमन का कारण बन सकता है।

D. सभी अंतःस्रावी विकार मुख्य रूप से बाहरी संक्रमण के कारण होते हैं।

4. कौन-सा संज्ञानात्मक कार्य ध्यान केंद्रित रखने और मानसिक प्रयास को बनाए रखने की क्षमता का आकलन करता है?

A. समय, स्थान और व्यक्ति में अभिविन्यास

B. चेतना और सतर्कता का स्तर

C. ध्यान और एकाग्रता क्षमता

D. अल्पकालिक और दीर्घकालिक स्मृति स्मरण

5. दीर्घकालिक बार्बिट्यूरेट उपयोग से अचानक वापसी का सपने देखने पर क्या प्रभाव पड़ता है?

A. वापस लेने के बाद सपने कम बार और जीवंत हो जाते हैं।

B. वापसी के दौरा सपना अपरिवर्तित और सामान्य रहता है।

C. वापसी के दौरान सपने अधिक स्पष्ट और अत्यधिक हो जाते हैं।

D. बार्बिट्यूरेट का उपयोग बंद करने के बाद सपने देखना पूरी तरह से बंद हो जाता है।

6. निम्नलिखित में से कौन-सा मनोचिकित्सा में चिकित्सीय संबंध का सबसे अच्छा वर्णन करता है?

A. एक ऐसा संबंध जो त्वरित समाधान के लिए रोगी के व्यवहार की उपेक्षा करता है।

B. समस्या-समाधान में चिकित्सक की विशेषज्ञता पर पूरी तरह से ध्यान केंद्रित करने वाली एक प्रक्रिया।

C. रोगी के व्यवहार को सकारात्मक रूप से तलाशने और बदलने के उद्देश्य से एक बातचीत।

D. आगे व्यक्तिगत विकास के बिना अस्थायी राहत के लिए एक अनुबंध।

7. निम्नलिखित में से किस अधिकार का उद्देश्य विशेष रूप से मानसिक रूप से बीमार रोगी की गरिमा और स्वायत्तता की रक्षा करना है?

A. कानूनी प्रतिनिधित्व और समर्थन प्राप्त करने का अधिकार

B. उनके उपचार विकल्पों के बारे में जानकारी प्राप्त करने का अधिकार

C. सामुदायिक जीवन और सामाजिक समावेश का आनंद लेने का अधिकार

D. व्यापक मानसिक स्वास्थ्य देखभाल सेवाओं तक पहुँच का अधिकार

8. मानसिक विकारों की कौन-सी श्रेणी मनोवैज्ञानिक कारणों पर जोर देती है और इसमें न्यूरोटिक या साइकोन्यूरोटिक के रूप में लेबल की गई स्थितियां शामिल हैं?

A. मनोदशा (प्रभावी) विकार

B. जैविक (लक्षणात्मक) विकार

C. न्यूरोटिक, तनाव संबंधी और सोमाटोफॉर्म विकार

D. सीजोफ्रेनिया, सीजोटिपल और भ्रम संबंधी विकार

9. निम्नलिखित में से कौन-सा मानसिक स्वास्थ्य नर्सिंग मनोसामाजिक हस्तक्षेप के प्राथमिक फोकस का सबसे अच्छा वर्णन करता है?

A. मानसिक बीमारियों का इलाज केवल दवा प्रबंधन के माध्यम से करना।

B. शारीरिक स्वास्थ्य और व्यायाम के महत्व पर जोर देना।

C. समय पुनर्प्राप्ति के लिए मनोवैज्ञानिक और सामाजिक पहलुओं को संयोजित करना।

D. चिकित्सा के लिए विशेष रूप से संज्ञानात्मक-व्यवहार तकनीकों पर भरोसा करना।

10. मानसिक स्वास्थ्य नर्सिंग मनोसामाजिक हस्तक्षेप में सह-उत्पादन की अवधारणा का आधार कौन-सा सिद्धांत है?

A. व्यक्तिगत उपचार योजनाएँ पूरी तरह से स्वास्थ्य पेशेवरों द्वारा डिजाइन की गई हैं।

B. रोगियों, देखभाल करने वालों और स्वास्थ्य देखभाल टीमों का सामूहिक अनुभव।

C. पारंपरिक मनोवैज्ञानिक चिकित्सा ढांचे का कड़ाई से पालन।

D. केवल वैयक्तिकृत औषधीय उपचारों पर जोर।

11. निम्नलिखित में से कौन-सा एक रोगी में चिंता, घबराहट की स्थिति का अनुभव करने वाला सबसे विशिष्ट लक्षण है?

A. उच्च रक्तचाप और धीमी श्वसन दर

B. अत्यधिक पसीना और तेज नाड़ी के साथ चेहरा लाल होना

C. समय के साथ भूख बढ़ना और वजन बढ़ना

D. लगातार अनिद्रा और कल्याण की सामान्य भावना

12. देखभाल प्रक्रियाओं के दौरान बच्चों के साथ बातचीत करते समय एक बाल चिकित्सा नर्स के लिए निम्नलिखित में से कौन-सा गुण आवश्यक है?

A. नर्स को प्रक्रियाओं को अच्छी तरह से समझाने के लिए जटिल चिकित्सा शब्दजाल का उपयोग करना चाहिए।

B. नर्स को अपने दृष्टिकोण में कठोर होना चाहिए, बच्चे के साथ भावनात्मक जुड़ाव से बचना चाहिए।

C. नर्स को कोमल व्यवहार बनाए रखने और बच्चे की भावनात्मक स्थिति के अनुरूप होने की आवश्यकता होती है।

D. नर्स को भ्रम को कम करने के लिए माता-पिता को सभी संचार सौपना चाहिए।

13. बच्चों के स्वास्थ्य के संदर्भ में "सामाजिक निवारक बाल चिकित्सा" शब्द का क्या अर्थ है?

A. बच्चों की स्वास्थ्य समस्याओं को समझने के लिए सामाजिक चिकित्सा सिद्धांतों को लागू करना।

B. बिना रोकथाम के केवल बच्चों में बीमारियों के इलाज पर ध्यान केंद्रित करना।

C. बच्चों के विकास के लिए पोषण और शारीरिक गतिविधि पर जोर देना।

D. बच्चों के लिए केवल आपातकालीन स्थितियों में चिकित्सा की देखभाल प्रदान करना।

14. 0 से 6 वर्ष की आयु के प्रीस्कूल बच्चों के लिए बाल विकास कार्यक्रमों का एक प्रमुख उद्देश्य क्या है?

A. प्रीस्कूल बच्चों की पोषण स्थिति और स्वास्थ्य में सुधार करना।

B. बच्चों में स्कूल छोड़ने वालों की संख्या और स्वास्थ्य संबंधी समस्याओं को कम करना।

C. माताओं की अपने बच्चों के पोषण और स्वास्थ्य की देखभाल करने की क्षमता को बढ़ाना।

D. बाल विकास के लिए विभागों के बीच प्रभावी समन्वय सुनिश्चित करना।

15. योनि में फोरचेट और हाइमन के बीच ________ नामक एक छोटा सा गड्डा होता है।

A. फोसा ओवलिस B. फोसा मैग्नम

C. फोसा नेवीकुलोरिस D. फोसा ब्रेविस

16. नर्सिंग अनुसंधान करने का एक प्रमुख कारण क्या है?

A. नर्सिंग प्रथाओं की सामाजिक प्रासंगिकता स्थापित करना

B. नर्सिंग को एक सम्मानित पेशे के रूप में मान्य करना

C. नर्सिंग के लिए अद्वितीय ज्ञान का भंडार बनाना

D. नर्सिंग देखभाल सेवाओं की गुणवत्ता में सुधार लाना

17. भारत में नर्सिंग में पहला दो वर्षीय पास्ट सर्टिफिकेट बैचलर डिग्री प्रोग्राम कब स्थापित किया गया था?

A. 1946 में दिल्ली और वेल्लोर कॉलेज ऑफ नर्सिंग में

B. 1963 में त्रिवेन्द्रम स्कूल ऑफ नर्सिंग में

C. 1871 में एक सामान्य नर्सिंग कार्यक्रम विस्तार के रूप में

D. 1948 में दाई का काम कार्यक्रमों में बदलाव के साथ

18. नर्सिंग शिक्षा में निम्नलिखित में से कौन-सा उद्देश्य छात्र चयन में विशेष प्राधिकार की आवश्यकता पर जोर देता है?

A. नर्सिंग स्कूलों के पास अपना बजट और सुविधाएं होनी चाहिए।

B. कांग्रेस की सिफारिशों को लागू किया जाना चाहिए।

C. छात्रों का चयन योग्यता परीक्षण के आधार पर होना चाहिए।

D. नर्सिंग कर्मियों को छात्रों के चयन में अधिकार होना चाहिए।

19. अस्पताल में चिकित्सा कर्मचारियों के साथ नर्सिंग गतिविधियों के समन्वय के लिए मुख्य रूप से कौन जिम्मेदार है?

A. नर्सिंग अधीक्षक कर्मचारियों और अस्पताल कर्तव्यों की देखरेख करते हैं।

B. मुख्य नर्सिंग अधिकारी यह सुनिश्चित करता है कि कर्मचारियों की भूमिकाएँ नीतियों के अनुरूप हों।

C. वार्ड प्रभारी सामान्य और विशेष वार्डों में रोगी देखभाल का प्रबंधन करता है।

D. नर्सिंग सेवा निदेशक विभिन्न विभागों में देखभाल का समन्वय करता है।

20. एक लाइन संगठन संरचना में नर्स के प्रदर्शन के मुद्दों को संभालने के लिए कौन जिमेदार है?

A. मुख्य नर्सिंग अधिकारी कार्रवाई के लिए चिकित्सा निदेशक के साथ समन्वय करता है।

B. फिजिशियन नर्सिंग स्टाफ के खिलाफ अनुशासनात्मक कार्रवाई की निगरानी करता है।

C. नर्सिंग प्रभारी नर्स के प्रदर्शन से संबंधित मुद्दों को संबोधित करते हैं।

D. नर्सिंग अधीक्षक सीधे चिकित्सकों को प्रदर्शन की रिपोर्ट देते हैं।

21. गर्भवस्था के 28 से 40 सप्ताह के बीच एमनियोटिक द्रव सूचकांक (एएफआई) की कौन-सी सीमा सामान्य मानी जाती है?

A. 10-13 सेमी विशिष्ट द्रव मात्रा को दर्शाता है

B. 12-15 सेमी औसत द्रव स्तर का प्रतिनिधित्व करता है

C. 20-24 सेमी हाइड्रमनियोस स्थिति का सुझाव देता है

D. 5-6 सेमी संभावित ऑलिगोहाइड्रामनियोस का संकेत देता है

22. एएएच के रोगी के अधिकार बिल के अनुसार, दवा लेने से इनकार करते समय रोगी को क्या सूचित किया जाना चाहिए?

A. उनके कार्यों के संभावित सामाजिक परिणाम।

B. उपचार के संबंध में उनके निर्णय के चिकित्सीय परिणाम।

C. अन्य स्वास्थ्य सेवा प्रदाताओं की उनकी पसंद पर राय।

D. देखभाल जारी रखने या अस्वीकार करने के वित्तीय निहितार्थ।

23. ऐसा रोग जो लक्षणों की तीव्र शुरुआत द्वारा अभिलक्षित है, और जो एक छोटी अवधि के लिए रहता है, उसे ________ कहा जाता है।

A. पुराना रोग B. गंभीर रोग

C. लाइलाज रोग D. उम्र से संबंधित रोग

24. निम्नलिखित में से कौन-सा विकल्प यह दर्शाता है कि नर्स मरीज की बात सुन रही है?

A. मरीज से दूर होना।

B. सिर हिलाते हुए आंखों से संपर्क करना।

C. खिड़की के बाहर देखना।

D. मरीज के केस रिपोर्ट की जाँच करना।

25. एक नर्स जो एक चिकित्सा इकाई में एक मरीज की देखभाल कर रही है, देखती है कि मरीज तेजी से सांस लेना शुरू कर देता है। नर्स द्वारा कौन-सी क्रिया महत्वपूर्ण सोच को दर्शाती है?

A. इमरजेंसी टीक को फोन किया गया।

B. चिकित्सक को सूचित किया।

C. महत्वपूर्ण संकेत और ऑक्सीजन संतृप्ति प्राप्त कर लेना।

D. छाती के एक्स-रे की विनती करना।

26. लिम्फ नोड्स टटोलने के लिए कौन-सी तकनीक का इस्तेमाल किया जाता है?

A. एक ऊर्ध्वाधर गति में सभी चार उंगलियों के फ्लैट को स्थानांतरित करें।

B. हाथों के पीछे का उपयोग करते हुए विकृति को महसूस करें।

C. गोलाकार गति में दो उंगलियों के पैड को घुमाएं।

D. दोनों हाथों की तर्जनी के बीच के नोड्स को संपीड़ित कीजिये।

27. किसने मन के सिद्धांत और चिकित्सा की प्रणाली का वर्णन करने के लिए 'मनोविश्लेषण' शब्द का प्रयोग किया?

A. इवान पावलोव B. विलियम जेम्स

C. सिगमंड फ्रॉयड D. विल्हेम वुंड्ट

28. एक नैदानिक मनोवैज्ञानिक एक 25 वर्ष की उम्र वाले के लिए एक इंटेलिजेंट क्वोशैंट (आईक्यू) परीक्षा आयोजित करता है। परिणाम 78 है। किस तरह आईक्यू की व्याख्या की जाती है?

A. श्रेष्ठ बुद्धि B. औसत बुद्धि

C. सीमावर्ती बुद्धि D. मंद बुद्धि

29. शुक्राणु के संलयन के साथ परिपक्व डिंब की प्रक्रिया को कहा जाता है:

A. गेमेटोजेनेसिस B. ओवुलेशन

C. फर्टिलाइजेशन D. इम्प्लांटेशन

30. किस सप्ताह तक गर्भनाल की ऊंचाई के स्तर पर एक गर्भवती गर्भाशय होती है?

A. 16th सप्ताह B. 20th सप्ताह

C. 24th सप्ताह D. 28th सप्ताह

31. निम्नलिखित में से क्या वास्तविक प्रसव पीड़ा का संकेत नहीं है?

A. दर्द निचले पेट और कमर तक ही सीमित है

B. प्रगतिशील मिटाना

C. आंतरिक ओएस का फैलाव

D. पानी की थैलियों का गठन

32. एक गर्भवती महिला को घर पर क्या करने की सलाह देते हैं, जब वह योनि में अचानक पानी के तरल पदार्थ की शिकायत करती है?

A. यह सुझाव दें कि यह एक सामान्य घटना है।

B. तुरंत आपातकाल में जाएं।

C. उसे कहें की वह सैनिटरी नैपकिन का उपयोग करें।

D. उसे सलाह दें की वह तरल पदार्थ के रुकने की प्रतीक्षा करे।

33. मस्तिष्क के द्रव्य के द्रवीकरण के साथ कपाल की हड्डियों के अनियमित ओवरलैपिंग के कारण अंतर्गर्भाशयी भ्रूण की मृत्यु के एक सप्ताह बाद कौन-सा चिह्न दिखाई देता है?

A. स्टालवर्थ का चिह्न B. स्पाल्डिंग का चिह्न

C. प्लासैन्टल का चिह्न D. पिस्कैस्क का चिह्न

34. निम्नलिखित में से कौन-सी प्रारंभिक नर्सिंग क्रिया करनी चाहिए जब एक नर्स एक गर्भवती महिला को प्रसव में योनि का आकलन करते समय योनि में गर्भनाल को उभरा हुआ देखती है?

A. योनि की जाँच करें।

B. मृदुता से गर्भनाल को योनि में धकेल दें।

C. ग्राहक को ट्रेंडेलनबर्ग की स्थिति में रखें।

D. बिस्तर के पैर को नीचे कर दें।

35. गर्भवती महिला की किस जटिलता के लिए निगरानी की जानी चाहिए, जिसे पिछली तिमाही में गंभीर प्रीक्लेम्पसिया के निदान के साथ अस्पताल में भर्ती कराया गया है?

A. भ्रूण गतिविधि की अवधियों के बाद शांत अवधियां।

B. स्तनों की वृद्धि।

C. कमरा ठंडा होने के बावजूद, गर्म महसूस होने की शिकायत।

D. पेटेकिया और पुरपुरा के सबूत।

36. एक गर्भवती महिला को लेबर रूम में इलेक्ट्रॉनिक भ्रूण मॉनिटर संलग्न करने के बाद निम्नलिखित में से कौन-सा प्रारंभिक नर्सिंग आकलन किया जाता है?

A. बेसलाइन भ्रूण की हृदय गति का आकलन करें।

B. संकुचन की तीव्रता तय करें।

C. तेजी से प्रकारों को पहचानें।

D. संकुचन की आवृत्ति तय करें।

37. रीढ़ की कौन-सी विकृति वक्षीय वक्र की बढ़ी हुई गोलाई के रूप में प्रस्तुत रहती है?

A. रीढ़ का एक ओर टेढ़ापन (स्कोलियोसिस)

B. अग्रकुब्जता (लोरडोसिस)

C. कुब्जता (कीफॉसिस)

D. अस्थिमज्जा का प्रदाह (ऑस्टियोमायलिटिस)

38. निम्नलिखित में से कौन-सी बीमारी हिर्स्चस्प्रुंग बीमारी वाले बच्चे का लक्षण है?

A. पेट में दर्द

B. सॉसेज के आकार की गांठ पेट को टटोलने पर महसूस हुई

C. रिबन जैसा दस्त

D. खाद्य पदार्थ की उलटी

39. निम्न में से कौन-सा हिमोफिलिया वाले बच्चे के लिए नर्सिंग देखभाल का पहलू नहीं है?

A. नरम टूथब्रश का उपयोग करने की सलाह

B. नाखूनों को छोटा रखले की सलाह

C. खतना करवाने की सलाह

D. खेलते समय गद्देदार कपड़े और हेलमेट पहनने की सलाह

40. निम्नलिखित में से किस न्यूरल ट्यूब दोष में रीढ़ की हड्डी के ऊतकों और सीएसएफ के साथ मेनिन्जेस का फैलाव होता है?

A. स्पाइना बिफिडा ओकुल्टा

B. मेनिंगोसील

C. माइलोसील

D. मेनिन्गोमाइलोसील

41. श्री राय का ब्रोन्कियल दमा से निदान किया गया है और कॉर्टिस्टेराइड्स के साथ इसका इलाज किया जा रहा है। प्रत्याशित दुष्प्रभाव क्या हैं?

A. गले में खराबी, मुँह में छाला, शुष्क मुँह

B. खराब स्वाद, सूखा मुँह, सूखी खांसी

C. ऑस्टियोपोरोसिस, मोटापा, इम्यूनोसप्रेशन

D. सिरदर्द, चक्कर आना, जी मिचलाना, उल्टी

42. निम्नलिखित में से कौन-सा जीवाणु विकास वक्र के चरणों के लिए सही अनुक्रम है?

A. गिरावट, लॉग, अंतराल और स्थिर

B. अंतराल, लॉग, स्थिर और गिरावट

C. लॉग, अंतराल, स्थिर और गिरावट

D. स्थिर, गिरावट, अंतराल और लॉग

43. ट्राउसेउ के संकेत के लिए सही कथन चुनें।

A. इस्केमिया रक्तचाप को बढ़ाकर कार्पल ऐंठन को प्रेरित करता है।

B. चेहरे की मांसपेशियों को मरोड़ना जब चेहरे की तंत्रिका टैप होती है।

C. ट्रेमर, कठोरता, ब्रैडकिनेसिया और हाइपोकिनेसिया।

D. दर्द के अचानक और तीव्र दौरे, जोड़ों में सूजन, लालिमा और नरमी।

44. मिस्टर X ने बेरिएट्रिक सर्जरी की और डंपिंग सिंड्रोम से जुडी आयरन की कमी विकसित की। मिस्टर X के लिए आयरन की कमी के एनीमिया के कारण की पहचान करें।

A. कमजोर और ठीक से ना खा पाना

B. सर्जरी के दौरान रक्त की गंभीर हानि

C. सर्जरी के कारण कैल्शियम और आयरन का खराब अवशोषण

D. छोटी आंत में, कार्बोहाइड्रेट में अनियंत्रित गैस्ट्रिक उच्च मात्रा में तरल पदार्थ

45. तनाव होने पर शरीर का कौन-सा हिस्सा कैटेकोलामाइन का स्राव करता है?

A. हाइपोथेलेमस

B. एड्रीनल मेडूला

C. सेरेब्रल कॉर्टेक्स

D. एड्रीनल कॉर्टेक्स

46. एक नस में थक्के और सूजन की उपस्थिति निम्नलिखित में से किस विकल्प की विशेषताए हैं?

A. एक नस की दीवारों की सूजन

B. वायु एम्बालिज्म

C. थ्रोम्बोफ्लेबिटिस

D. ऊतकों के भीतर थक्का बने रक्त की एक ठोस सूजन

47. निम्नलिखित में से कौन-सा बयान सदमे में प्रतिपूरक चरण से संबंधित नहीं है?

A. मरीज की त्वचा गर्म और पसीने से तर है

B. मरीज का रक्तचाप सान्य सीमा के अंदर रहता है

C. मरीज लड़ाई या उड़ान प्रतिक्रिया प्रदर्शित करता है

D. एल्डोस्टेरोन और एंटी-मूत्रवर्धक हार्मोन स्रावित होते हैं

48. यदि एक नर्स ईसीजी का मूल्यांकन करती है और सॉ-टूथ वाली पी तरंगों को देखती है, तो निदान क्या होगा?

A. अलिंद विकम्पन

B. नासिका अतालता

C. समयपूर्व जंक्शन जटिलता

D. आलिंद स्पंदन

49. ओस्लर नोड्स _____ की एक विशेषता है।

A. संक्रामक अन्तर्हृद्शोथ (एंडोकार्डिटिस)

B. रूमेटिक अन्तर्हृद्शोथ

C. पेरिकार्डिटिस

D. मायोकार्डिटिस

50. मरीज को अंतःशिरा पाइलोग्राम के लिए निर्धारित किया जाता है। निम्नलिखित में से कौन-सी एक सही कार्यवाही है?

A. आयोडीन संवेदनशीलता के लिए आकलन करें
B. तरल पदार्थ का सेवन प्रोत्साहित करें
C. दर्दनाशक औषधि दें
D. शांतिकर औषधि दें

51. पार्किंसंस रोग की क्लासिक अभिव्यक्तियों को पहचानें।

A. डिसरथ्रिया, कठोरता और ब्रैडीकिनेशिया
B. ब्रैडीकिनेशिया, गतिभंग और डिसरथ्रिया
C. चरमराहट, गतिभंग और उनींदापन
D. ट्रेमर, कठोरता और ब्रैडीकिनेशिया

52. एक 30 साल के वयस्क की तीन दिन पहले एक मोटर वाहन दुर्घटना हुई और उसका वसा एम्बोलिज्म सिंड्रोम से निदान किया गया था। उस फैक्चर के प्रकार को पहचानें जो हुआ है।

A. कशेरुक फ्रैक्चर B. कार्पल फ्रैक्चर
C. फीमर फ्रैक्चर D. रिब फ्रैक्चर

53. सबसे लंबी सामान्य ऊष्मायन अवधि की तुलना में कम लंबे प्रतिभागी मामलों का पृथक्करण क्या कहलाता है?

A. चौकसी रखना B. अलगाव
C. निगरानी D. क्वारंटाइन

54. अंतर्राष्ट्रीय स्वास्थ्य विनिमय (IHR) के अनुसार, डब्ल्यूएचओ को निम्न में से किस बीमारी के होने की सूचना दी जानी है?

A. टाइफाइड B. तपेदिक
C. प्लेग D. रेबीज

55. किसी निश्चित समय की अवधि पर जनसंख्या में किसी विशेष घटना के घटने की माप, प्रति हजार में व्यक्त, को _____ कहा जाता है।

A. अनुपात
B. दर
C. समानुपात
D. आयु विशिष्ट समानुपात

56. एक प्रकार का शोध जो आम विशेषताओं को साझा करने वाले लोगों के समूह पर समय की निर्धारित अवधि के भीतर किया जाता है:

A. मामले का अध्ययन
B. नियंत्रण अध्ययन
C. समूह अध्ययन
D. समानुपात अध्ययन

57. एक स्थानिक रोग _____ को संदर्भित करता है।

A. दूसरे देश से आयातित रोग
B. व्यापक भौगोलिक क्षेत्रों में एक रोग की निरंतर मौजूदगी
C. किसी रोग का अचानक से प्रकोप
D. दिए गए भौगोलिक क्षेत्र में एक रोग की निरंतर उपस्थिति

58. निम्नलिखित में से कौन-सा सक्रिय प्रतिरक्षा हासिल करने का तरीका नहीं है?

A. रोग के संपर्क में
B. एंटीबॉडी आधान
C. टीका लगाना
D. उप-संक्रामक संक्रमण के संपर्क में

59. किस समिति को स्वास्थ्य सर्वेक्षण और विकास समिति के रूप में भी जाना जाता है?

A. चड्ढा समिति B. भोरे समिति
C. मुदलियार समिति D. मुखेरी समिति

60. मासिक धर्म चक्र के किस दिन पर मौखिक गर्भनिरोधक गोलियां शुरू की जानी चाहिए?

A. पहला दिन B. तीसरा दिन
C. 5वें दिन D. 10वां दिन

61. तपेदिक उपचार में 'फॉलो-अप के लिए खो गया' का अर्थ है:

A. इलाज 30 दिन तक बाधित है।
B. इलाज 2 खुराक के लिए बाधित है।
C. इलाज लगातार 2 महीने या उससे अधिक समय तक बाधित रहता है।
D. इलाज के दौरान मरीज की मृत्यु हो जाती है।

62. बोटुलिज्म के लिए संक्रमण का सबसे आम स्रोत है:

A. दूषित पानी

B. डिब्बे में बंद सब्जियां

C. रोग फैलाने वाला पशु से संपर्क

D. सड़ा अंडा

63. मटर सूप दस्त _____ की विशेषता है।

A. रोटावायरस दस्त B. टाइफाइड

C. हैजा D. जठरशोथ

64. एक उपचारिका एक रोगी को चार से पांच पंक्तियों का पता याद करने को कहती है जो रोगी को मालूम नहीं है। 5 से 10 मिनट बाद, वह उस रोगी को वही पता दोहराने को कहती है। उपचारिका रोगी की स्मृति की किस अभिमुखता की जांच कर रही है?

A. तत्काल स्मृति

B. अभिनव (हालिया) स्मृति

C. दूरस्थ स्मृति

D. विलंबित स्मृति

65. स्वयम् का चिकित्सीय उपयोग क्या है?

A. अपने स्वयम् के विचारों, विश्वासों और प्रेरणाओं को समझने की प्रक्रिया।

B. अपने व्यक्तित्व का जान-बूझकर और पूरी जागरूकता से उपयोग करना।

C. इंसान का वैयक्तिक आचरण, अनुभूति और विचार जो उसे और दूसरों को भी पता है।

D. वैयक्तिक निजी विचार जो सिर्फ उसी इंसान को पता है।

66. बलुलेर के विखंडित मनस्कता (सिजोफ्रेनिया) के चार A's में इनमें से सभी शामिल हैं सिवाय:

A. आवेशी अशांति B. स्वपरायण सोच

C. उभयभाविता D. श्रवण दुःस्वप्न

67. एक रोगी उन्मत्त स्थिति में बड़बड़ाता है, "वी कैन, पैन, रैन, प्लैन ..." इसकी पहचान _____ के रूप में की जा सकती है।

A. सलाद शब्द B. शब्दानुकरण

C. क्वणन साहचर्य D. उल्लास

68. अपने घर या परिचित क्षेत्र से दूर जाने के तर्कशून्य डर का वर्णन करने के लिए कौन-से शब्द का उपयोग करते हैं?

A. ब्रोंटोफोबिया B. संवृत्तिभीति

C. विवृतिभीति D. उत्तुंगता-भीति

69. एक ग्राहक ने यह भावना व्यक्त की कि सशस्त्र बल उसकी जान लेना चाहते हैं। यह _____ का एक उदाहरण हो सकता है।

A. ईर्ष्या का विभ्रम

B. उत्पीड़न का विभ्रम

C. विश्वासघात का विभ्रम

D. भव्यता का विभ्रम

70. इनमें से क्या शराब प्रत्याहर (मद्यधुत निकासी) का लक्षण नहीं है?

A. कंपन

B. अत्यधिक पसीना आना

C. लगातार अनिद्रा

D. चेहरा लाल होना

71. अन्य लोगों पर अविश्वास और सतत अनुचित संदेह करना इनमें से किस व्यक्तित्व विकार में देखा जाता है?

A. अभिविदलित व्यक्तित्व विकार

B. असामाजिक व्यक्तित्व विकार

C. व्यामोहाभ व्यक्तित्व विकार

D. सिजोटाइपल व्यक्तित्व विकार

72. इनमें से क्या अल्जाइमर्स मनोभ्रंश (अल्जाइमर डिमेंशिया) का लक्षण नहीं है?

A. स्मृति खोना

B. स्थितिभ्रांति

C. वस्तुओं को गलत जगह रखना

D. वजन घटना

73. इनमें से क्या आत्मघाती प्रवृत्ति वाले उन्माद रोगियों के लिए जोखिम कारक होता है?

A. तनाव B. विलगन

C. भव्य विचार D. अतिसक्रिय व्यवहार

74. एक मैजिस्ट्रेट और दो चिकित्सा अधिकारियों के समर्थन से मिले आवेदन के बाद, अलेक्स के रिश्तेदारों ने उसे मनोविकारी अस्पताल में भर्ती किया। भारतीय मानसिक चिकित्सा स्वास्थ्य अधिनियम के अनुसार, अलेक्स को इनमें से किस प्रकार का दखिला मिला?

A. स्वैच्छिक आधार पर दखिला
B. स्वागत के आदेश पर दखिला
C. जांच के आदेश पर दखिला
D. विशेष मामले के आधार पर दखिला

75. सामाजिक मार्गदर्शन का उद्देश्य होता है:

A. सीखने में आने वाली कठिनाईयों को पहचानना।
B. भौतिक विकास में लोगों की सहायता करना।
C. नेतृत्व के गुणों का विकास करना।
D. विद्यार्थियों में शौक को विकसित करने में सहायता करना।

76. जब एक संकाय विषय वस्तु, नैदानिक अनुभव और अभ्यास की छात्रों के विशेष समूह के लिए योजना करता और लागू करता है, उसे कहते हैं:

A. तत्वज्ञान
B. पाठ्यचर्या
C. नैदानिक शिक्षण पद्धति
D. परामर्श

77. पर्यवेक्षी शैली जिसमें एक उपचर्या पर्यवेक्षक, माता-पिता की तरह व्यवहार करता/करती है और उसके अधीनस्थ को सतत निर्देशन देता/देती है, उसे कहते हैं:

A. लोकतांत्रिक शैली   B. एकतंत्रीय शैली
C. उदार शैली   D. अनौपचारिक शैली

78. एक उपचारिका कर्मचारी की अपने परिचर्या अधीक्षक के लिए उत्तरदायित्व को ______ कहते हैं।

A. जिम्मेदारी   B. जवाबदेही
C. प्राधिकरण   D. प्रत्यायोजन

79. किसी पदार्थ के आंतरिक मूल्य के विश्लेषण करने की प्रक्रिया, जिससे किसी संस्था का उद्देश्य प्राप्त हो, उसे कहते हैं:

A. वस्तुसूची विश्लेषण   B. सामग्री विश्लेषण
C. बफर विश्लेषण   D. मूल्य विश्लेषण

80. एक संस्था में एक वरिष्ठ और अधीस्थ का संबंध, जो ऊपर से नीचे तक उत्तरदायित्व के स्तरों की संख्या पर निर्भर है, उसे कहते हैं:

A. विकेन्द्रीकरण   B. नियंत्रण का विस्तार
C. समादेश की एकता   D. अदिश शृंखला

81. एक प्रकार की प्रतिचयन विधि जिसका उपयोग तब करते हैं जब अनुसंधायक को ही प्रतिभागी का स्थान निर्धारण करने में कठिनाई होती है:

A. क्रमबद्ध प्रतिचयन
B. स्नोबॉल प्रतिचयन
C. स्तरित यादृच्छिक प्रतिचयन
D. व्यवस्थित यादृच्छिक प्रतिचयन

82. एक इंसान की असंरचित उत्तेजना पर प्रतिक्रियाओं को मापने की तकनीक को कहते हैं:

A. यादृच्छिक तकनीक
B. डेल्फी तकनीक
C. प्रक्षेपीय तकनीक
D. रिफ्लेक्सिव तकनीक

83. पार अनुभागीय अनुसंधान रचनाओं में डेटा:

A. समय की एक अवधि में एकत्र किए जाते हैं
B. अतीत में एकत्र किया गया होता है
C. विस्तारित समय में एकत्र किया जाता है
D. एक विशेष बिंदु पर एकत्र किया जाता है

84. जनसंख्या का संख्यात्मक मूल्य मापने को कहते हैं:

A. स्थैतिक   B. प्राचल
C. मध्यस्थ   D. परिशुद्धता

85. निम्नलिखित में से कौन-सा कथन सही है।

1. सोडियम एक नरम धातु है जिसे इसकी कम कठोरता एवं उच्च प्रतिक्रियाशीलता के कारण चाकू से आसानी से काटा जा सकता है।
2. राइजोबियम जीवाणु फलीदार फसलों की जड़ की गांठो में पाए जाते हैं जो नाइट्रोजन स्थिरीकरण में महत्वपूर्ण भूमिका निभाते हैं।

कूटः

A. केवल 1 B. केवल 2

C. 1 एवं 2 दोनों D. न तो 1 एवं न ही 2

86. सूची-I एवं सूची-II को सही सुमेलित कीजिए।

सूची-I (विटामिन)	**सूची-II (विटामिन का दूसरा नाम)**
(*a*) विटामिन B1	1. राइबोफ्लेविन
(*b*) विटामिन B2	2. सायनोकोबाल्मिन
(*c*) विटामिन B6	3. थायमीन
(*d*) विटामिन B12	4. पायरीडोक्सिन

कूटः

	(*a*)	(*b*)	(*c*)	(*d*)
A.	1	2	3	4
B.	3	1	4	2
C.	2	4	3	1
D.	4	2	1	3

87. सूची-I एवं सूची-II को सही सुमेलित कीजिए।

सूची-I (पशुओं में रोग)	**सूची-II (पशु)**
(*a*) डिफ्थिरिया	1. बंदर
(*b*) ब्लैकलैग	2. सुअर, बंदर, चूहा
(*c*) डीसेन्ट्री	3. खरगोश, सुअर
(*d*) प्लेग	4. चौपाया पशु

कूटः

	(*a*)	(*b*)	(*c*)	(*d*)
A.	3	4	1	2
B.	4	1	3	2
C.	2	1	3	4
D.	1	4	2	3

88. निम्नलिखित में से कौन-सा बच्चों में रोग संचरण की रोकथाम के लिए नर्सिंग प्रबंधन का हिस्सा नहीं है?

A. संदिग्ध चकत्ते और श्वसन संक्रमण वाले बच्चों को अलग करें

B. घावों को सूखने के लिए खुला छोड़ दें

C. याद रखें कि मल-मौखिक और श्वसन मार्ग बच्चों में संचरण के सबसे आम मार्ग हैं

D. किसी अन्य बच्चे के कमरे का उपयोग करने से पहले परीक्षण कक्ष में कठोर सतहों को एंटीसेप्टिक सोल्यूशन से पोंछ लें

89. गैस्ट्रोएंटेराइटिस के कारण निर्जलीकरण से ग्रस्त एक बच्चे को भर्ती कराया गया है। बच्चे के अस्पताल में भर्ती होने के दौरान कौन-सी माता-पिता नर्सिंग देखभाल कार्रवाई को प्राथमिकता दी जाती है?

A. बच्चे को निर्बाध आराम करने देना

B. बच्चे को चुनने के लिए विभिन्न प्रकार के नाश्ते उपलब्ध कराना

C. बच्चे को खेल गतिविधियों में शामिल होंने के लिए प्रोत्साहित करना

D. बच्चे के तरल के सेवन और आउटपुट की निगरानी करना

90. ______ हार्मोनल गर्भनिरोधक विधि में त्वचा पर एक पैच लगाना शामिल होता है जो त्वचा के माध्यम से रक्तप्रवाह में हार्मोन जारी करता है।

A. सबडर्मल प्रत्यारोपण B. गर्भनिरोधक वलय

C. गर्भनिरोधक पैच D. जन्म नियंत्रण शॉट्स

91. निम्नलिखित में से कौन-सी सबसे महत्वपूर्ण नर्सिंग क्रिया है जिसे कार्डियक कैथीटेराइजेशन से गुजरे रोगी के लिए करना पड़ता है:

A. नाड़ी की कमी हेतु जाँच करना

B. बिस्तर के सिर के सिरे को ऊपर उठाना

C. रक्तस्राव के लिए कैथीटेराइजेशन साइट का आकलन करना

D. बेड क्रेडल प्रदान करना

92. मल्टीपल स्केलेरोसिस के रोगी की देखभाल का काम नर्स को सौंपा जाता है। रोगी के लिए प्राथमिक नर्सिंग निदान होगा:

A. बिगड़ा हुआ मूत्र उत्सर्जन

B. शरीर के तापमान में परिवर्तन

C. दोषपूर्ण ज्ञान

D. खराब गतिशीलता

93. सदमे के प्रतिपूरक चरण में एक रोगी के उपचार में एक नर्स की भूमिका सभी है, सिवाय कि:

A. रोगी की हेमोडायनामिक स्थिति की निगरानी करना
B. रोगी की सुरक्षा को बढ़ावा देना
C. निर्धारित आईवी तरल पदार्थ और दवाओं का प्रशासन करना
D. स्वास्थ्य शिक्षा प्रदान करना

94. प्रसवपीड़ा की प्रगति की आलेखीय प्रस्तुति जिसमें ग्रीवा फैलाव और भ्रूण के सिर अवरोहण को समय के सामने आलेखित किया जाता है, उसे कहा जाता है:

A. इलेक्ट्रोकार्डियोग्राम   B. पार्टोग्राम
C. वाइटल ग्राफ   D. प्रसवपीड़ा ग्राफ

95. पारिभाषिक शब्द जल्दी स्तनपान कराने की शुरुआत का अर्थ है:

A. प्रसव के बाद एक मिनट के भीतर स्तनपान कराने की शुरुआत करना।
B. प्रसव के बाद एक घंटे के भीतर स्तनपान कराने की शुरुआत करना।
C. प्रसव के दो घंटे के भीतर स्तनपान कराने की शुरुआत करना।
D. प्रसव के एक दिन के भीतर स्तनपान कराने की शुरुआत करना।

96. नर्स को सौंपे गए रोगी का निदान दाएं तरफ के हृदय की विफलता है। इसका आकलन करते समय निम्नलिखित में से किस स्थिति की अपेक्षा नर्स कर सकती है।

A. पेरिफेरल इडिमा   B. मूत्र उत्पादन में कमी
C. सांस लेने में कठिनाई   D. दौरे की गतिविधि

97. नर्स चिकित्सक को रोगी की आरोग्य प्राप्ति में विचलन के बारे में यह समझकर सूचित करती है कि कुछ उपचारात्मक क्रियाएं आवश्यक हैं, यह ______ का एक उदाहरण है।

A. जटिल स्तर की महत्वपूर्ण सोच
B. प्रतिबद्धता स्तर की महत्वपूर्ण सोच
C. बुनियादी स्तर की महत्वपूर्ण सोच
D. उन्नत स्तर की महत्वपूर्ण सोच

98. निम्नलिखित में से कौन-सा कथन सत्य है?

1. टाइप 2 मधुमेह रोगियों के उपचार हेतु मौखिक हाइपोग्लाइसेमिक एजेन्टों का उपयोग किया जाता है।
2. रिस्क नर्सिंग डायग्नोसिस (Risk Nursing Diagnosis) नर्सिंग निदान में संक्रमण के लिए जोखिम का एक उदाहरण है।

कूटः

A. केवल 1   B. केवल 2
C. 1 एवं 2 दोनों   D. न तो 1 एवं न ही 2

99. दिए गए कथनों में से सही कथन की पहचान कीजिए।

1. एक शिशु में म्यूकस की वजह से साँस फूलने पर नर्स का पहला कार्य पैर को पकड़कर शिशु को उठाना होगा।
2. मशीनरी पहलू अस्पताल प्रणाली का संकेतक नहीं माना जाता है?
3. एक निर्धारित अवधि के दौरान निश्चित जनसंख्या में होने वाले नए मामलों की संख्या को घटना (Incidence) कहा जाता है।
4. रोगी को छुट्टी दिए जाने के बाद पूर्व प्रभावी मूल्यांकन प्रणाली का इस्तेमाल किया जाता है?

कूटः

A. केवल 2 एवं 3   B. केवल 1 एवं 3
C. 1, 2 एवं 3   D. उपरोक्त सभी

100. निम्नलिखित में से कौन-सा कथन सत्य है?

1. हीमोफीलिया एक वंशानुगत रोग है जो रक्त के थक्के बनाने के लिए शरीर की क्षमता को बाधित करता है।
2. सिजोफ्रेनिया आनुवंशिक रूप से होने वाला मानसिक रोग है जो मस्तिष्क में डोपामाइन रसायन की कमी और सिरोटोनिन रसायन के असन्तुलन से होता है।
3. कुष्ठ रोग से मुख्यतः परिधीय नसों (दिमाग एवं स्पाइनल कॉर्ड के बाहर की नसों) एवं अल्नर तंत्रिका प्रभावित होते हैं।

कूटः

A. केवल 1 एवं 2   B. 1, 2 एवं 3 सभी
C. केवल 2 एवं 3   D. इनमें से कोई नहीं

उत्तरमाला

1	2	3	4	5	6	7	8	9	10
D	C	C	C	C	C	B	C	C	B
11	12	13	14	15	16	17	18	19	20
B	C	A	A	C	C	A	D	B	C
21	22	23	24	25	26	27	28	29	30
B	B	B	B	C	C	C	C	C	C
31	32	33	34	35	36	37	38	39	40
A	B	B	C	D	A	C	C	C	D
41	42	43	44	45	46	47	48	49	50
C	B	A	C	B	C	A	D	A	A
51	52	53	54	55	56	57	58	59	60
D	C	D	C	B	C	D	B	B	C
61	62	63	64	65	66	67	68	69	70
C	B	B	B	B	D	C	C	B	D
71	72	73	74	75	76	77	78	79	80
C	D	C	B	C	B	C	B	D	D
81	82	83	84	85	86	87	88	89	90
B	C	D	B	C	B	A	B	D	C
91	92	93	94	95	96	97	98	99	100
C	A	D	B	B	A	C	C	D	B

प्रैक्टिस सेट 9

1. एक मरीज के प्रयोगशाला परिणाम में सीरम क्रिएटिनीन का स्तर 7 mg% अर्थात् 7 mg/dl पाया गया। यह निष्कर्ष नर्स को किस मूल्यांकन को सर्वोच्च प्राथमिकता देने के लिए प्रेरित करेगा?

A. केशिका को पुनः भरने का समय
B. तापमान
C. आँख की पुतली का रिफ्लेक्स
D. इंटेक (सेवन) और आउटपुट

2. जीवन को खतरे में डालने वाली स्थितियों के उपचार में तार्किक क्रम में निम्नलिखित कदम उठाए जाने की आवश्यकता है:

I. रक्तस्राव पर नियंत्रण रखें
II. शॉक का इलाज
III. साँस लेने की जाँच करें
IV. यदि वायु मार्ग बाधित हो, तो सिर झुकाने की विधि का प्रयोग करें

नीचे दिए गए कूट में सही उत्तर चुनिए:

कूट:

A. IV, III, II, I B. I, II, III, IV
C. III, IV, I, II D. II, I, III, IV

3. सूची-I को सूची-II से मिलाइए तथा नीचे दिए गए कूट से सही उत्तर चुनिए:

सूची-I	**सूची-II**
(*a*) एप्लास्टिक एनीमिया	1. एडीसन डिसीज
(*b*) पर्निशियस एनीमिया	2. असामान्य हीमोग्लोबिन का पाया जाना
(*c*) हीमोलिटिक एनीमिया	3. बोन मैरो एप्लेसिया
(*d*) सिकल सेल एनीमिया	4. आर.बी.सी. का टूटना

कूट:

	(*a*)	(*b*)	(*c*)	(*d*)
A.	3	2	1	4
B.	4	2	1	3
C.	1	2	3	4
D.	3	1	4	2

4. आई.एम.एन.सी.आई. का पूर्ण रूप है:

A. इम्यूनाइजेशन ऑफ मदर्स, नियोनेट्स एंड चिल्ड्रन ऑफ इंडिया
B. इम्प्रूवमेंट ऑफ मैटर्नल, नियोनेटल एंड चाइल्डहुड इम्युनाइजेशन
C. इंटीग्रेटेड मैनेजमेंट ऑफ नियोनेटल एंड चाइल्डहुड इलनेसिस
D. इल्वॉल्वमेंट ऑफ मदर्स, नियोनेट्स एवं चिल्ड्रन इन इंडिया

5. मधुमेह से पीड़ित गर्भवती माँ के कारण नवजात में होने वाली जटिलताओं के बारे में सभी सत्य हैं, सिवाय:

A. हाइपोकैल्सीमिया B. हाइपरग्लाईसीमिया
C. हाइपोग्लाईसीमिया D. हाइपोमैग्नेसीमिया

6. जन्म के समय से पहले और उसके आसपास दी जाने वाली प्रसूति और नवजात देखभाल का सबसे अच्छा संकेतक कौन-सा है?

A. प्रसवकालीन मृत्यु दर
B. प्रारंभिक नवजात मृत्यु दर
C. पाँच साल से कम उम्र के बच्चों की मृत्यु दर
D. आई.एम.आर.

7. सूची-I को सूची-II से सुमेलित कीजिए तथा सूचियों के नीचे दिए गए कूट से सही उत्तर चुनिए:

सूची-I	**सूची-II**
(*a*) भारत सरकार द्वारा राष्ट्रीय घेंघा नियंत्रण कार्यक्रम शुरू हुआ	1. 1971
(*b*) एकीकृत बाल विकास सेवाएँ (आई.सी.डी.एस.) कार्यक्रम की शुरूआत हुई	2. 1962
(*c*) मेडिकल टर्मीनेशन ऑफ प्रेगनेन्सी (एम.टी.पी.) एक्ट	3. 1950
(*d*) कोलम्बो प्लान	4. 1975

कूटः

	(*a*)	(*b*)	(*c*)	(*d*)
A.	1	2	3	4
B.	4	3	2	1
C.	3	2	1	4
D.	2	4	1	3

8. सूची-I में दी गई बीमारियों का सूची-II में दी गई समस्याओं/लक्षणों से मिलान करें तथा नीचे दिए गए कूट से सही उत्तर चुनिए:

सूची-I	**सूची-II**
(*a*) टायफाइड बुखार	1. ग्रसनी पक्षाघात
(*b*) काली खांसी	2. आंतों में छेद का रोग
(*c*) डिफ्थीरिया	3. श्वासरोध
(*d*) कण्ठमाला का रोग	4. बहरापन

कूटः

	(*a*)	(*b*)	(*c*)	(*d*)
A.	3	2	1	4
B.	2	1	3	4
C.	2	3	1	4
D.	1	4	3	2

9. एक ऐसी स्थिति जिसमें संक्रमण के प्रारंभिक स्थल से परे शरीर के क्षेत्रों में संक्रमण फैल गया है उसे ______ कहा जाता है।

A. स्थानीयकृत संक्रमण
B. प्रणालीगत संक्रमण
C. फैला हुआ संक्रण
D. अस्पताल से उत्पन्न संक्रमण

10. जब पोषण एक ट्यूब या कैथेटर के माध्यम से मौखिक गुहा के बाहर के जीआई ट्रैक्ट में पहुँचाया जाता है तो उसे ______ कहा जाता है।

A. आंत्रेतर पोषण B. आंत्र पोषण
C. कुल आंत्रेतर पोषण D. ये सभी

11. निम्नलिखित में से कौन-सा परीक्षण उन मरीजों में किया जाता है जिसमें अधिवृक्क ग्रंथियों के हाइपरफंक्शनिंग या हाइपोफंक्शनिंग होने का संदेह होता है?

A. एल्डोस्टेरोन स्तर B. सीरम कोर्टिसोल परीक्षण
C. हीमोग्लोबिन D. HbA1C

12. निम्न में से कौन हाइपोवोलेमिक नैट्रेमिया का वर्णन करता है?

A. शरीर के कुल पानी में कुल सोडियम की तुलना में अधिक वृद्धि होती है
B. शरीर का कुल पानी और सोडियम की मात्रा कम हो जाती है
C. शरीर के कुल पानी में मामूली वृद्धि हुई है और सोडियम का स्तर सामान्य है
D. शरीर के कुल पानी या सोडियम में कोई बदलाव नहीं होता है

13. बच्चे को दर्द का अनुभव होने से पहले या सर्जरी से पहले एनाल्जेसिया का प्रशासन ताकि संवेदी संक्रियण और परिधीय और केंद्रीय तंत्रिका तंत्र के दर्द मार्गों में परिवर्तन को नियंत्रित किया जा सके ______ कहा जाता है।

A. मल्टीमॉडल एनाल्जेसिया
B. संतुलित एनाल्जेसिया
C. प्रीमेप्टिव एनाल्जेसिया
D. क्षेत्रीय एनाल्जेसिया

14. एकाएक तेज आवाज के कारण कोहनियों के मुड़ने से बाजुओं का अपहरण होता है, हाथ जकड़े रहते हैं, 4 महीने की उम्र तक गायब हो जाते हैं। नवजात शिशु में इस रिफ्लेक्स को ______ कहा जाता है।

A. स्टार्टल रिफ्लेक्स B. मोरो रिफ्लेक्स
C. एक्सट्रूजन रिफ्लेक्स D. पेरेज रिफ्लेक्स

15. मनुष्य या पशुओं के निदान, उपचार या टीकाकरण या अनुसंधान गतिविधियों के दौरान उत्पन्न होने वाले किसी भी अपशिष्ट को ______ कहा जाता है।

A. चिकित्सकीय अपशिष्ट
B. अस्पताल अपशिष्ट
C. बायोमेडिकल अपशिष्ट
D. संक्रामक अपशिष्ट

16. एक संदिग्ध तीव्र महाधमनी विच्छेदन वाले मरीज को प्रदान की जाने वाली प्राथमिक देखभाल ______ है।

A. नींद को बढ़ावा देना
B. रक्तचाप को नियंत्रित करना
C. मायोकार्डियल सिकुड़न में वृद्धि
D. चिंता कम करना

17. सर्जिकल थिएटर में स्थानांतरण के समय तक की अवधि जो सर्जरी के लिए निर्धारित क्लाइंट के साथ शुरू होती है, कहलाती है:

A. प्रवेश अवधि B. प्रीऑपरेटिव अवधि
C. पेरिऑपरेटिव अवधि D. प्रीएनेस्थीसिया अवधि

18. मरीज द्वारा नर्स को दिया गया कौन-सा कथन यह इंगित करता है कि उसे हद धमनी बीमारी का जोखिम है?

A. मैं प्रत्येक दूसरे दिन कसरत करता हूँ
B. मेरे पिता की मृत्यु माइस्थएनिया ग्रेविस से हुई थी
C. मेरा कोलेस्टेरॉल 180 है
D. मैं प्रतिदिन 1½ पैकेट्स सिगरेट पीता हूँ

19. एक नर्स एक मरीज के कक्ष में यह ज्ञात करने के लिए प्रवेश करती है कि मरीज में स्पंद तथा श्वसन क्रिया नहीं है। सहायता के लिए आवाज लगाने के बाद, नर्स की प्रथम प्रतिक्रिया होनी चाहिए:

A. परिधीय IV चालू करना
B. स्पर्शीय वक्ष मसाज प्रारंभ करना
C. वायुमार्ग स्थापित करना
D. आपातकाल कार्ट प्राप्त करना

20. एक नर्स फिजीशियन को सहयोग की तैयारी करते हुए किसी मरीज की त्वचा का वुड लाइट के साथ परीक्षण करने के लिए निम्न में से क्या करेगी?

A. एक सूचित सहमति प्राप्त करेगी
B. मरीज को बतलाएगी की प्रक्रिया पीड़ा रहित है
C. साइट वाली त्वचा की शेव करेगी
D. एक स्थानीय ऐनेस्थेसीया तैयार करेगी

21. एक नर्स DVT वाले रोगी की देखभाल कर रही है। उसे इस बात से अवगत होना चाहिए कि शिरापरक अंतःशल्य लगी होनी चाहिए:

A. हृदय में B. फेफड़ों में
C. यकृत में D. वृक्क में

22. एक रोगी टूटे हुए जबड़े से व्यथित है। इस रोगी के लिए किस प्रकार का भोजन सर्वाधिक फायदेंमंद होगा?

A. गाजर, भुनी मुर्गी तथा अनाज
B. चावल, तरबूज तथा धूमित मछली
C. टैकोज, चीनिया बादाम तथा ताजी ब्रोकोली
D. सूप, पूडिंग तथा आइसक्रीम

23. मृतप्राय नवजात को जीवित करने के लिए निम्नलिखित में कौन-सा तत्काल उठाया जाने वाला कदम है?

A. बच्चे के पेट का चूषण
B. मुख और नाक के वायुमार्ग को साफ करना
C. वायुमार्ग से स्रवण को हटाने के लिए छाती को दबाना
D. नियमित रूप से सोडियम बाइकार्बोनेट देना

24. उच्च संतृप्त वसा वाले आहार को ______ से जोड़ा जा सकता है।

A. किडनी की खराबी
B. हृदय के रोग
C. क्षुधामान्द्य (Anorexia)
D. अतिक्षुधा (Bulimia)

25. रक्त या शरीर के तरल पदार्थों के तेजी से नुकसान के कारण जीवन के लिए खतरा होने वाली स्थिति को ______ के रूप में जाना जाता है।

A. हाइपोवॉल्मिक शॉक B. न्यूरोजेनिक शॉक
C. ऐनाफैलेटिक शॉक D. पूतिदूषित शॉक

26. मानसिक स्वास्थ्य चिकित्सा का मानक ______ द्वारा प्रकाशित किया जाता है।

A. अमरीकन नर्सेस एसोसिएशन
B. इंडियन नर्सिंग कौंसिल
C. स्टेट नर्सिंग कौंसिल
D. ट्रेन्ड नर्सेस एसोसिएशन ऑफ इंडिया

27. प्रसव का सही क्रम है:

(*a*) फ्लेशन (*b*) क्रोविंग
(*c*) बाह्य रोटेशन (*d*) रेस्टिच्यूशन

A. (*a*), (*b*), (*c*), (*d*) B. (*a*), (*b*), (*d*), (*c*)
C. (*b*), (*c*), (*d*), (*a*) D. (*b*), (*d*), (*a*), (*c*)

28. एक मरीज जिसे वेन्ट्रोपेरिटोनियल शन्ट (VP Shunt) लगाया गया है वह चिड़चिड़ापन, सिरदर्द, धुंधली रोशनी, शरीर दर्द और चौड़ा नाड़ी दबाव के लक्षणों के साथ आता है। परिचारिका को क्या शंका होनी चाहिए?

A. मस्तिष्क ट्यूमर
B. मस्तिष्क के अन्दर का उच्च दबाव
C. बेहोशी
D. निद्रा का व्यतिक्रम

29. एक सी.ओ.पी.डी. के रोगी जिसको 'सेकेन्डरी पालीसायथिमिया' हुआ है। नर्सिंग की देखभाल में क्या निदान होगा?

A. खून के बहने से द्रव्य की कमी देखना
B. खून का थक्का बनने से ऊतक में खून का बहाव देखना
C. साँस फूलने से कार्य करने की अक्षमता
D. प्रतिरोधक क्षमता कम होने से संक्रमण का खतरा

30. एक सी.वी.ए. के मरीज में प्राथमिक उद्देश्य नर्स को साँस का रास्ता ठीक रखना होता है। इसके लिए मरीज को शुरू में किस अवस्था में रखना चाहिए?

A. प्रोन अवस्था
B. करवट की तरफ
C. सुपाइन अवस्था
D. ट्रेडेलेनबर्ग अवस्था

31. हाइपोपराथीरोइडिस्म के कारणों में शामिल है:

(*a*) थायराइएक्टोक्टिमी के दौरान ग्रंथियों का नुकसान
(*b*) ग्रंथि की जन्मजात विसंगति
(*c*) खोपड़ी का खंडित
(*d*) एंटीबॉडी का विकृति कोशिकाओं को विकसित करना

A. (*a*), (*b*), (*c*) B. (*b*), (*c*), (*d*)
C. (*a*), (*b*), (*d*) D. (*a*), (*b*), (*c*), (*d*)

32. समुदाय का कार्य:

(*a*) यह सामाजिक और मनोरंजन के लिए जगह प्रदान करता है
(*b*) यह बचाव और सुरक्षा प्रदान करता है
(*c*) सदस्यों के लिए समाजीकरण और शिक्षा
(*d*) सदस्यों के बीच बातचीत के लिए अवसर प्रदान करता है

A. (*a*), (*b*), (*c*) B. (*b*), (*c*), (*d*)
C. (*a*), (*c*), (*d*) D. (*a*), (*b*), (*c*), (*d*)

33. नर्सिंग शोध का प्राथमिक कार्य है:

A. रोगी देखभाल के लक्ष्यों को निर्धारित करने और प्राप्त करने के लिए निर्देशित दूसरों के कार्यों के लिए जिम्मदारियों को उत्तेजित करना
B. नर्सिंग अभ्यास के वैज्ञानिक आधार में योगदान करने के लिए
C. व्यक्तिगत रोगियों की स्वास्थ्य देखभाल और जरूरतों को पूरा करने के लिए, उनके परिवार और अन्य महत्वपूर्ण
D. किसी दिए गए रोगी की व्यक्तिगत नर्सिंग देखभाल के लिए पूरी जिम्मेदारी स्वीकार करने के लिए

34. भारतीय नर्सिंग काउंसिल अधिनियम किस वर्ष प्रस्तावित किया गया था?

A. 1945 B. 1947
C. 1958 D. 2001

35. निम्नलिखित में से कौन-सा कथन असत्य है?

A. शिशु के विकास के लिए खेल महत्वपूर्ण है।

B. नवजात अक्सर उस अभिव्यक्ति की नकल करते हैं जो वह देखता है।

C. झुनझुना नवजात शिशुओं के लिए सर्वश्रेष्ठ खिलौना है।

D. 8 महीनों में बच्चे स्टैकिंग खिलौनों का आनंद लेते हैं।

36. निम्नलिखित में से किस प्रक्रिया को हमेशा शल्य अपूति की आवश्यकता होती है?

A. वेगीनल इरीगेशन

B. यूरीनरी कैथीटेराइजेशन

C. नासोगेस्टरिक ट्यूब प्रविष्टि

D. कोलोस्टॉमी इरीगेशन

37. नर्स द्वारा कल्चर के लिए थूक का नमूना प्राप्त करने का सबसे उपयुक्त समय होता है।

A. सुबह में जल्दी

B. मरीज द्वारा हल्का नाश्ता करने के बाद

C. एयरोसोल थेरेपी के बाद

D. छाती की भौतिक चिकित्सा के बाद

38. राजनीतिक-आर्थिक कारकों का एक उदाहरण जो सुरक्षित वातावरण के रखरखाव को प्रभावित कर सकता है:

A. वित्त B. चिंता

C. धूम्रपान D. धारणाएं

39. जोड़ों में पाया जाने वाला एक शारीरिक तरल पदार्थ को क्या कहा जाता है?

A. पर्युदयो (पेरिटोनियल) तरल

B. श्लेषक तरल

C. प्रमस्तिष्कमेरु तरल

D. ऐमनियोटिक तरल

40. नवजात शिशुओं को सामान्यतः ______ के लिए नींद की आवश्यकता होती है।

A. दिन में 6 घंटे B. दिन में 9 घंटे

C. दिन में 12 घंटे D. दिन में 16 घंटे

41. कार्बोहाइड्रेट के प्रत्येक ग्राम से ______ ऊर्जा मुक्त होती है।

A. 4.1 कैलोरी B. 9.3 कैलोरी

C. 6.2 कैलोरी D. 8.3 कैलोरी

42. ग्लूटाथिओन पेरोक्सिडेस का एक अनिवार्य घटक है ______।

A. सेलेनियम B. तांबा

C. जस्ता D. मैंगनीज

43. चेतना के नुकसान के बिना अतिगंभीर स्मृति समस्या को ______ कहा जाता है।

A. क्षणिक वैश्विक स्मृतिलोप

B. प्रतिगामी स्मृतिलोप

C. ऐन्ट्रोग्रेड स्मृतिलोप

D. स्मृति हानि

44. शारीरिक ऊर्जा को तंत्रिका तंत्र गतिविधि में परिवर्तित करने की प्रक्रिया को ______ कहा जाता है।

A. ग्राही संभाव्य B. पारक्रमण

C. जनित्र संभाव्य D. गति संवेदना

45. तकनीक जो मनुष्यों को परीक्षण उत्तेजनाओं पर उनकी आंतरिक भावनाओं, दृष्टिकोण, आवश्यकताओं या मूल्यों को प्रोजेक्ट करने में सक्षम बनाती हैं और इस प्रक्रिया से उनके व्यक्तित्व को दर्शाती हैं:

A. मोहावस्था B. प्रबलन

C. विश्रांति तकनीक D. प्रक्षेपी तकनीक

46. किसी बीमारी या विकार की शुरुआत में रोकने के लिए किए गए उपायों को ______ कहा जाता है।

A. प्राथमिक वर्धन B. प्राथमिक निवारण

C. द्वितीयक निवारण D. तृतीयक निवारण

47. स्वास्थ्य देखभाल वितरण दल विभिन्न विषयों के जानकारों से बना है जो जिम्मेदारियों, अधिकारों और निर्णय लेने को साझा करते हैं, उन्हें कहा जाता है:

A. अंतर्विषयक दल B. बहु-विषयक दल

C. पार-विषयक दल D. अंतःविषयक दल

48. उस प्रकार के परिवार का नाम बताइए जिसमें जैविक रूप से असंबंधित व्यक्ति, जोड़े या परिवार एक साथ रहते हैं और संयुक्त रूप से पारिवरिक कार्य करते हैं:

A. विषमलैंगिक परिवार B. विस्तारित परिवार
C. सांप्रदायिक परिवार D. समलिंगी परिवार

49. ऐसी स्थिति जिसमें किसी परिवार या व्यक्ति का संतुलन बाधित हो जाता है, नई सामना करने की रणनीतियों के विकास की आवश्यकता होती है:

A. संक्रमण B. स्थिरता
C. रणनीतियाँ D. संकट

50. स्तन फाइब्रोएडीनोमा सामान्यतः नैदानिक या स्व-परीक्षण के दौरान संयोग से पाए जाते हैं और सामान्यतः निम्न में स्थित होते हैं:

A. ऊपरी बाह्य चतुर्थांश
B. निम्न (निचले) बाह्य चतुर्थांश
C. ऊपरी भीतरी चतुर्थांश
D. निचले भीतरी चतुर्थांश

51. प्रसव का दूसरा चरण _____ के साथ समाप्त होता है।

A. नवजात का जन्म
B. प्रबल गर्भाशय संकुचन
C. योनि के मुहाने से गहरे रक्त का अचानक रिसाव
D. चक्रिकाभ से गोलाकार डिंग में गर्भाशय के आकार में बदलाव

52. केगेल, बच्चे के जन्म के बाद महिलाओं में असंयम को नियंत्रित करने में एक विधि के रूप में काम करता है और _____ को मजबूत बनाने में मदद करता है।

A. ऊपरी अंग की मांसपेशियां
B. छाती की मांसपेशियाँ
C. पेट की मांसपेशियाँ
D. श्रोणि की मांसपेशियाँ

53. एक उपकरण जो भ्रूण में ऑक्सीजन संतृप्ति को सीधे और वास्तविक समय में मापता है:

A. गर्भ नाड़ी ओक्सिमेट्री
B. गर्भ शिरोवल्क उद्दीपन
C. वाइब्रोएकॉस्टिक उद्दीपन
D. अल्ट्रासोनोग्राफी

54. इतिहास जिसमें ऋतुस्राव, प्रसूति और ज्ञानकोशिकीय (स्त्रीरोगविज्ञान) का इतिहास शामिल किया जाता है, उसे कहते हैं:

A. परिवार का इतिहास
B. प्रजनन इतिहास
C. यौन इतिहास
D. आनुवंशिक इतिहास

55. विकार की पहचान करें जब विषमयुग्मज अवस्था में एक जीन एक फीनोटाइप का उत्पादन करने में सक्षम होता है:

A. X-लिंक्ड वंशागत विकार
B. ऑटोसोमल आवर्ती वंशागत विकास
C. ऑटोसोमल प्रभावी वंशगत विकार
D. बहुकारक वंशागत विकास

56. जांच प्रक्रिया का नाम बताएँ जिसमें दो प्लास्टिक प्लेटों के बीच संकुचित होने के दौरान स्तनों का एक्स-रे चिह्न लेना शामिल है:

A. सेंटिनल लसीका गांठ बायोप्सी
B. स्टीरियोटेक्टिक सुई निर्देशित बायोप्सी
C. सूक्ष्म-सुई चूषण
D. मैमोग्राफी

57. सामान्य योनि प्रसव के लिए सबसे अनुकूल श्रोणि का प्रकार है:

A. एंड्रायड श्रोणि
B. गाइनेक्वॉइड श्रोणि
C. एन्थ्रोपॉइड श्रोणि
D. प्लेटीपेलॉइड श्रोणि

58. एक ऑटोसोमल लगातार विरासती बीमारी जिसे क्रोमोसोग ||q से जोड़ा गया है:

A. तंत्रिका – तंतु – अर्बुदता
B. ट्युबरस स्क्लेरोसिस
C. वॉन हिपपेल-लिंडाऊ रोग
D. ऐटैक्सिया-टेलेंगेक्टेसिया

59. माइकोबैक्टीरियम तपेदिक के कारण होने वाली एक पुरानी संक्रामक बीमारी है:

A. तपेदिक

B. श्वसनीशोथ

C. निमोनिया

D. ब्रुसेलोसिस (ब्रूसेलारुग्णता)

60. रोगजनक या पूर्व-प्रतिरक्षित एंटीबॉडी के सभी या कुछ भाग की व्यवस्था को एक प्रतिरक्षाविज्ञानी प्रतिक्रिया प्राप्त करने के लिए जो रोग से बचाता है, उसे कहा जाता है:

A. टीकाकरण

B. सेरो रूपांतरण (सेरोकन्वर्शन)

C. सेरोप्रोटेक्शन

D. प्रतिरक्षीकरण

61. रेक्टल दवाएं सामान्यतः निम्नलिखित के रूप में दी जाती हैं:

A. सपोजीटरी (वर्तिका) B. द्रव

C. कुचली हुई दवाई D. खुला कैप्सूल

62. नाक प्रशासित दवाएं सामान्यतः किस तरह की होती है:

A. द्रव रूप B. ड्रॉप (बूंद)

C. कुचली हुई गोली D. खुला कैप्सूल

63. एक तीव्र श्वसन विकार जिसे प्रवेगी (पैरोक्सिमल) खांसी (कफ खांसी) और प्रचुर स्राव वर्णित किया जाता है, उसे ______ कहा जाता है।

A. लाल बुखार

B. डिफ्थिरिया

C. टेटेनस

D. काली खांसी

64. एक प्रक्रिया जो तब होती है जब आंत का एक समीपस्थ खंड अधिक दूरस्थ खंड में 'टेलिस्कोप करता (अंदर घुसता)' है, जिसके कारण शोफ, संवहनी रुकावट और अंत में, आंशिक या कुल आंत्र बाधा होती है, को कहा जाता है:

A. पेप्टिक अल्सर

B. गैस्ट्रोइसोफेगल रिफ्लेक्स

C. उंडुकशोथ

D. आन्त्रान्त्र प्रवेश (इन्टुसस्सेप्शन)

65. गोलाकार आकार के जीवाणु को ______ कहा जाता है।

A. दण्डाणु (बेसिलाई) B. कोक्सी

C. विब्रियो D. स्पाइरिला

66. जीवाणु, जो सूर्य के प्रकाश से ऊर्जा प्राप्त करते हैं, उन्हें कहा जाता है:

A. रसोपोषी (केमोट्रोफ्स)

B. स्वपोषी (ओटोट्रोफ्स)

C. प्रकाशपोषी (फोटोट्रोफ्स)

D. विषमपोषी (हेटरोट्रोफ्स)

67. निलय भरने के दूसरे चरण के दौरान, जब अलिंद सिकुड़ता है, कपाट (वाल्व) और निलय दीवारों (वेंट्रिकुलर दीवारों) के कंपन से ______ पैदा होती है।

A. प्रथम हृदय ध्वनि B. द्वितीय हृदय ध्वनि

C. तृतीय हृदय ध्वनि D. चतुर्थ हृदय ध्वनि

68. अस्थमा के रोगजनन में जो शोथ मध्यस्थ शामिल नहीं है, उन्हें कहा जाता है:

A. एड्रेनालाईन B. प्रोस्टेग्लांडिन

C. ल्यूकोट्रीन D. हिस्टामीन

69. तरल पदार्थ को धीरे-धीरे निकालने या तरल पदार्थ की सामग्री की पहचान करने के लिए फुफ्फुस थैली से तरल पदार्थ को हटाना क्या कहलाता है:

A. वक्षवेधन

B. उल्ववेधन

C. अंकुर प्रतिचयन

D. परिहृद्वेधन

70. संकेतों को प्राप्त करने में मदद करने वाले न्यूरॉन की संरचना ______ है।

A. द्रुमाश्म (डेंड्राइट) B. अक्षतन्तु (ऐक्सोन)

C. अन्तय (टर्मिनल) D. कोशिका पिंड

71. मस्तिष्क में असामान्य विद्युत गतिविधियों का निम्न में से किससे पता चलता है:

A. इलेक्ट्रोकार्डियोग्राम (ई.सी.जी.)

B. विद्युतमस्तिष्कलेख (इलेक्ट्रोएन्सेफेलोग्राम)

C. विद्युतपेशीलेख (इलेक्ट्रोमायोग्राम)

D. तंत्रिका चालन अध्ययन

72. सभी चार हाथों पैरों के अंगघात को ______ कहा जाता है।

A. एकांगघात B. अधरांगघात

C. चतुरंगघात D. अर्धांगघात

73. जब तक कोई संतान न हो, तब तक विवाह को आपसी सहमति से भंग किया जा सकता है, इस समझौते पर दो व्यक्तियों के विवाह को क्या कहते हैं?

A. करुणामय विवाह B. एकसंगमनी

C. प्रायोगिक विवाह D. बहिर्विवाह

74. निम्नलिखित में से कौन समाजशास्त्र के दायरे में अध्ययन का उपयुक्त क्षेत्र है?

A. व्यापार B. समुदाय

C. व्यवसाय D. शिक्षा

75. निम्न में से कौन-सी बीमारी सामान्यतः बच्चों में नहीं पाई जाती है?

A. पारकिन्सनता B. खसरा

C. काली खांसी D. अतिसार

76. मद्यव्यसनियों (alcoholics) में वर्निक में मस्तिष्कविकृति का कारण होता है:

A. फ्लोराइड की अधिकता

B. थायमीन की कमी

C. विटामिन डी (D) की कमी

D. आयोडीन की कमी

77. उस अध्ययन का नाम बताएँ जिसमें प्रेक्षणों या डेटा को एक से अधिक समय के लिए संदर्भित किया जाता है।

A. मूल्यांकनात्मक अध्ययन

B. प्रयोगात्मक अध्ययन

C. देशांतरीय अध्ययन डिजाइन

D. क्लिनिकल परीक्षण

78. घरों और कारखानों में कोयला, तेल और अन्य ईंधनों के प्रयोग को कहते हैं:

A. प्रवाहकत्व B. सम्मेलन

C. विकिरण D. दहन

79. मानसिक कमी के ग्रेड की पुष्टि की जाती है जब बच्चे का इंटेलिजेंस कोशंट (IQ) निम्न के बीच होता है:

A. 20 और 30 और मानसिक उम्र 8 से 11 वर्ष है

B. 30 और 40 और मानसिक उम्र 8 से 11 वर्ष है

C. 40 और 50 और मानसिक उम्र 8 से 11 वर्ष है

D. 50 और 70 और मानसिक उम्र 8 से 11 वर्ष है

80. रजोधर्म (ऋतुस्राव, आर्तव) की शुरुआत को कहा जाता है:

A. रजोनिवृत्ति

B. अत्यार्तव

C. रजोदर्शन

D. अलपार्तव (दीर्घचर्की अलपार्तव)

81. बीजपोषक (ट्रोफोब्लास्ट) निम्न में से क्या बनाते हैं:

A. अपरा B. भ्रूण

C. उल्व (ऐम्नियॉन) D. अंडाणु

82. आनुवांशिक जानकारी को संग्रहीत करने वाली संरचना निम्न है:

A. डी.एन.ए. (DNA)

B. आर.एन.ए. (RNA)

C. एम.आर.एन.ए. (mRNA)

D. टी.आर.एन.ए. 1 (tRNA 1)

83. एक विशेष शैक्षिक कार्यक्रम के उद्देश्य को प्राप्त करने के लिए छात्रों के एक परिभाषित समूह के लिए एक स्कूल द्वारा योजनाबद्ध चयनित अनुभवों के कुल जोड़ के एक व्यवस्थित व्यवस्था को कहा जाता है:

A. उद्देश्य B. पाठ्यचर्या

C. सीखना D. मूल्यांकन

84. निम्न में से कौन-सी पर्यवेक्षण की एक तकनीक है?

A. आश्वासन B. धारणाएं
C. भावनाएं D. मूल्य

85. निम्न में से कौन-सा नृविज्ञान के भीतर एक प्राथमिक अनुसंधान परंपरा है जो समग्र तरीके से परिभाषित सांस्कृतिक समूह के अर्थ, पैटर्न और अनुभवों का अध्ययन करने के लिए रूपरेखा प्रदान करता है?

A. नृवंशविज्ञान B. फेनोमेनोलॉजी
C. ग्राउंडेड सिद्धांत D. सर्वेक्षण अध्ययन

86. जांच के तहत चर के बीच संबंधों के बारे में शोधकर्ता की उम्मीदों का बयान है:

A. अनंसुधान प्रश्न B. परिकल्पना
C. वस्तुपरक D. अनुसंधान अभिकल्प

87. निम्नलिखित में से कौन-सा कथन सत्य है?

1. पोलियो का विषाणु दिमाग और मेरुदंड पर हमला करता है तथा लकवे का कारण बन सकता है।
2. गर्भाशय नाशपाती के आकार की रचना है जो उदर गुहा के निचले श्रोणि के भाग में स्थित है।

कूटः

A. केवल 1 B. केवल 2
C. 1 एवं 2 दोनों D. न तो 1 एवं न ही 2

88. दिए गए कथनों में से सही कथन को चुनिए।

1. टी.बी. (Tuberculosis) एक संक्रमित बीमारी है जो कि माइकोबैक्टिरियम ट्यूबरकुलोसिस के द्वारा होती है
2. टी.बी. की जाँच के लिए दो प्रकार के परीक्षण (Test) Tuberculin test एवं Mantoux test किए जाते हैं।

कूटः

A. केवल 1 B. केवल 2
C. 1 एवं 2 दोनों D. न तो 1 एवं न ही 2

89. पोलियो के संदर्भ में दिए गए कथनों में से सही कथन को चुनिए।

1. पोलियो बीमारी एक वायरस जनित रोग है जो कि आंतों के संक्रमण के द्वारा होता है।
2. पोलियो के लिए टीकाकरण में अभी OPV (Oral Polio Vaccine) देते हैं जिसकी खोज Sabin नामक वैज्ञानिक ने 1957 में की थी।
3. पल्स पोलियो प्रतिरक्षा कार्यक्रम 1996 में शुरू किया गया जिसमें सिर्फ तीन साल से छोटे बच्चों को शामिल किया गया।
4. पल्स पोलियो प्रतिरक्षा कार्यक्रम के तहत देश में पोलियो ड्रॉप के अतिरिक्त पोलियो के इंजेक्शन भी दी जाती है।

कूटः

A. केवल 2 एवं 4 B. 1, 2 एवं 3
C. केवल 2, 3 एवं 4 D. उपरोक्त सभी

90. निम्न में से कौन-सा कथन सही है।

1. थ्रोम्बोएंजिटिस ऑब्लिटेरन्स (ल्यूरगट्स रोग) में बीमारी के प्रसार को रोकने के लिए धूम्रपान को बंद करना चाहिए।
2. शल्यक्रिया के पहले 70 प्रतिशत अल्कोहॉल पदार्थ को लगाकर त्वचा की तैयारी की जाती है।
3. डोपामाइन की कमी से मस्तिष्क में कोशिकाओं का उत्पादन करना पार्किंसन रोग का प्रमुख कारण है।

कूटः

A. 1, 2 एवं 3 सभी
B. केवल 2
C. केवल 1 एवं 2
D. केवल 1 एवं 3

91. सूची-I को सूची-II से सुमेलित कीजिए तथा नीचे दिए गए कूट में से सही उत्तर चुनिए।

सूची-I	सूची-II
(*a*) अपरिहार्य गर्भपात	1. रक्तस्राव पर नियंत्रण
(*b*) गर्भाशय का धनुस्तंभीय संकुचन	2. रक्तालयी रोग
(*c*) एरीथ्रोएलास्टोसिस फीटेलिस	3. गर्भाशय विकार
(*d*) आक्सीटोसीन	4. गर्भाशय ग्रीवा का चौड़ा होना

कूटः

	(a)	(b)	(c)	(d)
A.	4	3	2	1
B.	2	4	3	1
C.	3	4	1	2
D.	1	2	3	4

92. एक अस्पताल की वरिष्ठ नर्स को निर्देश दिया गया है कि वह अपने कर्मचारियों के बीच पत्रिका पढ़ने को प्रोत्साहित करे। उनके अधिकांश सहकर्मी पढ़ने के समय की कमी के बारे में चिंता व्यक्त करते हैं। इस विषय पर किए गए अध्ययनों के आधार पर नर्स के लिए सबसे अच्छी कार्रवाई क्या होगी?

A. सभी नर्सों के लिए सप्ताह में दो पत्रिका लेख पढ़ना अनिवार्य करें
B. पत्रिका क्लबों की स्थापना करना जहां सहकर्मी लेख सारांश का आदान-प्रदान करते हैं
C. दैनिक ईमेल में पत्रिका लेख संलग्न करना
D. उन नर्सों को पुरस्कार प्रदान करना जो हर महीने तीन से अधिक पत्रिका पत्रों का अध्ययन करती हैं

93. नर्सिंग छात्रों का एक समूह लेखन की आशंका और उनके औपचारिक लेखन कौशल पर इसके प्रभाव के बारे में चिंतित है। आपके द्वारा पढ़ें गए शोध अध्ययनों के आधार पर, निम्नलिखित में से कौन-सा कारक नर्सिंग छात्रों में बेहतर लेखन क्षमताओं के साथ सबसे अधिक मजबूती से जुड़ा हुआ है?

A. नैदानिक अभ्यास के घंटों में वृद्धि
B. पढ़ने और अंग्रेजी योग्यता
C. समूह अध्ययन और सहकर्मी प्रतिक्रिया
D. चिकित्सा शब्दावली का स्मरण

94. नर्सिंग पत्रिकाओं को पढ़ने में व्यस्तता की कमी का एक सामान्य कारण क्या है जैसा कि कई नर्सों द्वारा बताया गया है?

A. जर्नल डेटाबेस तक पहुंच की कमी
B. शोध लेखों की व्याख्या करने में असमर्थता
C. सीमित नैदानिक ज्ञान
D. पत्रिकाओं की तुलना में पाठ्यपुस्तकों पर अधिक जोर देना

95. कई अध्ययनों के अनुसार, नर्सिंग पत्रिकाओं को नहीं पढ़ने के लिए नर्सों द्वारा बताई गई मुख्य बाधा क्या है?

A. अनुसंधान में रुचि की कमी
B. पत्रिका की उपलब्धता के बारे में अपर्याप्त ज्ञान
C. समय की कमी
D. पत्रिकाओं तक पहुँचने में कठिनाई

96. निम्नलिखित में से किस प्रकार का लेखन सबसे प्रभावशाली है और नर्सिंग क्षेत्र में इसका दैनिक प्रभाव पड़ता है?

A. विद्वतापूर्ण जर्नल लेख
B. शोध पांडुलिपियाँ
C. रोगी दस्तावेजीकरण या दस्तावेज (ग्राफिक्स, चार्ट, टेबल, कथा नोट्स)
D. संपादकीय

97. एक नव स्नातक नर्स को जटिल चिकित्सा शब्दों के उपयोग के कारण अपने दौरे के दौरान रोगियों के साथ संवाद करने में परेशानी हो रही है, जिससे रोगियों और उनके परिवारों के बीच भ्रम पैदा हो रहा है। इसे सुधारने के लिए उसे क्या दृष्टिकोण अपनाना चाहिए?

A. चिकित्सा शब्दजाल का उपयोग जारी रखें
B. सुनने पर ध्यान केंद्रित करें और सरल, स्पष्ट भाषा का उपयोग करें
C. चिकित्सा प्रक्रियाओं की व्याख्या करने से बचें
D. केवल लिखित सामग्री पर निर्भर रहना

98. जनसंख्या में पोषण की स्थिति का नियमित मूल्यांकन करने की सलाह दी जाती है। इसका संभावित कारण क्या हो सकता है?

A. शारीरिक गतिविधि के स्तर का आकलन करना
B. पोषण संबंधी कमियों के लक्षणों की जांच करना
C. वजन बढ़ाने को बढ़ावा देना
D. आहार अनुपूरकों का उपयोग कम करना

99. एक व्यापक शब्द जिसमें व्यवहार के लगभग सभी विकार शामिल हैं जो दोषपूर्ण धारणा, भावना, सोच और दृष्किोण के कारण होते हैं, उसे क्या कहा जा सकता है?

A. सामाजिक बीमारी

B. व्यवहार संबंधी बीमारी

C. मानसिक बीमारी

D. निष्क्रिय बीमारी

100. निम्नलिखित में से कौन-सा विकल्प समग्र स्वास्थ्य सेवा के 5 आयामों को सही ढंग से बताता है?

A. पोषण जागरूकता, शारीरिक फिटनेस, भावनात्मक भलाई, तनाव और जागरूकता प्रबंधन और आत्म जिम्मेदारी

B. पोषण जागरूकता, शारीरिक फिटनेस, तनाव और जागरूकता प्रबंधन, पर्यावरण संवेदनशीलता और आत्म जिम्मेदारी

C. शारीरिक फिटनेस, भावनात्मक भलाई, तनाव और जागरूकता प्रबंधन, पर्यावरण संवेदनशीलता और आत्म जिम्मेदारी

D. पोषण जागरूकता, शारीरिक फिटनेस, भावनात्मक भलाई, तनाव और जागरूकता प्रबंधन और पर्यावरण संवेदनशीलता

उत्तरमाला

1	2	3	4	5	6	7	8	9	10
D	C	D	C	B	A	D	C	C	B
11	**12**	**13**	**14**	**15**	**16**	**17**	**18**	**19**	**20**
B	B	C	A	C	B	B	D	C	B
21	**22**	**23**	**24**	**25**	**26**	**27**	**28**	**29**	**30**
B	D	B	B	A	A	B	B	B	B
31	**32**	**33**	**34**	**35**	**36**	**37**	**38**	**39**	**40**
C	D	B	B	C	B	A	A	B	D
41	**42**	**43**	**44**	**45**	**46**	**47**	**48**	**49**	**50**
A	A	A	B	D	B	A	C	D	A
51	**52**	**53**	**54**	**55**	**56**	**57**	**58**	**59**	**60**
A	D	A	B	C	D	B	D	A	D
61	**62**	**63**	**64**	**65**	**66**	**67**	**68**	**69**	**70**
A	B	D	D	B	C	D	A	A	A
71	**72**	**73**	**74**	**75**	**76**	**77**	**78**	**79**	**80**
B	C	A	B	A	B	C	D	D	C
81	**82**	**83**	**84**	**85**	**86**	**87**	**88**	**89**	**90**
A	A	B	A	A	B	C	C	B	A
91	**92**	**93**	**94**	**95**	**96**	**97**	**98**	**99**	**100**
A	B	B	B	C	C	B	B	C	B

प्रैक्टिस सेट 10

1. एक नर्स रोगी की दवा तैयार करने के लिए एक इलैक्ट्रॉनिक स्वास्थ्य रिकॉर्ड (ईएचआर) का उपयोग कर रही है। वह देखती है कि प्रणाली उसे एक संभावित दवा बातचीत के बारे में सूचित करती है जिसे वह अन्यथा अनदेखा कर सकती थी। यह उदाहरण नर्सिंग सूचना विज्ञान के किस प्रमुख लाभ पर प्रकाश डालता है?

A. प्रिस्क्रिप्शन खर्च कम करें

B. रोगी की संतुष्टि में वृद्धि

C. दवा संबंधी गलतियाँ कम करना

D. नर्सों के लिए अधिक कार्यभार

2. सही या गलत यह अनुमान लगाया जाता है कि नर्सिंग क्षेत्र में रोबोटिक प्रक्रिया स्वचालन के कार्यान्वयन के परिणामस्वरूप नर्स सूचनाविदों का कार्यभार काफी बढ़ जाएगा।

A. सत्य है, स्वचालन सीधे तौर पर नर्सों के प्रशासनिक कार्यों को कम कर देता है।

B. असत्य, रोबोटिक्स नर्सों के कार्यभार स्तर को प्रभावित नहीं करेगा।

C. सत्य है, लेकिन केवल अंतरंग या छोटे पैमाने पर चिकित्सा वातावरण में

D. असत्य है, क्योंकि स्वचालन का उद्देश्य शारीरिक श्रम को समाप्त करना है

3. नर्सिंग सूचना विज्ञान में समग्र उपयोगकर्ता अनुभव को अनुकूलित करने के लिए निम्नलिखित में से कौन-सा विचार महत्वपूर्ण है?

A. केवल तकनीकी विशेषज्ञता

B. उपयोगकर्ता केंद्रित डिजाइन और उपयोगिता मूल्यांकन

C. पारंपरिक नर्सिंग का पालन

D. कागज पर प्रलेखन पर अधिक निर्भरता

4. नैदानिक निर्णय लेने को बढ़ाने के प्रयास में, एक अस्पताल ने एक ईएचआर प्रणाली को तैनात किया। फिर भी, नर्सों ने असंतोष व्यक्त किया और दस्तावेजीकरण में लंबा समय लगाया। इस असंतोष का मुख्य कारण क्या हो सकता है?

A. परिष्कृत डेटा विश्लेषण की अनुपस्थिति

B. अपर्याप्त मार्गदर्शन और सहायता

C. रखरखाव पर होने वाले खर्च में वृद्धि

D. डिजाइन प्रक्रिया से नर्सों की अनुपस्थिति

5. एक नर्स एक मरीज का मूल्यांकन करती है जिसकी हाल ही में सर्जरी हुई है। रोगी का चीरा स्थल गर्म, लाल और सूजा हुआ होता है। रोगी को उस स्थान पर दर्द भी बढ़ जाता है और उसे 101°F का बुखार भी होता है। मूल्यांकन के आधार पर, सबसे उपयुक्त नर्सिंग निदान क्या है?

A. संक्रमण का खतरा
B. तीव्र दर्द
C. त्वचा की अखंडता में कमी
D. द्रव मात्रा में कमी

6. बाल रोगियों में आईवी (IV) का प्रबंध करते समय वेनिपंक्चर के लिए स्थान का चयन करने में निम्नलिखित में से कौन-सा महत्वपूर्ण कारक नहीं है?
A. स्वास्थ्य सेवा प्रदाता का कौशल
B. चिकित्सा की अवधि
C. क्रिया का स्थान
D. रोगियों की आयु और आकार

7. उपचार करने वाले बाल रोग विशेषज्ञ ने सांस लेने में तकलीफ का अनुभव करने वाले बच्चे के लिए एनजी ट्यूब की सिफारिश की। आपको बच्चों को किस तरह की लेटने की स्थिति में रखना चाहिए?
A. पीठ के बल सीधा लेटना
B. पैरों को थोड़ा ऊपर उठाकर लेटना
C. सिर और छाती को थोड़ा ऊपर उठाना
D. सिर और पैरों को थोड़ा ऊपर उठाना

8. एक एस.ए.एन.ई. (SANE) प्रमाणित फोरेंसिक नर्स के रूप में, पीड़ित से निम्नलिखित में से कौन-सा साक्ष्य एकत्र करने की आवश्यकता नहीं है?
A. शारीरिक तरल पदार्थ के नमूने
B. बालों के नमूने
C. वस्त्र
D. उंगलियों के निशान

9. निम्नलिखित में से कौन-सा आघात रोगियों से निपटने वाली नर्सों के लिए 4 आर का सही वर्णन करता है?
A. प्रतिबिंब, प्रतिशोध, विनियमन, पुनर्वास
B. अहसास, पहचान, प्रतिक्रिया, पुनः आघात का विरोध
C. प्रतिक्रिया, विश्राम, सुलह, बहाली
D. आश्वासन, पुनर्मूल्यांकन, संयम, वसूली

10. एक नर्स के रूप में, आप हाल ही में अपने काम के बोझ से अभिभूत महसूस कर रही हैं और आप सुरक्षित देखभाल प्रदान करने की अपनी क्षमता को लेकर चिंतित हैं। आईसीएन आचार संहिता के अनुसार आपको क्या प्राथमिकता देनी चाहिए?
A. कार्यभार को प्रबंधित करने के लिए अधिक मेहनत करें।
B. अभ्यास के लिए अपनी फिटनेस बनाए रखने के लिए समर्थन मांगें।
C. अपनी भावनाओं पर ध्यान न दें और आगे बढ़ना जारी रखें।
D. अपने तनाव को कम करने के प्रयास में रोगी के साथ बातचीत कम करें।

11. एक स्थानीय स्वास्थ्य केंद्र एक नई सामुदायिक पहल के लिए संसाधन आवंटन के साथ संघर्ष कर रहा है। उनके निर्णय लेने के लिए किस प्रमुख पहलू का मार्गदर्शन करना चाहिए?
A. स्वास्थ्यकर्मियों की व्यक्तिगत प्राथमिकताएं
B. सामुदायिक स्वास्थ्य आवश्यकताएं और सांस्कृतिक संवेदनशीलता
C. पिछली पहल जो असफल रही
D. राष्ट्रीय स्वास्थ्य नीतियों में रुझान

12. निम्नलिखित में से कौन-सा विचार सामुदायिक स्वास्थ्य नर्सिंग के लिए सही है लेकिन समुदाय-आधारित नर्सिंग के लिए नहीं?
A. रोगी अपनी देखभाल के लिए स्वयं जिम्मेदार है
B. अस्पताल आधारित देखभाल
C. सार्वजनिक स्वास्थ्य विज्ञान का अनुप्रयोग
D. केवल रोगी दृष्टिकोण पर ध्यान दें

13. नर्सिंग शिक्षा में आभासी वास्तविकता (वीआर) और संवर्धित वास्तविकता (एआर) के बढ़ते उपयोग के साथ, आपको क्या लगता है कि इन तकनीकों का उपयोग करने का मुख्य लाभ निम्नलिखित में से क्या है?
A. एआर और वीआर मरीजों के लिए डॉक्टरों के साथ जुड़ना कम आवश्यक बनाते हैं
B. ये प्रौद्योगिकियाँ रोगी के प्रतीक्षा समय को बढ़ा देती हैं

C. एआर और वीआर ऐसे उदाहरणों के लिए इमर्सिव सिमुलेशन प्रदान करते है जहाँ नर्सिंग निर्णय लेने की आवश्यकता होती है

D. वे छात्रों की नैदानिक तर्क क्षमताओं का उपयोग करने की क्षमता को प्रतिबंधित करते हैं

14. आज की नर्सिंग शिक्षा में मोबाइल लर्निंग जैसी तकनीक क्या भूमिका निभा सकती है?

A. मोबाइल लर्निंग पूरी तरह से कक्षा-आधारित लर्निंग से छुटकारा पा सकता है।

B. मोबाइल लर्निंग छात्रों को कहीं से भी और किसी भी समय सीखने के संसाधनों तक पहुंचने का एक सुविधाजनक तरीका प्रदान करता है।

C. मोबाइल लर्निंग वास्तविक शिक्षा के साथ छात्रों की बातचीत को प्रतिबंधित करता है।

D. गतिशील अधिगम कक्षा से परे होने वाले अधिगम की प्रभावशीलता को कम कर सकता है।

15. एक नर्सिंग छात्र हेड-माउंटेड डिस्प्ले के साथ पूरी तरह से इमर्सिव सेटिंग में रोगी की बातचीत और नैदानिक तर्क का अभ्यास कर रहा है। शिक्षार्थी किस तरह के अनुकरण में भाग ले रहा है?

A. मिश्रित वास्तविकता (MR)

B. डेस्कटॉप आभासी वास्तविकता (डीवीआर/dVRS)

C. इमर्सिव वर्चुअल रियलिटी (आईवीआरएस/iVRS)

D. संवर्धित वास्तविकता (एआर/AR)

16. एक नियमित स्वास्थ्य मूल्यांकन के दौरान, एक नर्स दस्तावेज करती है कि एक मरीज अनिद्रा, काम पर ध्यान केंद्रित करने में असमर्थता और हल्के संकट के कारण भूख न लगने की समस्या से पीड़ित है। मरीज अभी भी काम पर तो जा पाता है लेकिन उसके लिए दैनिक कार्यों का सामना करना कठिन होता जा रहा है। मानसिक स्वास्थ्य सातत्य के संदर्भ में, इस रोगी को संभवतः कहाँ वर्गीकृत किया जाएगा?

A. कल्याण

B. भावनात्मक समस्याएं/चिंताएं

C. गंभीर मानसिक बीमारी

D. कार्यात्मक छूट

17. रजोनिवृत्ति की उम्र पर मासिक धर्म की शुरुआत की उम्र का क्या प्रभाव पड़ता है?

A. कोई प्रभाव नहीं

B. जितनी जल्दी मासिक धर्म शुरू होगा, रजोनिवृत्ति भी उतनी ही जल्दी होगी

C. जितनी जल्दी मासिक धर्म शुरू होगा, रजोनिवृत्ति भी उतनी ही देर से होगी

D. बाद में मासिक धर्म, पहले रजोनिवृत्ति

18. निम्नलिखित में से कौन-सी क्रिया शारीरिक उपस्थिति दर्शाती है?

(*a*) खुली मुद्रा अपनाना

(*b*) अच्छे नेत्र संपर्क बनाए रखें

(*c*) व्यक्ति की ओर झुकाव

(*d*) ग्राहक की समझ का अनुमान

A. (*a*), (*b*) और (*d*) B. (*a*), (*c*) और (*d*)

C. (*a*), (*b*) और (*c*) D. (*b*), (*c*) और (*d*)

19. IV जलसेक होने पर निम्नलिखित में से कौन-सी नर्सिंग देखभाल उचित नहीं है?

A. तुरंत जलसेक को रोकना

B. साइट को ऊपर उठाना

C. गर्म, नम संपीड़ित लागू करना

D. साइट की मालिश करना या रगड़ना

20. हेटेरोपॉलीसेकेराइड जो जोड़ों में एक स्नेहक और आघात अवशोषक के रूप में क्या कार्य करता है?

A. सेलूलोज B. हेपरिन

C. हायलूरॉनिक एसिड D. ग्लाइकोजन

21. गर्भावस्था के दौरान झिफिसर्नम से सिम्फिसिस प्यूबिस तक फैलने वाली मध्य रेखा में भूरा काला वर्णक क्षेत्र को क्या कहा जाता है?

A. क्लोस्मा ग्रेविडेरम B. लिनिया निग्रा

C. स्ट्राई ग्रेविडेरम D. स्ट्राइ एल्बिकैंस

22. प्रसव का कौन-सा चरण गर्भाशय ग्रीवा के पूर्ण फैलाव से शुरू होता है और जन्म नलिका से भ्रूण के निष्कासन के साथ समाप्त होता है?

A. पहला चरण B. दूसरा चरण

C. तीसरा चरण D. चौथा चरण

23. गर्भावस्था के दौरान उल्टी का गंभीर प्रकार जो माँ के स्वास्थ्य पर हानिकारक प्रभाव डालता है, उसे क्या कहा जाता है?

A. सुबह की बीमारी B. एमिसिस ग्रेविडेरम
C. कोरिया ग्रेविडेरम D. हाइपरमेसिस ग्रेविडेरम

24. किस स्थिति में क्रेमर का नियम नवजात शिशुओं में नैदानिक मूल्यांकन पद्धति के रूप में उपयोग किया जाता है?

A. नवजात हाइपोथर्मिया
B. नवजात हाइपरबिलिरुबिनमिया
C. नवजात संवादी
D. नवजात हाइपोग्लाइसीमिया

25. वृहदान्त्र में पैरासिम्पेथेटिक गैंग्लिओनिक तंत्रिका कोशिकाओं की जन्मजात अनुपस्थिति के कारण कौन-सी स्थिति होती है?

A. वॉल्वुलस B. हिर्स्चस्प्रुंग की बीमारी
C. अंतड़ियों में रुकावट D. मेकोनियम इलियस

26. मूत्राशय के बहिःस्राव के साथ पैदा होने वाले बच्चे को पहले से कौन-सी नर्सिंग देखभाल प्रदान की जाती है?

A. नहाते समय बच्चे को पानी में डुबोएं
B. स्टेराइल पेट्रोलियम गौज के साथ मूत्राशय को कवर करें
C. बच्चे का प्रवण स्थिति में रखें
D. मूत्राशय के श्लेष्म को सूखा रखें

27. मूत्रवर्धक चिकित्सा पर एक रोगी की देखभाल एक नर्स कर रही है। नर्स किस एसिड बेस विकार के लिए रोगी की निगरानी करेगी?

A. मेटाबोलिक अल्कलोसिस
B. श्वसन अल्कलोसिस
C. श्वसन एसिडोसिस
D. मेटाबोलिक सिडोसिस

28. एक मरीज करने के चरण में है और कहता है कि 'मैं सिर्फ अपने पोते पोतियों का जन्म देखना चाहता हूँ, फिर मैं तैयार हूँ।' मरने की अवस्था को पहचानें।

A. स्वीकार B. गुस्सा
C. सौदेबाजी (बार्गेनिंग) D. डिप्रेशन

29. एक नर्स ने एंडोट्रैकियल इंटुवैशन में सहायता की। डॉक्टर ने 20-25 मिलीमीटर एचजी (mm Hg) के बीच कफ दबाव बनाए रखने की सलाह दी। कम कफ दबाव की जटिलता क्या है?

A. सांस की नली का रक्तस्राव
B. इसकेमिया
C. दबाव परिगलन
D. एस्पिरेशन निमोनिया का जोखिम

30. जब कोई व्यक्ति एक स्थिति से समान स्थिति वाली दूसरी स्थिति के लिए बदलता है, तो उसे कहा जाता है:

A. क्षैतिज गतिशीलता
B. ऊपर की सामाजिक गतिशीलता
C. नीचे की सामाजिक गतिशीलता
D. लंब गतिशीलता

31. पिछले वर्ष के अपेक्षित सामान्य मामलों की तुलना में किसी समुदाय में किसी भी बीमारी का अचानक प्रकोप होने को ________ कहते हैं।

A. एंडेमिक B. एपिडेमिक
C. पैन्डेमिक D. स्पोरैडिक

32. निम्नलिखित में से कौन-सी देखभाल कॉलरा के लिए कीमोप्रोफाइलैक्सिस देने पर केंद्रित है?

A. विशिष्ट सुरक्षा
B. स्वास्थ्य वर्धन
C. जल्दी देखभाल
D. रोग की रोक-थाम

33. किस समिति को "स्वास्थ्य सेवाओं के एकीकरण पर समिति" के रूप से भी जाना जाता है?

A. करतार सिंह कमेटी
B. चड्ढा कमेटी
C. जंगलवाला कमेटी
D. मुकर्जी कमेटी

34. असतत वस्तु या स्थिति के भय से घिरे हुए शब्द को क्या कहते हैं?

A. विवृतिभीति (Agoraphobia)
B. संवृत्तिभीति (Claustrophobia)
C. विशिष्टभीति (Specific phobia)
D. विडालभीति (Ailurophobia)

35. जब कोई मरीज कहता है, "मैं ध्यान केंद्रित नहीं कर सकता, मेरा दिमाग भटकता रहता है" तो नर्स जवाब देती है कि "आपको ध्यान केंद्रित करने में कठिनाई हो रही है?" यह किस संचार तकनीक का उदाहरण है?

A. सारांश
B. सांकेतिक शब्दों को बदलना
C. सामना करना
D. ध्यान केंद्रित करना

36. निम्नलिखित में से कौन आत्महत्या का व्यवहार करने वाले रोगी के लिए एक प्राथमिकता नर्सिंग देखभाल होगी?

A. आत्महत्या का विषय ना लाएं
B. इकाई गतिविधियों में सक्रिय रूप से रोगी को शामिल करें
C. आत्महत्या के प्रयासों के परिणाम बताएं
D. रोगी से पूछें कि क्या उसकी आत्महत्या करने की योजना है या नहीं

37. पैरानॉइड सिजोफ्रेनिया में आमतौर पर किस प्रकार का भ्रम विकार पाया जाता है?

A. भव्यता का भ्रम
B. उत्पीड़न का भ्रम
C. ग्लानि का भ्रम
D. निहिलिस्टिक भ्रम

38. गैर-पौष्टिक पदार्थ जैसे मिट्टी, पेंट आदि खाने से होने वाली एक खिलाने वाले विकार का वर्णन करने के लिए किस शब्द का उपयोग किया जाता है?

A. ठूस-ठूस कर खाना
B. एनोरेक्सिया नर्वोसा
C. पिका
D. बुलिमिया नर्वोसा

39. एक मानसिक रोगी को संबंधित मेडिकल अधिकारी द्वारा उनके रिश्तेदारों द्वारा एक वचन के साथ एक बॉन्ड प्रस्तुत करने के बाद छुट्टी दे दी जाती है कि मानसिक रूप से बीमार व्यक्ति को स्वयं या दूसरों को चोट पहुंचाने से रोका जाएगा। मरीज को किस प्रकार के डिस्चार्ज के तहत छुट्टी मिली?

A. स्वेच्छापूर्ण आधार
B. विशेष परिस्थितियों में
C. स्वागत क्रम के आदेश पर
D. पुलिस द्वारा भर्ती

40. एक तकनीक जो उपचारिका विद्यार्थियों को अभ्यास करने देने के लिए वास्तविक जीवन की स्थिति पर ध्यान केंद्रित करती है:

A. संगोष्ठी
B. अनुकरण
C. आत्म-अनुदेश मॉड्यूल
D. समस्या पर आधारित सीखना

41. उपचारिका (Nursing) देखभाल देने की उपचारिका (Nursing) प्रक्रिया के दृष्टिकोण को निम्न के रूप में माना जा सकता है:

A. संस्थागत पाठ्यचर्या
B. निर्देशात्मक पाठ्यचर्या
C. समाजीय पाठ्यचर्या
D. मूलभूत पाठ्यचर्या

42. सांस्कृतिक व्यवहार और सांस्कृतिक कलाकृतियों के बारे में जानने के लिए किये गये अनुसंधान को ______ कहते हैं।

A. ग्राउंडेड सिद्धांत अनुसंधान
B. नृवंशविज्ञान अनुसंधान
C. फेनोमिनोलॉजी अनुसंधान
D. ऐतिहासिक अनुसंधान

43. कौन-सा नैदानिक परीक्षण हॉजकिन के लिंफोमा की उपस्थिति को निर्धारित करता है?

A. लिम्फ नोड में रीड-स्टर्नबर्ग सेल की उपस्थिति
B. सीएसएफ में घातक कोशिकाओं की उपस्थिति

C. अस्थि मज्जा में लिम्फोब्लास्ट की उपस्थिति

D. फिलाडेल्फिया गुणसूत्र की उपस्थिति

44. 'सांस्कृतिक अंतराल', किसने इस पद की शुरुआत की?

A. विलियम्स एफ ओगबर्न

B. सी.एच. कुले

C. दुर्खीम

D. जी.आर. मदन

45. हमारे शरीर मे अतिरिक्त कोशिकीय-तरल पदार्थ ______ के आसपास है।

A. 3 लीटर B. 6 लीटर

C. 9 लीटर D. 12 लीटर

46. यकृत कोमा बढ़े हुए प्लाज्मा स्तर के कारण होता है:

A. ऐमिलेज B. अमोनिया

C. एल्बुमिन D. एडेनोसाइन

47. केगेल, बच्चे के जन्म के बाद महिलाओं में असंयम को नियंत्रित करने में एक विधि के रूप में काम करता है और ______ को मजबूत बनाने में मदद करता है:

A. ऊपरी अंग की मांसपेशियां

B. छाती की मांसपेशियाँ

C. पेट की मांसपेशियाँ

D. श्रोणि की मांसपेशियाँ

48. एक विशेष उद्देश्य या सीमित संख्या में उद्देश्यों के लिए आयोजित लोगों के समूह को जाना जाता है:

A. समुदाय B. समाज

C. मण्डली D. संस्था

49. सामान्य गर्भाशय गुहा के बाहर एंडोमेट्रियल ऊतक की उपस्थिति को कहा जाता है:

A. अंतर्गर्भाशय – अस्थनता (एन्डोमेट्रियोसिस)

B. अत्यातर्व

C. ऐमेनोरहोआ

D. रजोदर्शन

50. नाक से खून बहने का प्राथमिक उपचार क्या है?

A. मरीज को पीछे की ओर झुकाएं और मुंह से सांस लेने को कहें।

B. मरीज को सपाट सतह पर लेटा दें।

C. मरीज को पानी पीने और सांस खींचने के लिए प्रोत्साहित करें।

D. मरीज को आगे की ओर झुकाएं और मुंह से सांस लेने को कहें।

51. निम्नलिखित में से कौन-सा पॉलीसेकेराइड एंजाइम मानव एंजाइमों द्वारा पचता नहीं है और वह आहार में फाइबर का एक प्रमुख घटक है?

A. स्टार्च B. सेलूलोज

C. फ्रक्टोज D. डेक्सट्रान

52. स्वयम् का चिकित्सीय उपयोग क्या है?

A. अपने स्वयम् के विचारों, विश्वासों और प्रेरणाओं को समझने की प्रक्रिया।

B. अपने व्यक्तित्व का जान-बूझकर और पूरी जागरूकता से उपयोग करना।

C. इंसान का वैयक्तिक आचरण, अनुभूति और विचार जो उसे और दूसरों को भी पता है।

D. वैयक्तिक निजी विचार जो सिर्फ उसी इंसान को पता है।

53. एक बच्चे के रूप में अपना प्राथमिक संस्कृति में समाजीकरण जाना जाता है:

A. एनकल्चरेशन

B. बाइकल्चरेशन

C. एकल्चरेशन

D. एसिमिलेशन

54. निम्नलिखित में से कौन त्वचा के माध्यम से पानी के नुकसान को रोकने में मदद करता है?

A. मेलानिन B. कैरोटीन

C. केराटिन D. कोलेजन

55. मानव जनसंख्या, उसके आकार, संरचना और वितरण के सांख्यिकीय अध्ययन को कहा जाता है ______।

A. सर्वे

B. पारिस्थितिकी

C. जनसांख्यिकी

D. महामारी विज्ञान

56. एक ही क्षेत्र में रहने वाले लोगों के एक समूह को क्या कहा जाता है, जिन्हें एक इकाई माना जाता है या जिनमें एक विशेष लक्षण आमतौर पर होता है?

A. समुदाय B. प्रयोग हेतु समूह
C. नियंत्रित समूह D. स्वयं सहायता समूह

57. मनोवैज्ञानिक भोजन विकार जिसमें मोटापे से ग्रसित होने का एक तीव्र डर सताता रहता है:

A. बुलिमिया नर्वोसा B. एनोरेक्सिया नर्वोसा
C. पीका D. परहेज

58. रोगी की देखभाल से संबंधित नर्सिंग रिकार्ड से और अन्य साक्ष्यों से सूचनाओं का संग्रह कहलता है:

A. निरीक्षण B. नर्सिंग ऑडिट
C. एक्रीडिटेशन D. मेडिकल ऑडिट

59. निम्नलिखित में से शरीर के किस तापमान को हाइपोथर्मिया के रूप में नामित किया गया है?

A. 40 से 42°C B. 38 से 40°C
C. 35°C से नीचे D. 36 से 37°C

60. एब्डोमिनल सर्जरी की आम निवारण योग्य जटिलता है:

A. असंतुलित फ्लूड एवं इलेक्ट्रोलाइट
B. थ्रोम्बोफ्लिबिटिस
C. यूरिनरी रिटेन्शन
D. एटिलेक्टेसिस

61. संपूर्ण योनि के बहिर्वतन के साथ गर्भाशय का आगे की ओर झुकाव कहा जाता है:

A. नलिपेरस प्रोलैप्स B. यूटेरो-वेजाइनल प्रोलैप्स
C. जटिल प्रोलैप्स D. प्रोसिडेन्सिया

62. नर्सिंग का पहला स्कूल ______ के द्वारा स्थापित किया गया था।

A. वर्जीनिया हेंडरसन B. थियोडोर फ्लिडेनर
C. फ्लोरेंस नाइटिंगेल D. इसाबेल हैम्पटन

63. वह प्लेक्सस जिससे त्वचा की नसों की, सतह में ऊपरी अंगों की मांसपेशियों की और कुछ छाती की मांसपेशियों की आपूर्ति होती है:

A. सवाईकल प्लेक्सस B. ब्रोन्कियोल प्लेक्सस
C. लम्बर प्लेक्सस D. सेक्रल प्लेक्सस

64. जब विश्वास को बढ़ावा देने वाले अनुभवों में अभाव या कमी होती है या जब एक शिशु में बेसिक असंगत या अपर्याप्त रूप से मिलते हैं, तो इसका परिणाम किस मनोसामाजिक विकास में होता है?

A. शर्म और संदेह B. अविश्वास
C. विश्वास D. स्वायत्तता

65. मानक दवाओं की सूची में परिवर्तन करने के लिए निम्नलिखित में से कौन-सा तर्क गलत है?

A. जिन बीमारियों का पहले इलाज नहीं होता था, अब उनका इलाज किया जा रहा है
B. बजट की कमी समान दवाओं की खरीद का समर्थन नहीं करती है और सस्ते विकल्पों की आवश्यकता है
C. नई दवाओं की उपलब्धता
D. रोगियों द्वारा ब्रांड दवाओं को प्राथमिकता देना

66. निम्नलिखित में से कौन-सी प्रोकैरियोटिक सूक्ष्मजीवों की विशेषता नहीं है?

A. केन्द्रक झिल्ली की अनुपस्थिति
B. रिक्तिकाएँ शायद ही कभी मौजूद हों
C. गुणसूत्रों की उपस्थिति
D. कोशिका भित्ति की जटिल कोशिकीय संरचना

67. निम्नलिखित में से कौन-सा कथन सही है।

1. मानव शरीर में सबसे बड़ी कोशिका तंत्रिका (न्यूरॉन) है जो पूरे शरीर में लम्बी दूरी तक फैली तंत्र कोशिका है।
2. ऑक्सीजन की कमी में सबसे संवेदनशील ऊतक तंत्रिका कोशिका होती है।
3. ORS घोल अतिसार एवं आंत्रशोध के लिए लाभदायक होता है।
4. दो पैराइटल बोन (अस्थि) के मध्य पाया जाने वाला Joint (ज्वाइंट) लेम्बोइड सूचर कहलाता है।

कूट:

A. केवल 2 एवं 4 B. 2, 3 एवं 3
C. उपरोक्त सभी D. इनमें से कोई नहीं

68. दिए गए कथनों में से सही कथन को चुनिए।

1. ऑस्मोटिक डाइयुरेटिक्स दवाओं का एक वर्ग है, जो अचानक किडनी की समस्या वाले लोगों में मूत्र के उत्पादन को बढ़ाता है।
2. बैक्टीरियल निमोनिया के सबसे आम प्रकार को न्यूमोकोकल न्यूमोनिया कहा जाता है, यह स्ट्रेप्टोकॉकस निमोनिया रोगाणु के कारण होता है।

कूटः

A. केवल 1 B. केवल 2
C. 1 एवं 2 दोनों D. न तो 1 एवं न ही 2

69. निम्न में से कौन-सा कथन सत्य है।

1. राष्ट्रीय पोषण संस्थान (NIN) एक भारतीय सार्वजनिक स्वास्थ्य एवं जैव प्रौद्योगिकी अनुसंधान केन्द्र है जो हैहदराबाद में स्थित है।
2. दर्द को एक मानवीय सहज प्रवृत्ति माना जाता है और इसे एक कष्टकारी अनुभूति के साथ-साथ एक भावनात्मक अनुभव के रूप में परिभाषित किया जा सकता है।
3. मूत्र पथ का संक्रमण (UTI) एक बैक्टीरिया जनित संक्रमण है जो मूत्रपथ के एक हिस्से को संक्रमित करता है।

कूटः

A. केवल 2 B. केवल 1 एवं 3
C. क्वेल 1 एवं 2 D. 1, 2 एवं 3 सभी

70. निम्नलिखित में से कौन-सा कथन सत्य है।

1. आनुवंशिक रोग जन्मना माता-पिता से प्राप्त दोष होता है, जीन में से एक या कुछ के दोषोत्पादक होने के कारण संतान में वही दोष उत्पन्न हो जाते हैं।
2. सिगमण्ड फ्रायड को मनोविश्लेषण का जनक कहा जाता है। उन्होंने अपने मॉडल के जरिये व्यक्तित्व को समझने की रूपरेखा ही बदल दी।

कूटः

A. केवल 1 B. केवल 2
C. 1 एवं 2 दोनों D. न तो 1 एवं न ही 2

71. सूची-I एवं सूची-II को सही सुमेलित कीजिएः

सूची-I	सूची-II
(*a*) निकट-दृष्टि दोष	1. अवतल लेंस
(*b*) दूर-दृष्टि दोष	2. उत्तल लेंस
(*c*) जरा-दृष्टि दोष	3. द्विफोकसी लेंस
(*d*) दृष्टि वैषम्य	4. संयुक्त लेंस

कूटः

	(*a*)	(*b*)	(*c*)	(*d*)
A.	1	2	3	4
B.	2	1	3	4
C.	1	2	4	3
D.	4	3	2	1

72. सूची-I एवं सूची-II को सही सुमेलित कीजिएः

सूची-I	सूची-II
(*a*) गलसुआ	1. प्रोटोजोआ
(*b*) ट्यूबर कुलोसिस	2. जीवाणु
(*c*) बेरी-बेरी	3. विषाणु
(*d*) अतिसार	4. थायमीन की कमी

कूटः

	(*a*)	(*b*)	(*c*)	(*d*)
A.	1	2	4	3
B.	1	2	3	4
C.	3	2	4	1
D.	1	3	2	4

73. एक्यूट बैक्टीरियल मेनिनजाइटिस में सेरीब्रोस्पाइनल फ्ल्यूइड के बारे में निम्नलिखित कौन-सा कथन सही है?

A. ग्लूकोज की मात्रा बढ़ी होती है।
B. प्रोटीन की मात्रा बढ़ी होती है।
C. प्रेशर कम हो जाता है।
D. कोशिकाओं की संख्या घट जाती है।

74. अँधेरे कमरे में रस्सी को साँप समझना निम्न में से किसका उदाहरण है?

A. अवधारणात्मक सेट
B. हैलुसिनेशन
C. रेटिना की असमानताएँ
D. इल्यूजन

75. रक्षात्मक प्रतिक्रिया जिसमें व्यक्ति अपने अनुचित व्यवहार को स्वीकार्य कारण देकर सही बताता है:

A. प्रतिगमन B. औचित्य स्थापन
C. अनुक्रिया करना D. प्रक्षेप

76. एक विशेष निदान या स्वास्थ्य स्थिति वाले मरीजों के लिए एक विशिष्ट समय अवधि के दौरान देखभाल और वांछित परिणामों को निर्दिष्ट करने वाली इंटरप्रोफेशनल देखभाल योजनाओं को ______ कहा जाता है।

A. नैदानिक मार्ग
B. ट्राइएज
C. क्रिटिकल केयर तरीके
D. देखभाल की योजना

77. जब बच्चे की एक जानलेवा बीमारी का निदान किया जाता है, लेकिन माता-पिता ऐसा व्यवहार करते हैं जैसे कि विकार मौजूद नहीं है या बच्चे के लिए अधिक क्षतिपूर्ति प्राप्त करने का प्रयास करते हैं उसे ______ कहा जाता है।

A. सौदेबाजी B. अस्वीकार
C. क्रमिक स्वीकृति D. इनकार

78. समाज का उच्च और निम्न सामाजिक भागों में समस्तरीय विभाजन को क्या कहते हैं?

A. सामाजिक स्तर विन्यास
B. सामाजिक बदलाव
C. सामाजिक विप्लव
D. सामाजिक गतिशीलता

79. एक डिस्चार्ज के चार्ट और फाइलों से प्रदान की गई नर्सिंग देखभाल के मूल्यांकन की प्रक्रिया को ______ कहा जाता है।

A. समवर्ती ऑडिट B. नैदानिक मूल्यांकन
C. पूर्वव्यापी ऑडिट D. गुणवत्ता नियंत्रण

80. निम्नलिखित में से किस निदान वाले मरीज को इंटेसिव केयर यूनिट में भर्ती नहीं किया जाता है?

A. जन्मजात स्थितियाँ
B. शॉक
C. सदैव शिथिल अवस्था
D. बदली हुई मानसिक स्थिति

81. एक सर्जिकल प्रक्रिया जो तब की जाती है जब एक कृत्रिम वायुमार्ग की आवश्यकता लंबी होने की उम्मीद की जाती है, वह ______ है।

A. लोबेक्टॉमी B. ट्रेकिआटॉमी
C. प्लुरेक्टॉमी D. फ्लेबोटॉमी

82. नर्स एक मरीज के पश्च दायीं सेरेब्रो-वास्कुलर एक्सीडेंट पर न्यूरोलॉजिकल एसेसमेंट कर रही है। नर्स द्वारा अवलोकित कौन-सा निष्कर्ष, त्वरित उचित ध्यान आकर्षित करेगा?

A. चेतना के स्तर में गिरावट
B. आशय नियंत्रण में हानि
C. उत्तेजना के प्रति परिवर्तन संवेदना
D. आवेशित अस्थिरता

83. हृदयी नाल-शलाका प्रवेशन की प्रक्रिया पूर्ण होने के पश्चात् प्रारंभिक 24 घंटे के लिए नर्स को किस जटिलता को मॉनिटर करना चाहिए?

A. गलप्रदाह जोखिम
B. थ्राम्बस (थक्का) निर्माण
C. चक्कर (घुमरी)
D. गिरता रक्तचाप

84. प्रसव के दौरान बच्चे के निकलने वाले हिस्से के सामने, आंतरिक ओ एस (os) के ऊपर स्थित भ्रूण की रक्त वाहिका को क्या कहा जाता है?

A. कॉर्ड प्रोलैप्स
B. कार्ड प्रेजेंटेशन
C. अकल्ट कॉर्ड प्रोलैप्स
D. वासा प्रेविया

85. एक रोगी का सही रक्तचाप कैसे नापा जा सकता है?

A. एक कफ जो बाँह के ऊपरी एक-तिहाई भाग को ढक सके
B. कफ को 4″ एन्टिक्यूबिटल स्पेस के ऊपर रख करके

C. ऐसा कफ जो बाँह के दो-तिहाई भाग को ढक सके
D. 'कोरोटकाफ ध्वनि' की पहचान करके और सिस्टोलिक रीडिंग को पहले ध्वनि के 10 mm Hg के बाद लेना

86. रेडियल का मूल्यांकन करने और अल्नी धमनी प्रत्यक्षता के लिए रेडियल धमनी केन्युलेशन से पहले निम्नलिखित में से क्या करने की आवश्यकता है?
A. एलेन परीक्षण
B. एंजियोग्राफी
C. ब्यूरगर्स परीक्षण
D. केपिलरी रिफिल परीक्षण

87. मरीज को, हेपाटिक एन्सेफेलोपेथी के साथ लेक्टूलोस लेने की सलाह क्यों दी जाती है?
A. बिलिरुबिन के स्तर को कम करने के लिए
B. सीरम अमोनिया के स्तर को कम करने के लिए
C. प्रोटीन के स्तर को बढ़ाने के लिए
D. शर्करा के स्तर को बढ़ाने के लिए

88. एनजी (NG) ट्यूब से खिलाते समय, निम्नलिखित में से कौन-सी नर्सिंग कार्रवाई समस्याओं से बचाती है?
A. एडवांस ट्यूब 2 सेमी
B. 20 एमएल (mL) हवा के साथ फ्लश करना
C. उच्च फाउलर्स पॉजीशन प्रदान करना
D. खाना खिलाते समय एयर वेंट बंद करना

89. एक मरीज जो सेंगस्टेकन–ब्लेकमोर ट्यब पर है, को अचानक सांस लेने में कठिनाई होती है, तो नर्स को सबसे पहले क्या करना चाहिए?
A. अनुनासिका प्रवेशनी से ऑक्सीजन देनी चाहिए
B. बिस्तर के सिर को ऊपर उठाना चाहिए
C. ट्यूब को काटना और हटाना चाहिए
D. मरीज के फेफड़ों को सुनना चाहिए

90. इंजेक्शन की जेड-ट्रेक विधि का उपयोग करते समय निम्नलिखित में से एक को छोड़कर सभी नर्सिंग हस्तक्षेप सही हैं:
A. एल्कोहल के साथ इंजेक्शन साइट तैयार करना
B. सुई का प्रयोग करना जो कम से कम 1" लंबी हो
C. इंजेक्शन से पहले रक्त के लिए एस्पीरेट
D. इंजेक्शन के बाद साइट को सख्ती से रगड़ना

91. निम्नलिखित में से किस एक को छोड़कर बाकी सभी में कास्ट के साथ छोर की तंत्रिका संवहनी के लिए नर्सिंग मूल्यांकन शामिल है:
A. पीलापन/पेलोर B. गति की सीमा
C. पेरेथिसिया D. दर्द

92. शुश्रुषा का परिपालन करते समय परिचारिका को निम्नलिखित क्रियाओं में से कौन-सी क्रिया सर्वप्रथम करनी चाहिए?
A. शुश्रुषा का व्यवधान रखना
B. शुश्रुषा की क्रिया का प्रलेखन तैयार करना
C. सहायता की आवश्यकता का निर्धारण करना
D. मरीज की पुनः जाँच करना

93. कौन-से स्पंदन स्थल को अधिकतम (PMI) आवेग बिंदु की स्थान की जरूरत होती है?
A. अरीय B. गर्दन
C. सिर D. ऊरु

94. हृदयपेशियों के रोधगलन क्रिया में यह एंजाइम बढ़ती मात्रा में होता है:
A. अलानाइन ट्रांसमीनेज
B. अल्कलाइल फोस्फटेज
C. एसिड फोस्फटेज
D. लैक्टेट डीहाइड्रोजिनेज

95. आप किचन में काम कर रहे हैं और आपको एक मानवीय आकृति दिखती है जिसे आप भूत समझ लेते हैं। अनुभूति के इस प्रकार को पहचानिये।
A. मतिभ्रम
B. आभास
C. अवधारणात्मक निरंतरता
D. गति के लंबन का प्रभाव

96. क्लासिकल कंडीशनिंग के सिद्धांत का प्रस्ताव किसने रखा?

A. इवान पावलोव B. अल्बर्ट बंदुरा
C. वोल्टगैंग कोहलर D. गेस्टाल्ट

97. शब्दार्थ वैज्ञानिक स्मृति (सिमेंटिक मेमोरी) का मतलब है:

A. विविध कौशल क्रियाओं का संग्रह करना
B. अति भावुक घटनाओं का संग्रह करना
C. तथ्यात्मक जानकारी का संग्रह करना
D. निजी स्मृतियों का संगह करना

98. भ्रूण की करोटि का सबसे लम्बा अग्रपश्च व्यास क्या है?

A. रूबेसीपिटो-फ्रंटल व्यास
B. सबोसीपिटो-ब्रेगमैटिक व्यास
C. सबमेंटो-वर्टीकल व्यास
D. मेंटो-वर्टीकल व्यास

99. कौन-से प्रकार के अस्थिभंग में त्वचा में खुली जख्म नहीं होती?

A. बंद अस्थिभंग B. खुला अस्थिभंग
C. घुमावदार अस्थिभंग D. अस्थिवर्धि अस्थिभंग

100. एक परिचारिका मेरू मस्तिष्क टैपिंग की विधि में सहायता कर रही थी। नमूने से संबंधित गलत विधान कौन-सा है?

A. नमूने को तुरंत प्रयोगशाला ले के जाओ
B. यातायात में अगर कोई विलम्ब हो रहा है तो नमूने को फ्रिज में रखिये
C. मेरू मस्तिष्क दाब को जीवाणुरहित सीसियों में इकट्ठा कीजिये
D. नमूने की अल्पतम मात्रा 1 ml होनी चाहिए

उत्तरमाला

1	2	3	4	5	6	7	8	9	10
C	D	B	D	A	C	C	D	B	B
11	**12**	**13**	**14**	**15**	**16**	**17**	**18**	**19**	**20**
B	C	C	B	C	B	A	C	D	C
21	**22**	**23**	**24**	**25**	**26**	**27**	**28**	**29**	**30**
B	B	D	B	B	B	A	C	D	A
31	**32**	**33**	**34**	**35**	**36**	**37**	**38**	**39**	**40**
B	A	C	C	B	D	B	C	B	B
41	**42**	**43**	**44**	**45**	**46**	**47**	**48**	**49**	**50**
D	B	A	A	D	B	D	C	A	D
51	**52**	**53**	**54**	**55**	**56**	**57**	**58**	**59**	**60**
B	B	A	C	C	A	B	B	C	D
61	**62**	**63**	**64**	**65**	**66**	**67**	**68**	**69**	**70**
D	B	B	B	D	C	C	C	D	C
71	**72**	**73**	**74**	**75**	**76**	**77**	**78**	**79**	**80**
A	C	B	D	B	A	D	A	C	C
81	**82**	**83**	**84**	**85**	**86**	**87**	**88**	**89**	**90**
B	A	B	D	C	A	B	C	C	D
91	**92**	**93**	**94**	**95**	**96**	**97**	**98**	**99**	**100**
B	D	C	D	B	A	C	D	A	B

YOUR SPACE